KU-471-992

zrób to w warszawie!
do it in warsaw!

agnieszka kowalska
łukasz kamiński

zrób to w warszawie!

do it in warsaw!

alternatywny przewodnik
alternative guide

spis treści

contents

#doitinwarsaw

Zrób to z nami!
To już trzecie wydanie „Zrób to w Warszawie!". Pracując nad pierwszą edycją naszego przewodnika, mieliśmy poczucie, że udało nam się jakoś – mniej lub bardziej zgrabnie i mocno – złapać, opisać naszą Warszawę. To było sześć lat temu. Tylko i aż.

Od tego czasu Warszawa zmieniła się diametralnie. Rozkwitła klubokawiarniami, zbliżyła się do Wisły, rozbuchała restauracjami i barami, eksplodowała festiwalami, wystawami i koncertami. Jest jak szalony kalejdoskop, co chwilę się zmienia, mieni różnymi kolorami. I to nas nieustająco fascynuje. Stąd właśnie wzięło się najnowsze „Zrób to w Warszawie!".

Jedne miejsca się pojawiają, inne – jak np. cudowne Koszyki, Kosmos Kosmos czy Powiększenie – znikają. Stadion Narodowy, który miał być miejscem odrodzenia się polskiej piłki nożnej, stał się wielką koncertową sceną przyciągającą gwiazdy najjaśniejsze – Beyoncé, Paula McCartneya, Depeche Mode. Prężnie działa też lokalna scena muzyczna, w rozsianych po całym mieście klubach kipi od alternatywy, hip-hopu, popu, elektoniki, jazzu.

Zmienia się też Warszawa kulinarnie. Jedna moda przegania inną. Kiedyś niepodzielnie rządziły kebaby i sushi. Dziś królują hamburgery i śniadania, a za rogiem czają się humus i zapiekanka. Nawet rowerowo Warszawa się odmieniła. Nie żeby stała się nagle drugą poprzecinaną ścieżkami rowerowymi Kopenhagą, ale za modą na jazdę podążyły dość sprawnie władze i zamontowały stale się rozrastający system wypożyczalni (postęp zauważyły już nawet zachodnie media, umieszczając Warszawę w swoich rankingach miast przyjaznych rowerom).

Jeśli czytaliście poprzednie edycje „Zrób to w Warszawie!", to odnajdziecie tu kilka znanych wam haseł, na szczęście nie wszystko, co dobre, szybko przemija. Znajdziecie też oczywiście wiele nowości, w tym ilustracje, grafiki, zdjęcia, projekty ponad 20 artystów żyjących i tworzących w stolicy. Tak wygląda nasza Warszawa w 2014 r.

Jeden ze znajomych zarzucił nam, że Warszawa opisana w „Zrób to..." jest piękniejsza, bardziej atrakcyjna od tej rzeczywistej. Być może tak jest, być może kiedyś wydamy antyprzewodnik „Nie rób tego w Warszawie!". Na razie jednak jesteśmy po uszy zakochani w tym mieście.
I mamy wrażenie, że to miasto i nas kocha coraz bardziej.

Agnieszka Kowalska
i Łukasz Kamiński

Do it with us!
Welcome to the third edition of our *Do It In Warsaw* guide. While working on the first one, six years ago, we had this rather comfortable notion of grasping Warsaw in it's full wonder. But six years is a heap load of time. Since then, the city has changed significantly. It has blossomed with coffee shops and cultural clubs, it made it's way closer the Vistula river, have sprung up with restaurants and bars, it has exploted with music festivals and concerts. Today, it resembles a kaleidoscope gone wild with different shapes and colors. And it continues to fascinate us. Hence the newest edition of *Do It In Warsaw*.

A lot of new places opened up. Other party and music landmarks like Kosmos Kosmos, Koszyki and Powiększenie have vanished from the city's surface. Some new places are built with the young generations in mind, with The National Stadium being the best example. Although it was established to help rebuild our football reputation it serves as a concert venue, hosting world's biggest stars, Beyonce, Paul McCartney, Depeche Mode.

Mind You, You don't have to visit the stadium to enjoy a proper concert, Warsaw is studded with cool hop hop, rock, alternative, jazz and pop places.

Warsaw has also changed in terms of food. Food fashions seem to come and go. Not so long ago it was all about sushi and kebabs. Today hamburgers and breakfast meals reign kings. But just around the corner hummus and zapiekanki (toasted cheese snadwiches) are waiting to take over. Even the bicycle culture has evolved.

Of course, Warsaw doesn't even come close to Copenhagen, but we're getting there with a whole new rent-a-bike system installed lately by the city's authorities.

If You have ever read the former editions of *Do It In Warsaw* You might be familiar with some of the entries, fortunately, not all that is good passes away. What You will also find is a lot of new stuff, including art – illustrations, graphics, projects – of more then twenty young artists. This is our Warsaw in 2014 AD. One of our friends told us once that the Warsaw we potray in the guide is much more beautiful and magical than in reality. Perhaps, it is so. Who knows, one day, we might even write an antiguide *What not to do in Warsaw*. But, for now, we are utterly in love with our city. And we feel the city loves us more and more with each every day.

Agnieszka Kowalska and Łukasz Kamiński

zrób wstępny rekonesans

Zanim przyjedziesz, możesz się już w tej naszej Warszawie wstępnie rozeznać. Polecamy mobilną aplikację USE-IT WARSAW stworzoną przez Fundację Nowej Kultury „Bęc Zmiana", a zaprojektowaną przez studio Cyber Kids on Real. Teksty napisał do niej jeden z najlepszych znawców warszawskiej architektury Grzegorz Piątek. To Warszawa dla młodych (nie tylko metrykalnie) turystów, taka, jaką lubimy.

Bardzo użyteczne i praktyczne (sprawdziliśmy w innych miastach) są też miękkie mapy z serii Crumpled City Map. W dodatku są wodoodporne, można je zwinąć do kieszeni albo na nich usiąść. Kup więc przez internet albo zamów w swoim lokalnym sklepie z designem, rozłóż w domu na podłodze i wytycz szlaki przyszłych wędrówek po Warszawie.

do preliminary recon

Even before you arrive, you can get an overview of our lovely Warsaw. We recommend the mobile application WARSAW USE-IT, created by the Bęc Zmiana Foundation for New Culture and designed by the Cyber Kids at Real Studio. The texts inside were written by one of the top experts when it comes to Warsaw architecture, Grzegorz Piątek. It presents Warsaw for young (in terms of age, but equally so in spirit) tourists, in the way we see it, capturing the reasons we like it.

The soft maps of the Crumpled City Map series are also very useful and practical (we know from experience in other cities). In addition to being useful as a map, they are waterproof, you can fold them up and put them in your pocket or just simply sit on them. So buy them on the internet or in your local designer store, spread it out at home on the floor and start planning your upcoming trip to Warsaw.

→ www.use-it-warsaw.pl

→
USE-IT WARSAW
Cyber Kids on Real

zobacz symbole warszawy
see the warsaw's symbols

Grafika Marcina Chomickiego
Marcin Chomicki's graphics

PAŁAC KULTURY I NAUKI

Pałac to punkt orientacyjny i pierwszy budynek, który zobaczysz, wychodząc z Dworca Centralnego. Relikt komunizmu, który warszawiacy zaczynają nawet lubić, a zagraniczni turyści lubią bardzo.

Ten „dar narodu radzieckiego dla narodu polskiego" budowało 3,5 tys. radzieckich i polskich robotników. Dlatego został ukończony w rekordowym czasie trzech lat i oddany do użytku 22 lipca 1955 r. Pomysłodawcą budowy był Józef Stalin (który otwarcia Pałacu nie doczekał), a zaprojektował go radziecki architekt Lew Rudniew z zespołem.

Ma 231 m wysokości i 42 kondygnacje. Po zmierzchu mieni się kolorami dzięki efektownej iluminacji. Mieści w sobie tyle atrakcji, że możesz w nim spędzić kilka dni i jeszcze nie zdołasz się znudzić. Są tu m.in.: taras widokowy na 30. piętrze; Sala Kongresowa na 3 tys. miejsc, w której kiedyś odbywały się wiece partii komunistycznej, a która dziś służy jako sala koncertowa; basen w Pałacu Młodzieży; cztery teatry (Dramatyczny, Studio, 6. Piętro, Lalka); kino (Kinoteka); Muzeum Techniki z ekspozycją w bardzo starym stylu; coś dla dzieciaków – szkielety dinozaurów w Muzeum Ewolucji; klubokawiarnie Café Kulturalna w Teatrze Dramatycznym i barStudio w Teatrze Studio, gdzie można dobrze zjeść, skorzystać z internetu, wziąć udział w kulturalnym spotkaniu, a wieczorem poimprezować; socrealistyczne rzeźby na elewacjach Pałacu i nieskończona liczba ciekawych detali wewnątrz.

Oglądając Pałac, pamiętaj: masz do czynienia z zabytkiem! Nie obyło się bez ostrych sporów, jednak 2 lutego 2007 r. PKiN został wpisany do rejestru zabytków. Ale pamiętaj też o tym, że kiedyś było tu centrum miasta z prawdziwego zdarzenia, poprzetykane siatką ulic, placów, zieleni i pięknych kamienic.

🔍	pl. Defilad 1
→	www.pkin.pl

THE PALACE OF CULTURE AND SCIENCE

The Palace is a point of orientation and the very first building you see when coming out of the Central Railway Station. It is a relic of communism that Varsovians are finally starting to like and tourists instantly love.

This 'present from the Soviet to the Polish nation' was built by 3,500 Soviet and Polish workers and was, as such, finished in a record time of three years. The building, opened on 22 July 1955, was created by Joseph Stalin (though he didn't live to see his idea realized) and was designed by Soviet architect Lev Rudiev and his team.

It is 231 m tall and 42 floors. At night, it is lit up by various color schemes and lighting effects. The Palace is filled with so many attractions that you could spend a few days there and never be bored with, among other things, an observation deck on the 30th floor, the Sala Kongresowa concert venue for 3,000 people that once held Communist party rallies, a swimming pool, four theaters (Dramatic, Studio, 6th Floor, Lalka), a cinema (Kinoteka), the Technical Museum, an Evolution Museum with dinosaur skeletons, the socio-realist sculptures all around and inside the Palace, plus there is also Café Kulturalna at the Dramatic Theater and barStudio at Studio Theatre where one can eat, use the internet, take part in cultural meetings or debates and party all night long.

Looking at the Palace of Culture, remember: it's a historical landmark! While it was rather controversial, the building was registered as a historical landmark on 2 February 2007. It's also worth noting that this used to be Warsaw's city center with a network of streets, squares, greenery and beautiful buildings.

1. Kampania promocyjna galerii Zachęta
Zachęta Gallery's promotional campaign
2. Sala Kongresowa

SYRENKA

Syrena – pół ryba, pół kobieta, naga, z mieczem i tarczą w dłoni – zdobi herb Warszawy. Dlatego możesz kupić niezliczoną liczbę pamiątek z jej wizerunkiem. Ale my polecamy raczej, byś wytropił jej rozmaite wersje rozsiane po całej Warszawie.

Te najsłynniejsze znajdziesz na Rynku Starego Miasta (XIX-wieczna rzeźba Konstantego Hegla) i nad Wisłą przy moście Świętokrzyskim (z 1939 r., autorstwa Ludwiki Nitschowej, z twarzą poetki Krystyny Krahelskiej, która zginęła w Powstaniu Warszawskim).

Ale są też Syrenki mniej znane – rzeźba Jana Woydygi na wiadukcie Markiewicza (1904 r.) i płaskorzeźbiony betonowy herb Warszawy zdobiący jedną z zachodnich wież mostu Poniatowskiego (około 1912 r.), elegancka smukła Syrenka przed Urzędem Dzielnicy Praga-Południe, przeniesiona tam sprzed wyburzonego kina Sawa na Saskiej Kępie (z 1974 r., autorstwa Jerzego Chojnackiego, ul. Grochowska 274), wreszcie mała Syrenka w herbie nad wejściem do dawnej remizy tramwajów konnych w Domu pod Syreną na Pradze-Północ (lata 20. XX w., ul. Inżynierska 6).

Najmniej znana, ale wyjątkowo piękna, jest spora rzeźba z betonu z pojnikiem dla ptaków w ogonie, z przełomu lat 60. i 70. XX w., ulokowana w parku Mirowskim, między blokami osiedla Za Żelazną Bramą.

THE MERMAID

A mermaid – a half-fish, half-woman, naked, with a sword and a shield in her hands – is Warsaw's seal. You can buy dozens of souvenirs emblazoned with a mermaid in Warsaw, but we prefer you to go see the various mermaid statues around the city.

The most famous Syrenka (mermaid) can be found on the Old Town Market Square (a 19th century sculpture by Konstanty Hegel) and at the Świętokrzyski Bridge (from 1939, created by Ludwika Nitschowa, has the face of poet Krystyna Krahelska who was killed in the Warsaw Rising).

There are also some lesser-known mermaid sculptures around the city, such at Jan Woydyga's sculpture at the Markiewicz viaduct (1904), the concrete relief of the Warsaw crest on Poniatowski Bridge (approx. 1912), the elegant and slim mermaid in front of the Praga-Południe district offices relocated there from the destroyed Sawa cinema in Saska Kępa (1974, Jerzy Chojnacki) and, finally, there is also a small Syrenka on the crest of the former horse-drawn tram stalls at the Dom Pod Syreną in the Praga-Północ district (1920s). The lesser known, though exceptionally beautiful, are the many sculpted concrete bird feeders from the 1960s and 70s in Park Mirowski near the Za Żelazną Bramą (Behind the Iron Gate) housing complex.

⚲	**Rynek Starego Miasta**
⚲	**ul. Wybrzeże Kościuszkowskie nad Wisłą**
⚲	**ul. Karowa**

1.

2.

3.

4.

1. Syrenka nad Wisłą
2. Mamsam, projekt: Wojtek Koss
3. Neon projektu Maurycego Gomulickiego w Galerii Leto. Neon designed by Maurycy Gomulicki at Galeria Leto
4. Ul. Karowa

PALMA

Warszawiacy długo się z nią oswajali, a teraz nie wyobrażają już sobie miasta bez niej. 15-metrowa sztuczna palma na przecięciu głównych tras komunikacyjnych – Alej Jerozolimskich i Traktu Królewskiego – zmieniła na zawsze krajobraz stolicy. I jako symbol nowej Warszawy trafiła do folderów promocyjnych, na pocztówki, do reklam i teledysków.

Postawiła ją tu w grudniu 2002 r. artystka sztuk wizualnych Joanna Rajkowska. Zainspirowana wizytą w Izraelu chciała przypomnieć, skąd wzięła się nazwa Alej Jerozolimskich, które w XVIII w. zamieszkiwała społeczność żydowska. I zmienić nasze przyzwyczajenia w myśleniu o przestrzeni miasta.

Ten artystyczny projekt nosi tytuł „Pozdrowienia z Alej Jerozolimskich", więc możesz też Palmę wykorzystać przy tworzeniu własnej oryginalnej pocztówki z Warszawy.

THE PALM TREE

It took Varsovians quite a while to get used to the Palm Tree, but now the city would not be complete without it. The 15-meter fake palm tree sits in the middle of one of Warsaw's main intersections, Al. Jerozolimskie and the Royal Route, and has permanently changed the city's landscape. As a symbol of a new Warsaw, it is now featured in promotional materials, on postcards, in ads and music videos.

The visual artist Joanna Rajkowska constructed the piece in 2002. Inspired by a trip to Israel, Rajkowska wanted to remind people why the street is called Jerozolimskie Avenue (Jerusalem Avenue) – in the 18th century, Warsaw's Jewish community resided there. As well, the artist sought to change the way people think about the use of public space. The art piece is entitled 'Pozdrowienia z Alej Jerozolimskich' (Greetings from Jerusalem Avenue), so you too can take a picture of the palm tree and create your own postcard from Warsaw.

🔍	rondo de Gaulle'a
→	www.palma.art.pl

sprawdź, która godzina

Trochę cię podpuszczamy, bo nawet jeśli znasz się na zegarach słonecznych, to na tym placu nie dowiesz się, która godzina. A taki był zamysł. Wskazówką zegara miał być cień drzewa rosnącego pośrodku pl. Słonecznego rzucany na 12 okalających go budynków. Niestety, plan się nie powiódł, bo zamiast wysmukłej topoli posadzono rozłożysty klon. Ale warto tu przyjść, żeby docenić ten oryginalny koncept i zobaczyć jeden z najpiękniejszych zakątków Żoliborza. Plac powstał w latach 1922-1925 według projektu Antoniego Aleksandra Jawornickiego i Kazimierza Tołłoczki. Domy w stylu dworkowym są dziełami Romualda Gutta i Adolfa Świerczyńskiego.

check the time

Well, we actually lied a little bit because even if you know how to read time from a sun dial, you cannot do it on pl. Słoneczny, although this was what the architects attempted to achieve. The original idea was that a tree in the middle of the square would cast a shadow on the surrounding buildings. But this plan did not work out simply because somebody planted a bushy maple instead of a tall, slender poplar tree. Nevertheless, it is worth a visit to witness this unusual idea and, at the same time, to spend some time in one of the nicest places in the Żoliborz district. The square was built in 1922-25 according to a design by Antoni Aleksander Jawornicki and Kazimierz Tołłoczko. The mansion-style houses were designed by Romuald Gutt and Adolf Świerczyński.

Q	Żoliborz
⚲	pl. Słoneczny

#ludziewarszawy
#thepeopleofwarsaw

bartłomiej kociemba „arobal”

Ilustruje magazyny w Polsce i na świecie. Stworzył serię plakatów dla Teatru Dramatycznego. Współpracował z Kancelarią Prezydenta RP i Sejmu RP. W wolnych chwilach nauczyciel medytacji w tradycji Szambali.

Illustrates magazines in Poland and around the world. Created a series of posters for Dramatic Theater (Teatr Dramatyczny). Worked with the Polish Presidential Chancellery and the Lower House of Parliament. Teacher of shambali meditation.

Czy gdzieś na świecie można za grosze doświadczyć baletowych lub operowych uniesień? W Warszawie można! Razem z moim chłopakiem założyliśmy rodzinny klub baletowo-operowy, w ramach którego udajemy się do Teatru Wielkiego na polowanie. Najpierw wejściówki, potem tropimy wolne miejsca. Czasem lądujemy na trzecim balkonie – trzeba uważać, by wychylając się, nie wypaść za balustradę – a czasem w pierwszych rzędach. Najchętniej chodzimy na Pastora, moja siostra na Trelińskiego.

Po łzach wzruszeń czas na późną kolację w knajpce Między Nami na Brackiej, którą Mikkel uwielbia za polskie jedzenie, jednak wciąż omyłkowo nazywa ją Ministerstwem Kawy – to z kolei jedna z moich ulubionych kawiarni.

Is there anywhere in the world that you can feel the drama of the ballet or opera for pennies? In Warsaw, you can! My boyfriend and I have created a little family ballet-opera club to go ‘hunting’ at the National Opera. First, we hunt for tickets, then for seats. Sometimes we end up on the third balcony – you have to be careful not to lean out too far over the barrier – and sometimes we end up in the first row. We prefer seeing Pastor, my sister prefers Treliński.

After being moved to tears, it’s time for a later dinner at Między Nami – a place Mikkel loves for it’s Polish food though he still mixes the name up with Ministerstwo Kawy which is, actually, my favorite coffeshop.

→ www.arobal.tumblr.com

←↑
Stacja metra Plac Wilsona
Plac Wilsona underground station

policz stacje jedynej linii metra

Tak, dobrze widzisz, nie masz problemów ze wzrokiem. Warszawa ma JEDNĄ linię metra: 21 stacji, 23 km, czas przejazdu 38 minut. Intrygujące, prawda? Pewnie zastanawiasz się, jak my w ogóle w tym mieście funkcjonujemy. No, cóż – korki to nasz chleb powszedni, a samochody z braku miejsc parkują już w kilku rzędach na chodnikach dla pieszych.

Plany były ambitne. Podziemną kolej projektowano w Warszawie już w latach 20. Budowa ruszyła w 1951 r., jednak okazała się zbyt trudna i droga. Wznowiono ją w 1983 r., a pierwszy odcinek o długości 11 km od Kabat do Politechniki oddano do użytkowania w 1995 r. I tak w tempie średnio jednej stacji na kilka lat nasze metro się rozrasta. Dotychczas połączyło wielką warszawską sypialnię – blokowisko Ursynowa – z centrum miasta i dotarło na Młociny. Budowę pierwszej linii metra po 25 latach zakończono 25 października 2008 r.

Gdzie nim dojedziesz? Na przykład do Lasu Kabackiego na spacer (stacja Kabaty), do ursynowskiego Multikina na film (stacja Imielin), do wielkiego parku Pole Mokotowskie na rekreację (stacja Pole Mokotowskie), do Pałacu Kultury (stacja Centrum) i na Żoliborz, do najbardziej malowniczej dzielnicy Warszawy (stacja Plac Wilsona).

Może gdy będziesz to czytać, Warszawa będzie już miała drugą linię metra, która połączy oba brzegi Wisły. Oby, bo budowa znacznie się przeciągnęła. Nazwy stacji, które zobaczysz na peronach nowej linii metra, zaprojektował wybitny artysta, jeden z twórców tzw. polskiej szkoły plakatu, Wojciech Fangor.

count the stations on the single metro line

Yes – you do not have vision problems. Warsaw has only ONE metro line with 21 stations measuring 23 km and requiring 38 minutes to get from one end to the next. Interesting, huh? I am sure you're wondering just how we manage in this city but traffic and double parked cars are our daily bread.

Plans were ambitious – the first underground train in Warsaw was planned in the 1920s and construction began in 1951 but it turned out to be too expensive and too difficult. Plans were renewed in 1983 and the first stretch – 11 km of train from Kabaty to Politechnika – were opened in 1995. And, that has kind of marked the tempo for the construction of the remaining stations. Now, Warsaw's biggest bedroom community – the Ursynów housing complexes – is finally connected to Młociny. Warsaw's first metro line was completed, after 25 years of construction, on 25 October 2008.

Where can you go on the metro? To the Kabacki Forest (Kabaty station), for example, on a walk. Or to Multikino in Ursynów for a movie (Imielin Station). Or to the huge Pole Mokotowskie park to hang out (Pole Mokotowskie station), to the Palace of Culture (Centurm station) or to Żoliborz, the most picturesque district in Warsaw (Plac Wilsona station). Maybe, by the time you read this, Warsaw will have a second metro line connecting the two banks of the river, but construction is really dragging on. The station names for the planned new stations were created by the renowned artist Wojciech Fangor, one of the founders of the Polish school of posters.

→ www.metro.waw.pl

rozejrzyj się
look around

Z TARASU NA 30. PIĘTRZE PAŁACU KULTURY (144 M)

Mówisz: „Banalne"? A jednak powinieneś spróbować. Każde miasto ma swoją wieżę telewizyjną czy Empire State Building z tarasem widokowym, z którego można podziwiać panoramę miasta. Kręcimy nosem, że to taki turystyczny obowiązek, ale ciągnie nas tam. I słusznie. Bo to całe robienie zdjęć z wysokości i rozpoznawanie poszczególnych budynków to doskonała zabawa i sposób na wstępne zorientowanie się w topografii miasta.

W tym przypadku masz zapewnione dodatkowe atrakcje: możliwość podziwiania detali architektonicznych we wnętrzach Pałacu Kultury, kafejkę na 30. piętrze i windziarzy, z którymi podczas jazdy możesz uciąć sobie krótką (dotarcie na górę trwa zaledwie 19 sekund), ale ciekawą pogawędkę.

FROM THE PALACE OF CULTURE'S 30TH FLOOR (144 M)

You say it's boring? It really is worth checking out! Most cities have their television tower or Empire State Building with an observation deck from which one can see the city skyline. Varsovians turn their nose up that it's such a tourist trap, but it's actually really cool. Taking photos from on high and trying to identify buildings you know is a lot of fun and a great way to really get a sense of Warsaw's geography.

In this case, the Palace of Culture offers an added attraction: it is filled with socio-realist architectural details, a little café on the 30th floor, and elevator attendants who are some of the most interesting people to engage in a 19 second conversation with (that's how much time it takes to get to the top).

🔍	Pałac Kultury i Nauki
📍	pl. Defilad 1
→	www.pkin.pl

Z OGRODÓW NA DACHU BUW-U

Tu podziwiasz miasto co prawda z niższej wysokości, ale za to w pięknych okolicznościach przyrody.

Sam gmach Biblioteki Uniwersyteckiej to jeden z piękniejszych nowoczesnych budynków Warszawy (zaprojektowany przez Marka Budzyńskiego i Zbigniewa Badowskiego, oddany do użytku w 1999 r.). A już ogrody urządzone na jego dachu to prawdziwy majstersztyk. Są tu sadzawki w japońskim stylu, ławki, schodki, strumyk, altany, mostki i tarasy. No i ten widok! Jest Wisła widziana z bliska, nasz najpiękniejszy most – Świętokrzyski, z pylonem i siatką białych lin. Za nim – Stadion Narodowy na miejscu Stadionu Dziesięciolecia, a bardziej w lewo – ceglane wieże neogotyckiej praskiej katedry św. Floriana (1902 r.). I wracając na ten brzeg Wisły – pomnik warszawskiej Syreny, Centrum Nauki „Kopernik" i zabytkowy budynek elektrowni Powiśle z 1904 r. (obecnie przebudowywany przez dewelopera). A z ażurowego metalowego mostka (uwaga na obcasy!) rozciąga się piękny widok na Stare i Nowe Miasto.

Wielką sadystyczną przyjemność może ci też sprawić podglądanie przez okno w dachu uczących się w bibliotece studentów.

Z dachu BUW-u From the roof of the University of Warsaw library

🔍	**Biblioteka Uniwersytecka w Warszawie**
⚲	**ul. Dobra 56/66**
→	**www.buw.uw.edu.pl**

FROM BUW'S ROOF GARDENS

Here you will see Warsaw from a slightly lower elevation, but from the verdant gardens above the library.

The University of Warsaw Library building is, itself, one of the prettiest modern buildings in Warsaw (designed by Marek Budzyński and Zbigniew Badowski, opened in 1999). And the gardens on its roof are a true masterpiece. There are Japanese-style planters, benches, stairs, a stream, little bridges and terraces. Plus, there's the view. You can see the Vistula River up close and Warsaw's loveliest bridge (Świętokrzyski Bridge) with it's pylons and network of white lines. Behind that, the National Stadium is visible and, a little to the left, are the brick towers of the neo-Gothic St. Florian's Cathedral in Praga (1902). Back on the other side of the river, Warsaw's Syrenka monument stands near the Powiśle power plant from 1904 (currently being re-developed). From the little metal bridge (watch it if you're wearing heels!), you can see a beautiful view of the Old and New Town.

For a bit of evil satisfaction, you can look in on the students working hard in the library from the giant glass windows in the roof.

Z DACHU BLOKU

Wjeżdżasz na ostatnie piętro zwykłego obskurnego bloku, a tu czeka cię miła niespodzianka. W mieszkaniu, które służyło od lat 60. do życia i pracy wybitnym artystom (najpierw Henrykowi Stażewskiemu, a później Edwardowi Krasińskiemu), w nietypowy sposób ich pamięć postanowiła uczcić jedna z najważniejszych polskich instytucji artystycznych – Fundacja Galerii Foksal.

W kilku pomieszczeniach zachowano mieszkanie-pracownię Krasińskiego takie, jakie je pozostawił – z meblami, obrazami, obiektami i jego słynną niebieską taśmą, którą okleił cały ten artystyczny bałagan na wysokości 130 cm. A na obszernym tarasie architekci z holenderskiej pracowni BAR wraz z Polakiem Marcinem Kwietowiczem dobudowali nowoczesny szklany pawilon, twórczo interpretując bryłę bloku z lat 60. Tu odbywają się wystawy, spotkania, debaty.

Wjedź więc koniecznie na 11. piętro, wdrap się po schodkach na dach szklanego pawilonu i ciesz się widokiem. Zobaczysz tu centrum miasta zamknięte w ramy zamontowanego na dachu ekranu do projekcji filmowych.

🔍	**Instytut Awangardy**
⚲	**al. „Solidarności" 64/118**
→	**mail@fgf.com.pl**

FROM THE ROOF OF AN APARTMENT BUILDING

You take an elevator to the top floor of an obscure building and are met by a lovely surprise. The apartment, which has served, since the 1960s as a living and working space for renowned artists (first Henryk Stażewski and later Edward Krasiński), has been transformed in a rather unexpected way to be a tribute to one of Poland's most important artistic institutions, the Galeria Foksal Foundation.

The apartment/work space has been left as Krasiński arranged it with furniture, pictures, art objects and his famous blue tape which he used to tape together the entire artistic 'mess' at a height of 130 cm. The large terrace has been built into a modern glass pavilion - an artistic interpretation of a solid block - by architects from the Dutch BAR studio together with the Pole, Marcin Kwietowicz. The apartment hosts exhibitions, meetings and debates.

It's worth going up to that 11th floor apartment and climb the stairs even a bit higher to the roof of the glass pavilion just to take in the view. You can see the whole city center through the frame of a giant film projection screen mounted on the roof.

PRZY MOŚCIE ŚWIĘTOKRZYSKIM

I jeszcze jedno spojrzenie na Warszawę z praskiego brzegu Wisły. Jest takie miejsce między Stadionem Narodowym a mostem Świętokrzyskim, a w zasadzie tuż przy samym moście, z którego Warszawa wydaje się piękna o każdej porze dnia i nocy, niezależnie od pogody. Centrum miasta widziane przez liny mostu, z Wisłą u stóp, to pocztówkowa panorama, którą musisz uwiecznić. Polecamy wybranie się tu na rowerze. Bo o ile ścieżek rowerowych jest w Warszawie bardzo mało, o tyle akurat wzdłuż Wisły są, na moście Świętokrzyskim również.

BY ŚWIĘTOKRZYSKI BRIDGE

And another view of Warsaw from the Praga side of the river. There is a place between the National Stadium and Świętokrzyski Bridge (nearer the bridge) from which Warsaw looks like the most gorgeous city at any time of the day or night, regardless of the weather. The city center is visible through the lines of the bridge, the Vistula is at your feet and panorama is deserving of photographs. We recommend you take a bike here because, even though there are too few bike lanes in Warsaw, there are actually plenty along the river and on the Świętokrzyski Bridge.

zrób sobie zdjęcie z żyrafą

take a photo with a giraffe

To wyzwanie niemal tak duże jak sfotografowanie się z Pałacem Kultury czy kolumną Zygmunta. Ale zawsze możesz przecież zrobić zdjęcie samej żyrafie. Wielu warszawskich 30-latków ma w rodzinnym albumie taką fotografię z dzieciństwa. A to dlatego, że żyrafa znajduje się w parku przylegającym do ogrodu zoologicznego. Pojawiła się tu jako dar warszawskich dzieci dla zoo, a wykonał ją w 1981 r. Władysław Frycz. Zwana jest przez niektórych metaliczną żyrafą, a w jej dziurkach chętnie gnieżdżą się ptaki.

Podobną, tego samego autora, tyle że znacznie mniejszą, znajdziecie na skwerze Kuźmirskiego-Pacaka. Stoi tam razem z innymi dziełami, które ocalały spośród 60 przygotowanych w 1968 r. na I Biennale Rzeźby w Metalu. Żyrafa jak ser szwajcarski, bo też w dziurki.

This is a challenge as great as getting a photo with the Palace of Culture or Sigismund's Column. And you can always compromise and take just a picture of the giraffe alone. Many Varsovians in their 30s have such a picture with the giraffe in an old photo album, taken when they were little children. The giraffe is always there in the park adjacent to the zoo. It was made by Władysław Frycz in 1981 as a gift for the children of Warsaw. Some people call it the "metallic giraffe" and birds like to make nests in its holes. A similar giraffe, made by the same sculptor, just yellow and much smaller, is located at Kuźmirskiego-Pacaka Square. It stands among 60 sculptures from 1968 made for the I Biennale of Metal Sculpture. The giraffe is just like Swiss cheese – it is riddled with holes.

Projekt Notoładnie Studio

park Praski,
ul. Ratuszowa 1/3

skwer Kuźmirskiego-Pacaka

→
Żyrafa w parku Praskim
Giraffe at Praski Park

#ludziewarszawy
#thepeopleofwarsaw

małgorzata gurowska

Zajmuje się sztuką wideo, instalacją, grafiką i rysunkiem. Prowadziła galerie Z o.o., Ltd., teraz współtworzy Fundację Sztuczną.

Makes video art, installations, graphics and drawings. Ran the Zo.o., Ltd., now is the co-founder of Fundacja Sztuczna.

Dolinę Wisły zamieszkuje ponad 40 gatunków ssaków. Tyle co typowy polski park narodowy. Wiele z tych gatunków można spotkać na brzegach Wisły w granicach Warszawy. Spotkaj: nietoperza gacka, nocka, mroczka, mopka; jeża, kreta, ryjóweczkę aksamitną i malutką, rzęsorka rzeczka, szczura wędrownego, badylarkę, mysz domową, leśną, polną; nornicę rudą, nornika zwyczajnego czy północnego, karczownika ziemnowodnego, piżmaka, bobra, wiewióreczkę, lisa, wydrę, kunę leśną i domową, norkę, tchórza, gronostaja, zająca, łasicę, dzika, sarnę, łosia.

The Vistula valley is home to more than 40 species of mammals. That's the same as in any Polish national park. Most of these species can be found on the Vistula's banks in the city of Warsaw. Go meet various types of bats, a hedgehog, mole, a variety of rats and mice, a vole, some amphibians, a muskrat, beaver, chipmunk, fox, otter, marten, mink, polecat, stoat, hare, weasel, wild boar deer or elk, all in Warsaw.

→ **www.fundacjasztuczna.pl**

porównaj dwie wieże

Tak się złożyło, że rosły jednocześnie. Z przygodami, z przerwami (bo wiadomo, kryzys). Oba budynki to wieżowce apartamentowce, co się w Warszawie dotąd jeszcze nie zdarzało. Oba – dzieła gwiazd architektury. Więc oczekiwania były duże, a porównania nieuniknione.

Cieszyliśmy się na budynek Daniela Libeskinda, zwłaszcza że architekt zapewniał: – To nie jest dla mnie tylko kolejny projekt. To coś znacznie ważniejszego i emocjonalnego. Urodziłem się w Łodzi, a blisko Złotej mieszkała moja mama.

192-metrowy, 44-piętrowy drapacz chmur reklamowany był jako „najwyższy wieżowiec o przeznaczeniu wyłącznie mieszkalnym w Unii Europejskiej". – Projektując ten budynek, myślałem o orle, który wzbija się do lotu. To symbol nowej Warszawy, nowej Polski – ekscytował się Libeskind. Dziś, gdy patrzymy na wizualizacje i niemal gotowy już budynek, trudno nam uwierzyć – ze smukłego orła wyszedł pękaty pelikan, w dodatku z paskudnym upierzeniem. Został nawet nominowany w niechlubnym plebiscycie na Makabryłę roku 2013.

Helmut Jahn wypada w tej konkurencji znacznie lepiej, może dlatego, że ma większe doświadczenie w budowaniu wysokościowców. Smukła sylwetka jego Cosmopolitana dobrze wpisała się w okolice pl. Grzybowskiego. Jest nieco niższa od Złotej – ma 160 m (44 piętra) – ale znacznie elegantsza.

compare the two towers

It just so happens that the two skyscrapers werebuilt nearly simultaneously – with challenges, and short breaks (after all, the economic crisis was a global one). Both are high-rise apartment houses, which is a new thing in the city center, and they are Warsaw's first. Both are the works of architectural celebrities, so expectations were high, and comparing the two is now inevitable.

We are happy to have a building by Daniel Libeskind, even more so that the architect assured us that "it is not just yet another project for me. It's something much more important and emotional. I was born in Łódź and my mom lived near Złota."

The 192-meter, 44 story high skyscraper was marketed as the the tallest residential skyscraper in the European Union. "While designing the building, I imagined an eagle about to take off in flight. This is a symbol of a new Warsaw, of a new Poland," Libeskind enthusiastically explains. Today, when we look at the visuals and the almost finished building, its hard to understand how the slender eagle became a bulgy pelican, with a dirty set of feathers. The building was even nominated to the satirical people's choice award, a 2013 Makabryła (a macabre-object or structure).

Helmut Jahn falls much better in this competition, perhaps because he has a lot more experience in building high-rises. The slim silhouette of his Cosmopolitan fits well with the neighboring pl. Grzybowski. It is slightly shorter than Złota 44 – it is 160 meters (44 floors), but it's surely way more elegant.

Złota 44
ul. Złota 44

Cosmopolitan
ul. Twarda 2/4

1. Złota 44
2. Cosmopolitan

posłuchaj miejskich legend

Na pewno, będąc w Warszawie, nieraz usłyszysz o nich opowieści. Legendarne, efemeryczne instalacje wnikliwe oko wyłowić może już jedynie na archiwalnych zdjęciach Google Street View.

Staw dotleniający powietrze na najdłuższym placu Warszawy? To słynny Dotleniacz Joanny Rajkowskiej (więcej o nim na s. 146).

UFO? Tak, wylądowało w 2011 r. na pl. Na Rozdrożu. Przez całe wakacje międzynarodowa ekipa artystów, architektów, projektantów EXYZT budowała, a następnie animowała tę przestrzeń. Był basen, kawiarnia, odbywały się targowiska, zawody sportowe, można tam było nawet przenocować.

Różowe jelonki? A i owszem, stały kiedyś takie plastikowe, świecące nocą zwierzaki na trawniku przy Bibliotece Uniwersyteckiej na Powiślu (projekt Hanny Kokczyńskiej i Luizy Marklowskiej zrealizowany przez Bęc Zmianę).

I wreszcie wielka Tęcza na pl. Zbawiciela, która znika i pojawia się odbudowywana po kolejnych pożarach. Czasami są to chuligańskie wybryki, czasami polityczne akty przemocy skrajnej prawicy. Artystka Julita Wójcik postawiła ją tu w 2012 r., licząc na to, że wywoła pozytywne emocje i będzie łączyć, a nie dzielić. O podpalanej Tęczy „The New York Times" pisał jako o symbolu braku tolerancji i podzielonego społeczeństwa. Ale my zapamiętamy przede wszystkim całe wielopokoleniowe rodziny, które pomagały Julicie Wójcik naprawiać Tęczę, i tłumy ludzi całujących się podczas flashmoba pod wypalonym tęczowym łukiem.

listen to urban legends

While in Warsaw, you are sure to hear a loads of stories. Some of the legendary ephemeral installations are now only available for a trained eye to spot them in the archival footage of Google Street View. One of these is an oxygenating pond in the longest square in Warsaw – the famous Dotleniacz (Oxygenator) by Joanna Rajkowska (more about this on the page 146).

UFOs? Yes, one landed in 2011 on pl. Na Rozdrożu. Over the summer holidays, an international team of artists, architects and designers from the EXYZT collective built and animated this space. There was a swimming pool, café, markets, sports events,and you could even spend the night there.

Pink deer? Yes, sure, we had them once. Statuesque and plastic, glowing at night on the lawn right by the University Library in Powiśle (a project of Hanna Kokczyńska and Luisa Marklowska, produced by Bęc Zmiana).

Last but not least is the Tęcza (Rainbow) on pl. Zbawiciela, which disappears and reappears after having to be constantly rebuilt as a result of successive fires. Sometimes it's hooliganism, in other cases its political violence perpetrated by right wing radicals. Artist Julita Wojcik placed it there in 2012, hoping to trigger positive emotions and as something that will bring people together rather then to antagonize certain groups. *The New York Times* wrote about the rainbow as a symbol of intolerance and a divided society. We, on the other hand, like to remember the afternoons when whole families helped Julita repair the rainbow or the crowds of people who took part in the kissing flashmob under the burnt arch of the rainbow.

Julita Wójcik i jej Tęcza Julita Wójcik and her Rainbow

doceń polski design

Podobnie jak w młodej polskiej modzie w dziedzinie designu też dużo się u nas dobrego dzieje. Na stronie Stowarzyszenia Twórców Grafiki Użytkowej sprawdź, co robią polscy projektanci graficzni. Po niebanalne ilustracje udaj się do ILLO. Wystawy plakatu i prestiżowe międzynarodowe biennale odbywają się w Muzeum Plakatu w Wilanowie (ul. Kostki Potockiego 10/16, w budynku dawnej ujeżdżalni wilanowskiego barokowego pałacu).

Koniecznie odwiedź też sklepy, w których znajdziesz oryginalną porcelanę, meble, szkło, notesy, lampy. Polecamy: Reset na Mokotowie (ul. Puławska 48), Product Placement na Powiślu (ul. Leszczyńska 12) i galerię Kuratorium w Śródmieściu (ul. Sienna 43a).

Regularnie odbywają się również Targi Rzeczy Ładnych oraz recyklingowa designerska impreza Przetwory połączona z przedświątecznym kiermaszem.

appreciate polish design

As in the Polish fashion scene, there is also a lot happening in terms of design.

Check the website of the Association of Creators of Applied Graphics (Stowarzyszenie Twórców Grafiki Użytkowej) to see what Polish graphic designers are up to. If you are interested in non-standard illustrations head over to Illo. If you're seeking a prestigious poster exhibition and international biennials, you'll find them in the Poster Museum in Wilanów (ul. Kostki Potockiego 10/16, in the former horse riding school located in the baroque palace complex of Wilanów).

Be sure to visit shops with original porcelain, furniture, glass, notebooks or lamps. We recommend: Reset which is located in Mokotów (ul. Puławska 48, the entrance is from ul. Dąbrowskiego), Product Placement located in Powiśle (ul. Leszno 12) and Galeria Kuratorium in Śródmieście (ul. Sienna 43a).

Also be sure to be on the look out for the bi-annual Targi Rzeczy Ładnych (Pretty Things Fair), as well as the recycling-design event Przetwory, which is coupled with a pre-Christmas fair.

→	www.polishdesignnow.com
→	www.resetpoint.pl
→	www.illo.pl
→	www.stgu.pl
→	www.postermuseum.pl
→	www.przetworydesign.com
→	www.artyardsale.pl

1.

3.

2.

1. Product Placement
2. Porcelana Kristoff, proj: Marek Mielnicki
   Kristoff porcelain, design: Marek Mielnicki
3. Full Metal Jacket (rysunki drawing),
   Vzór (fotel chair) i Slava Varsovia (torba bag)
   na Art Yard Sale

#ludziewarszawy
#thepeopleofwarsaw

maria jeglińska

Projektantka, w 2010 r. założyła własne studio – Office for Design & Research. Była kuratorką wystawy „Punkty widzenia – punkty siedzenia" na Łódź Design Festival i współkuratorką „Wonder Cabinets of Europe".

Designer, opened her own studio, the Office for Design & Research, in 2010. Curated the Punkty widzenia – punkty siedzenia (Ways of Seeing/Sitting) exhibition at the Łódź Design Festival, co-curator of Wonder Cabinets of Europe.

Jest wiele miejsc, które mogłabym polecić, ale żadne chyba nie dorówna pracowni jednych z moich ulubionych polskich artystów. Jest to dawne studio Edwarda Krasińskiego, które odziedziczył po Henryku Stażewskim. Pracownia znajduje się na ostatnim piętrze bloku tuż przy pl. Bankowym. Czas się tam zatrzymał. Każdy centymetr kwadratowy tej przestrzeni jest perełką. Prawdziwa, kiedyś zamieszkana, „instalacja przestrzenna" Krasińskiego. Są tam między innymi ręcznie malowane meble Stażewskiego zainspirowane De Stijem. Horyzontalna niebieska taśma Krasińskiego nadaje rytm całej przestrzeni i kontrastuje z wertykalnymi pasmami Daniela Burena naklejonymi na oknie.

There are so many places I could recommend but I think one of my favorite artist's studios is incomparable. It's the former studio of Edward Krasiński which was left to him by Henryk Stażewski. The studio is located on the top floor of an apartment block near pl. Bankowy. Time has stopped there. Each square centimeter of the space is a treasure – it's the former living space and Krasiński's 'space installation'. There are, among other things, furniture hand painted by Stażewski, inspired by De Stij. Krasiński's horizontal blue tape gives the whole place rhythm and stands in contrast to Daniel Buren's vertical stripes stuck on the window.

→ www.mariajeglinska.com

zrelaksuj się w miejskim sanatorium

Zaledwie minutę spacerem od hałaśliwej Trasy Łazienkowskiej mamy taki skarb. Doceniliśmy go w pełni dopiero w obliczu zagrożenia. Osiedle drewnianych domków na Jazdowie – sielankowa enklawa, która pozostała po Biurze Odbudowy Stolicy – może zniknąć. Dzielnica chciałaby tu budować, część mieszkańców już się wyprowadziła, ale reszta postanowiła się bronić. Założyli stowarzyszenie i na wakacyjne miesiące w ramach inicjatywy Otwarty Jazdów udostępniają kilka pustych domków na projekty kulturalne (w tym roku wybudowali już z warszawiakami piknikową altanę). Dzięki temu mamy takie nasze, warszawskie sanatorium, które uwielbiamy, nawet jeśli złośliwi nazywają je wiochą w centrum miasta.

Na Bemowie jest kolejna taka malownicza enklawa o uroczej nazwie Osiedle Przyjaźń. Aż kilkadziesiąt różnej wielkości drewnianych domków, postawionych tu w 1952 r. dla radzieckich budowniczych Pałacu Kultury (stąd ta „Przyjaźń"). Trzy lata później przekazano je warszawskim uczelniom na akademiki i tak zostało do dziś. Część z nich zajmują studenci, część prywatni najemcy, jest biblioteka i klub Karuzela. Warunki mieszkaniowe nie są tu może najlepsze, ale mieszkańcy cenią sobie sielankowy klimat tego zakątka. Czy uda się go uchronić przed zakusami deweloperów? Tu władze dzielnicy na szczęście zapewniają, że tak.

relax in an urban oasis

Just a minute's walk from a the rumbling al. Łazienkowska is a true treasure. We only appreciated it in its full glory when confronted with potential tragedy: the estate of wooden huts in Jazdow – an idyllic enclave that was left standing after the Office of the Reconstruction of the Capital moved out – are at risk of being demolished. The local government wants to build there; some residents have already moved out and others have decided to defend their oasis. They founded an association and, in the summer, as part of the Otwarty Jazdów (Open Jazdów) initiative, made a few empty cabins accessible for cultural projects (this year, together with fellow Varsovians, they already built a picnic gazebo). Thanks to this, we have our own little urban oasis, which we love, even if haters try to diss it by calling it a "village in the city center."

In the Bemowo district, we have another picturesque enclave, charmingly named the Friendship Estate. A place of as many as several dozen different sized wooden houses, built in 1952 for the Soviet builders of the Palace of Culture (hence the name 'Friendship'). Three years later, they were given to Warsaw's universities to serve as dormitories and they function as such until this day. Some of them still house students and some private tenants. There is a place for a library and the Karuzela club (Carousel). Living conditions are not the best, but residents appreciate the unique feel it offers. Will it be protected from the greediness of developers? Here, we are happy to say that the district authorities are keen on keeping it as it is.

fińskie domki
ul. Jazdów 5
Osiedle Przyjaźń, Bemowo

nie gaś pożaru w burdelu

Pożar w Burdelu to pierwszy prawdziwie warszawski kabaret, który opisuje nową tożsamość stolicy.

O ile barwniej wyglądałoby nasze miasto, gdybyśmy na ulicach widywali bohaterkę Pożaru Anię z Polski oprowadzającą Ryana Goslinga, w kościele można było posłuchać kazania duszpasterza hipsterów czy zobaczyć ukryte życie, które toczy się w podziemiach metra.

Kabaretowy cykl Pożar w Burdelu startował w ciasnej piwnicy pewnej nieistniejącej już klubokawiarni. Dziś wypełnia wielkie widownie teatrów i muzealne audytoria (nomadyczna trupa gościła już m.in. w barzeStudio, Teatrze Warsawy, Nowym Teatrze i Muzeum Historii Żydów Polskich).

Punktują panią prezydent, trzymają rękę na pulsie wydarzeń w mieście i przekładają je na komediowe skecze. Pokazują, że można śmiać się na każdy temat. I że Warszawa może konkurować o tytuł stolicy absurdu.

don't extinguish the brothel fire

Pożar w Burdelu (Fire in a brothel) is Warsaw's first true cabaret which aims to offer a new identity for the capital.

How much more colorful would our city be if we could encounter Anna from Poland giving a tour to Ryan Gosling, or if you could listen to a hipster pastor preaching in church or see the hidden life under the metro.

The whole Pożar w Burdelu cabaret series began in the cramped basement of a now-closed club-café. Today, it draws big audiences and fills theaters and museum auditoriums (the nomadic troupe has already performed in places like barStudio, Warsaw Theatre, New Theatre or the Museum of the History of Polish Jews).

They openly judge our First Lady, keep an eye on local events and transform them into comedic skits. They prove that you can laugh about everything and that Warsaw could compete for the title of the world's most absurd capital.

kup kwiaty od babć

Koniecznie odkryj klimat lokalnych bazarków, na których można kupić dosłownie wszystko. Ale najcenniejsze są oczywiście towary spożywcze od rolników, którzy przywożą je z okolicznych wsi, i skarby od tzw. bab. Są one tak naprawdę przemiłymi paniami, które same robią pyszne przetwory i kolorowe bukiety, suszą grzyby i dziergają na drutach swetry.

Warto zachować na mapie miasta takie miejsca, co dostrzegli już na szczęście mądrzejsi architekci i urbaniści.

Aleksandra Wasilkowska, wiceprezeska warszawskiego oddziału Stowarzyszenia Architektów Polskich, zaprojektowała mobilne stragany, tzw. bazaromaty, zajmuje się też rewitalizacją lokalnych targowisk. Mówi: – Dla mnie niesamowitym paradoksem jest to, że warszawski mieszczuch, dopiero jak pojedzie do Marrakeszu czy Stambułu, to tam doceni bazar. A w Warszawie się brzydzi lub wstydzi. Stragan mu się kłóci z jego wyobrażeniem o Europie. Fakt, że nasza kultura bazarowa została skutecznie zabita przez supermarkety, ale powinniśmy ją zrekonstruować.

buy flowers from grumpy grannies

Be sure to discover the feel of local bazaars where you can buy absolutely everything. Of course, the most valuable are the food products from farmers who come from villages surrounding Warsaw. But, the true treasures are sold by the infamous grannies. They are considered to be unpleasant while actually being very gracious ladies who make delicious preserves and colorful bouquets, dry mushrooms and knit sweaters.

It is definitely worth protecting these bazaars and making sure that the city has a place for them. We are fortunate to have wise architects and planners who have realized this.

Alexandra Wasilkowska, vice president of the Warsaw branch of the Association of Polish Architects, designed bazaromaty, mobile bazaar stalls. She has also been involved in the revitalization of local markets. She says: "For me, the amazing paradox is that as your standard Polish urbanite will travel to Marrakech or Istanbul to explore and appreciate bazaars. In Warsaw, they would feel disgusted or shy to do the same. These bazaar stalls don't correspond with their notion of Europe." It's true that our bazaar culture has been effectively erased by supermarkets, but we should do our best to restore it.

🔍	targowisko Banacha
📍	u zbiegu ul. Grójeckiej i Opaczewskiej

🔍	wokół Hali Mirowskiej
📍	pl. Mirowski 1

🔍	wokół Universamu Grochów
📍	rondo Wiatraczna

zwiedź warszawskie soho

My też je mamy, a co! Żeby odwiedzić nasze Soho, trzeba wsiąść w centrum w tramwaj numer 8 i wysiąść na przystanku Bliska.

Jesteśmy na Kamionku, który na początku XX w. zaczęła wypełniać przemysłowa architektura. I sporo się tu jeszcze takich perełek z lat 20. i 30. zachowało. Docenił to inwestor, który wybrał Kamionek na miejsce budowy apartamentowców. Docenił, czyli nie burzył, co niestety na ogół ma miejsce. Zadziałał niesztampowo. Zanim zaczął budować mieszkania, zainwestował w rewitalizację kilkunastu starych budynków i wpuścił do nich artystów, architektów, designerów, projektantów mody, wydawców. Teren Soho Factory zaczął żyć i przyciągać warszawiaków.

Dziś na Mińskiej 25 znajdziecie m.in. Neon Muzeum, bazę turystycznej ekipy Adventure Warsaw, muzeum Czar PRL, Studio Teatralne „Koło", jedną z najlepszych warszawskich restauracji Warszawa Wschodnia, galerie Leto i Piktogram/BLA, pracownie architektów WWAA, Projekt Praga i projektantów studia Super Super. Odbywają się tu targi żywności Soho Food Market, recyklingowa impreza Przetwory i muzyczny Free Form Festival.

take a tour of warsaw's soho factory

We also have one – no big deal! To visit Warsaw's Soho, you have to take tram number 8 from Centrum and get off at the Bliska tramstop.

The area is called Kamionek, which, in the early twentieth century, was being closed in by industrial architecture. Many of these gems from the 20s and 30s survived. An investor realized this and chose Kamionek as the perfect site to build apartments. Recognizing their value, he didn't decide to demolish them, which is what usually takes place. He acted rather unusually. Before building housing, he invested in the revitalization of several old buildings and let in artists, architects, designers, fashion designers and publishers. The area of Soho Factory began to liven up and attract people.

Today, Mińska 25 is the Neon Muzeum's location and where the tourist crew Adventure Warsaw, Studio Teatralne Koło theater, PRL museum, one of the best restaurants in Warsaw Warszawa Wschodnia, the Leto and Piktogram/BLA galleries, the WWAA architects' workshops, Projekt Praga and designers of the Super Super studio's location. It is also the site of the Soho Food Market, the recycling-design event Przetwory or the Free Form Festival (music).

Q	**Soho Factory**
⚲	**ul. Mińska 25**
→	**www.sohofactory.pl**

1.

2.

1. Syreni Śpiew
2. Na Lato

zejdź schodami do wisły

To jedna z naszych ulubionych tras spacerowych. Uwaga – można wybrać wariant bardziej rekreacyjny lub knajpiany, bo mnóstwo jest po drodze ciekawych lokali.

Zaczynamy na pl. Trzech Krzyży. Podziwiamy triki deskorolkowców przy pomniku Witosa i idziemy dalej, przy hotelu Sheraton (tu możemy też zboczyć w prawo, żeby zobaczyć budynek Sejmu).

Zanim dojdziemy do wielkich schodów prowadzących w dół, po lewej stronie zobaczymy ciekawy budynek Muzeum Ziemi (al. Na Skarpie 2/5), któremu kształt nadał w latach 1935-1938 architekt Sejmu Bohdan Pniewski, który zresztą mieszkał tu i tworzył do końca życia, do 1965 r.

Piękny widok z tych schodów, prawda? Na horyzoncie widzimy już Wisłę. Ale rozejrzyjmy się jeszcze na boki. Jesteśmy w Centralnym Parku Kultury, stworzonym w latach 1952-1964 na terenie zniszczonej w czasie wojny zabudowy Powiśla. To jedno z najpiękniejszych rekreacyjnych miejsc Warszawy.

Gdy przejdziemy ul. Rozbrat, po prawej stronie między drzewami dostrzeżemy perełkę architektury lat 70. – wolno stojący pawilon, w którym mieści się dziś klub Syreni Śpiew (idealne miejsce dla miłośników dobrej whisky i dansingów przy muzyce granej na żywo). Koniecznie zobaczcie zachowane tam mozaiki i elementy oryginalnego wystroju wnętrz.

Na pewno tuż przed Syrenim Śpiewem zauważyliście też piękny ogródek lokalu Na Lato. Knajpa działa nie tylko latem i serwuje doskonałe jedzenie, polecamy zwłaszcza pizzę. To świetne miejsce na weekendowy wieczór – można tu nie tylko dobrze zjeść, lecz także potańczyć, bo grają dobrzy didżeje.

Idziemy dalej, mijamy pomnik Sapera, jeszcze tylko przejście podziemne i jesteśmy w klubie Cud nad Wisłą. Widzisz, co się tutaj dzieje? Ale spacer nad Wisłą to już zupełnie inna historia...

take the stairs to the river

This is one of our favorite walking trails. Take note that you can choose either a more recreational or pub-oriented route, as there are many interesting venues along the way.

We start at pl. Trzech Krzyży (Three Crosses Square). Take a moment to admire the tricks done by skaters at the Witos monument and then move on to the Sheraton Hotel (here you can wonder off to the right to see the Parliament building which, in its current form, was designed in the years 1942-1952 by Bohdan Pniewski).

Before we get to the big staircase leading down on the left, we are able to see an interesting building, the Muzeum Ziemi or the Museum of Earth (al. Na Skarpie 2/5), it was created between 1935-1938 by the previously-mentioned architect, Bohdan Pniewski. It's a really beautiful view from the top of the stairs. Further in the distance, you can see the river. But, let's take a look around. We are in the Central Park of Culture, created between 1952-1964 in place of the destroyed district of Powiśle. This is one of the most beautiful recreational areas in Warsaw.

After crossing ul. Rozbrat, in the trees to the right, we see an architectural gem from the 1970s – a detached pavilion, which houses the club called Syreni Śpiew (Mermaid Song) - an ideal place for lovers of good whiskey, live music and dancing. Make sure to appreciate the well-preserved mosaics as well as elements of original design. We bet that before passing Syreni Śpiew, you noticed the lovely summer garden of the Na Lato (For Summer) venue. The place is open not just in the summer and they serve excellent food - we especially recommend their pizza. It's a great place for a weekend evening where, in addition to getting a great meal, you'll be able to dance as they are know to have good DJs.

Moving on, we pass the Sappers Monument and still only have to take the underpass and are at the club Cud Nad Wisłą, where its possible to stumble upon a good concert.

nie przegap najwęższego domu świata

Najcieńszy dom świata został wciśnięty w szczelinę między blok z lat 60. przy ul. Chłodnej 22 a przedwojenną kamienicę przy ul. Żelaznej 74. W najwęższym miejscu ma 72 cm, a w najszerszym – 122 cm. Mimo że mieszkanie tam wydaje się niemożliwe, kiedy już znajdujemy się w środku, zaskakuje nas funkcjonalność wyposażenia – jest lodówka, biurko do pracy, łóżko, odtwarzacz płyt – wszystko oczywiście malutkie, podyktowane skalą budynku.

– Jeśli macie klaustrofobię, nie wpadajcie tam do mnie na partyjkę scrabble czy filiżankę herbaty – żartuje słynny izraelski pisarz Etgar Keret. To jemu inicjatorzy projektu – Fundacja Polskiej Sztuki Nowoczesnej i architekt Jakub Szczęsny z grupy projektowej Centrala – zadedykowali ten niezwykły dom. – Jego matka urodziła się kilka kwartałów stąd, łączy w sobie polską i żydowską historię, tak ważną w kontekście tej okolicy. To żywa, błyskotliwa osobowość twórcza, której nieobce są takie zwariowane pomysły. Spodobała mi się idea, że taki kosmita ląduje na tej Woli i jest wskanowany w coś tak cienkiego jak kartka papieru – mówi Jakub Szczęsny.

Keret przyjechał na otwarcie, w październiku 2012 r. Teraz w „jego domu" mogą się zatrzymywać goście specjalnego programu stypendialnego dla młodych artystów i intelektualistów z całego świata.

don't miss the world's narrowest house

The thinnest house in the world has been squeezed into the gap between 1960s-style flats at ul. Chłodna 22 and a pre-war tenement house at ul. Żelazna 74. In its narrowest point, it measures 72 cm and 122 cm in its widest. Although the apartment at first seems impossible to live in, once inside, one becomes surprised at its functionality with a refrigerator, work desk, bed, cd player – everything, of course, is tiny as its size is dictated by the structure's scale.

"If you are claustrophobic, don't bother dropping by for a game of Scrabble or a cup of tea," jokes famous Israeli writer Etgar Keret, to whom the initiators of the project (the Foundation of Modern Polish Art and architect Jakub Szczęsny from the Centrala project group) dedicate this remarkable house. His mother was born a few blocks away and Dom Kereta combines a Polish and Jewish history so important in the context of the area. This lively, brilliant and creative person is no stranger to such crazy ideas. He liked the concept of 'an alien landing in the Wola district and for him to be scanned in to something as thin as a sheet of paper,' says Jakub Szczęsny.

Keret came for the opening in October 2012. Now "his house" hosts guests who are a part of a scholarship program for young artists and intellectuals from around the world.

Q	Dom Kereta
⚲	ul. Żelazna 74
→	www.domkereta.pl

Etgar Keret

#ludziewarszawy
#thepeopleofwarsaw

kuba dąbrowski

Fotograf

Photographer

Na ul. Dąbrowskiego 71 – blisko Relaksu, Resetu, Mezze, hamburgerów i innych kiełkujących nowomodnych miejsc – chowa się cukiernia Kryś. Działa w tym samym miejscu od ponad 30 lat i według mnie rządzi. Smaki są klasyczne, ale bardzo wysokiej jakości. Szczególnie lubię małe drożdżówki z białym makiem i orzechami (kupuję je po drodze do metra), babka z kruszonką i pascha. Latem – lody własnej produkcji. Pod tym samym adresem mieści się też superantykwariat. Krysiowe minidrożdżówki wykorzystałem w sesji dla włoskiego magazynu „RedMilk" (zdjęcie obok).

There is a little bakery called Kryś hiding at ul. Dąbrowskiego 71, near Relaks, Reset, Mezze and all the other hamburger and trendy places. It's been in the same location for over 30 years and, according to me, it rules! The cakes are all classics, but of very high quality. My favorite are the small sweet buns with white poppy seeds and nuts (I usually pick some up on my way to the metro), babka (yeast cake) with crumble and pascha, a traditional Jewish cheesecake. In the summer, they make their own ice cream. There's also a great antique store at this same address. I used Kryś mini pastries in a photo shoot for the Italian magazine RedMilk (photo on the right).

→	www.kubadabrowski.com
→	kubadabrowski.blogspot.com

P.M.A. 32000 KG

bądź towarzyski

Towarzyską wyróżniają na tle innych warszawskich klubokawiarni malownicza lokalizacja, architektoniczny projekt Jana Strumiłły, no i ten niezwykły, obłożony kamieniem pawilon. W lecie gości przyciągają ogródki, a przez cały rok bogaty program kulturalny – od pokazów filmowych po kameralne koncerty.

To dobry punkt startowy spaceru po Saskiej Kępie – dzielnicy, którą upatrzyli sobie młodzi kreatywni, którzy jednocześnie nie chcą rezygnować z życia rodzinnego. Jan Strumiłło, projektant wnętrza, wychował się na Saskiej Kępie. – To rodzaj rezerwatu przyrody – tłumaczy. – Warszawa jest w większości miastem z bardzo słabą tożsamością miejsc. Wszystkie te nasze osiedla są dla postronnych osób podobne. Nie wytwarzają więzi społecznych. A na Saskiej Kępie istnieje bardzo silne poczucie sąsiedztwa, identyfikacji z miejscem. Wciąż mieszkają tu osoby, które się tu urodziły, czuje się ciągłość.

be sociable

Towarzyska stands out in the Warsaw café-club scene thanks to its picturesque location, the architectural design of Jan Strumiłło and the unusual stone covered building. During the summer, the patio attracts visitors and, while year-round, despite the different weather, the cultural program still attracts people for film screenings or intimate concerts.

This is a good starting point for walk through the Saska Kępa district, which has been appreciated by the young and creative who also value family life. Jan Strumiłło, an interior designer, who grew up in Saska Kępa, says: "it's kind of a nature reserve. Warsaw is a city which is rather poor at creating a sense of identity in the various areas. All of these residential blocks look alike for outsiders. They do not foster the creation of social ties. Saska Kępa, on the other hand, creates a very strong sense of neighborhood identification. People who were born here still live here and you can feel a real sense of community."

Q	Klubokawiarnia Towarzyska
⚲	ul. Zwycięzców 49
→	www.facebook.com/towarzyska

WUL-
GAR-
NE
Witek
Orski
IT'S ALL ABOUT THE LETTERS

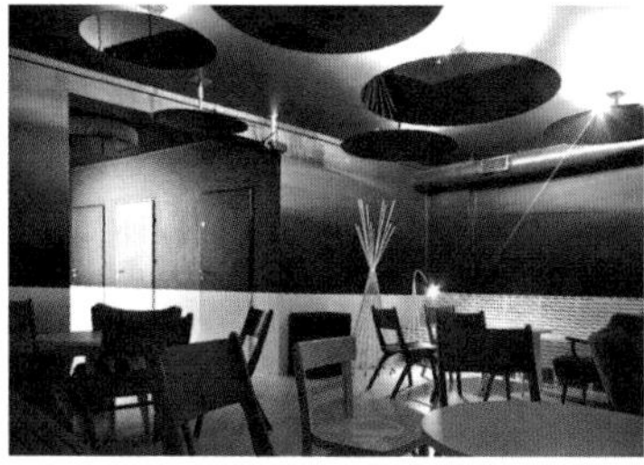

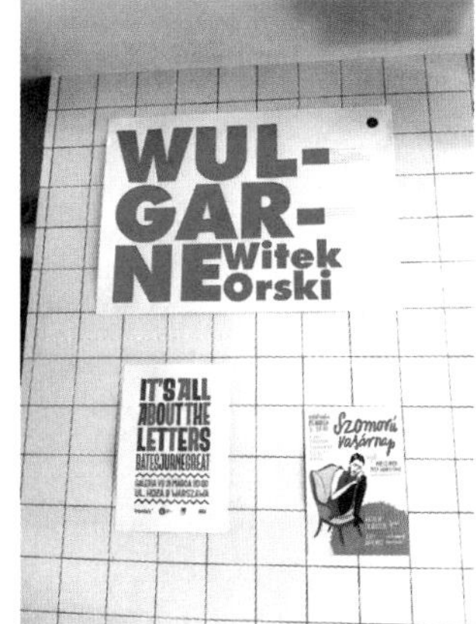

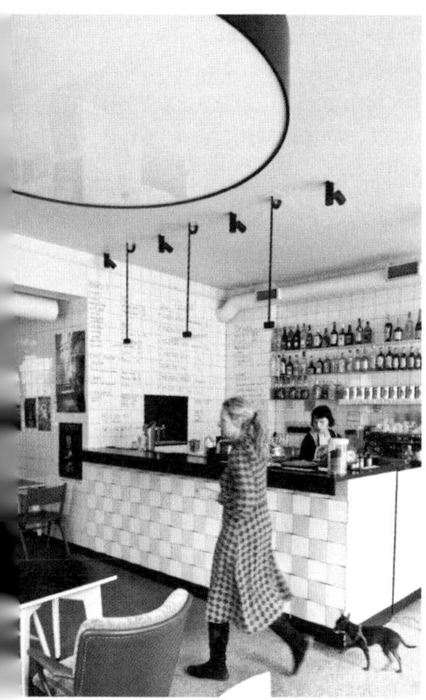

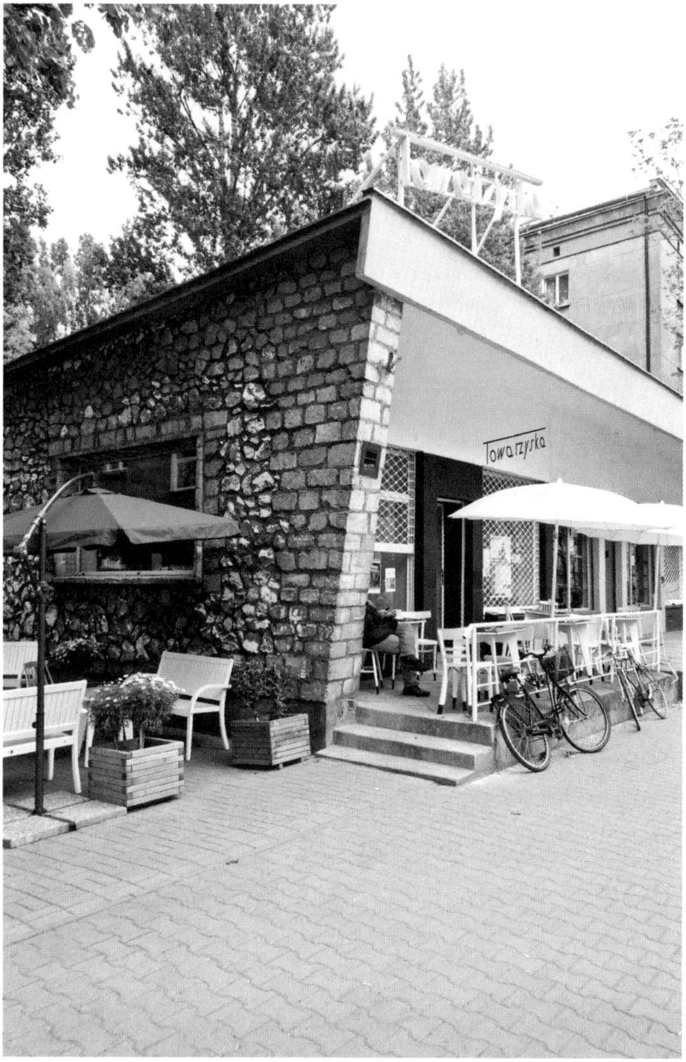
Towarzyska

nie wychodź z parku przez sześć godzin spaceru

Mamy w mieście skarb – Skarpę Warszawską. Szlak spacerowy i rowerowy od Cytadeli na Żoliborzu po Królikarnię na Mokotowie. Zielony, usiany instytucjami kultury i klubokawiarniami. Wiele z nich raz do roku łączy siły, by zorganizować wspólnie Majówkę na Skarpie, której program koordynuje Fundacja Culture Shock. A wszystko zaczęło się od architekta Artura Jerzego Filipa, który zauroczony skarpą wytyczył na niej Warszawską Drogę Kultury i zabiega o to, by zaistniała w świadomości warszawiaków i turystów.

Nadwiślańska skarpa to urwisko, którego obecność miała zasadnicze znaczenie dla lokalizacji i rozwoju Warszawy. Dlatego przez wieki tutaj właśnie powstawały ważne zamki, pałace i kościoły, a z czasem także inne publiczne gmachy.

Spacer z Żoliborza na Mokotów zajmuje sześć godzin. Bardzo polecamy, bo w ten sposób można przejść spory fragment miasta, nie wychodząc praktycznie z parków.

take a 6 hour walk through a park

We have a true treasure in this city – the Warsaw escarpment. It is a long, green walking and cycling trail from the Citadel in Żoliborz to Królikarnia in Mokotów, sprinkled with cultural institutions and club-cafés. Many of them join forces annually to organize the big Majówka na Skarpie (Maybreak on the escarpment) – the program is coordinated by the Culture Shock Fundation. Everything started with architect Artur Jerzy Filip who was captivated by this green area and planned out the Warszawska Droga Kultury (Warsaw Culture Road), striving for its popularization among Varsovians and tourists.

The escarpment is a cliff – its presence was an essential element in the location and then shaping of Warsaw's further development. This is why, for centuries, it was where important castles, palaces, churches and later, also other important public buildings were built.

The walk from Żoliborz to Mokotów takes 6 hours. We highly recommend it, because it's a way for you to walk through a big part of the city, without virtually exiting the park.

Q	**Skarpa Warszawska**
⚲	**od Cytadeli Warszawskiej, przy ul. Skazańców 25, do Królikarni, przy ul. Puławskiej 113a**
→	**www.drogakultury.waw.pl**

posiedź nad wisłą

To jest szaleństwo, co dzieje się nad tą naszą Wisłą. Dlatego w ogóle nie dziwi nas, gdy widzimy grupy zagranicznych turystów z karimatami pod pachą sunące prosto nad rzekę. Nie byłby to żaden ewenement, w końcu w każdej metropolii, która ma jakiś akwen, tak jest. Ale nas wyróżnia paradoksalnie to, że nasze nadbrzeża nie są przesadnie uporządkowane. Remontuje się co prawda pierwszy odcinek rzecznych bulwarów – od wysokości Starego Miasta do Centrum Nauki „Kopernik" – ale na pozostałych panuje bezpretensjonalny luz.

Ci, którzy lubią sport, jeżdżą na rowerze lub biegówkach przyrodniczą ścieżką na praskim brzegu. Mogą też na jednym z pomostów wypożyczyć kajak, który zwrócą po dopłynięciu do kolejnego.

Miłośnicy przyrody udają się po pomysły do znawcy rzeki Przemka Paska z fundacji Ja Wisła (s. 166).

Leniwce mogą rozłożyć się na kocyku na jednej z plaż, rozpalić ognisko albo posiedzieć na betonowych schodach na uregulowanym, lewym brzegu Wisły.

A imprezowicze? Ci też nie będą narzekać na nudę. Co roku w lecie powstają nad rzeką nowe kluby, rzeczywistość jest płynna. Ale na pewno polecić możemy wielką trójkę: Temat Rzeka na praskiej plaży na wysokości Stadionu Narodowego (obok mostu Poniatowskiego), a na lewym brzegu – klub BarKa zaprojektowany przez architektów z pracowni Projekt Praga (to ta biała barka między mostem Świętokrzyskim a kolejowym) oraz Cud nad Wisłą (bulwar Flotylli Wiślanej przy Płycie Desantu). We wszystkich odbywają się regularne imprezy didżejskie i koncerty.

1.

1 i 2. Temat Rzeka
3. BarKa

sit by the vistula river

It seems crazy that our long-forgotten gem has been reborn. That's why we are not surprised to see groups of foreign tourists with sleeping mats, cruising over to its banks. Although this is a normal aspect of every modern metropolis with water, what makes our river banks special is their unregulated and organic form. Renovations are being made to the existing embankments on the left side of the river, around the Old Town and the Copernicus Science Center (or Kopernik), but the rest of its shores are to be left as they are and open to the public. Those who like sports are free to ride their bikes or enjoy cross country skiing in the winter, as there are maintained trails on the Praga side of the river. Those who like water sports or are seeking a different perspective on to the city have the possibility to rent kayaks, which you can return downstream after finishing the trip.

Nature lovers who are searching for ideas should approach Przemek Pasek, an expert on the river associated with the Ja Wisła Foundation.

Those who like bumming around can lay down on a blanket on one of the beaches, get a bonfire going or sit on the concrete steps of the less-wild, left bank of the Vistula River.

Are you a party person? You can't complain about being bored. Every year during the summer, a bunch of new clubs open up and the vibe is great. The top three places we certainly recommend are Temat Rzeka on Praga's beach near the National Stadium (next to the Poniatowski Bridge), and on the left bank, the club BarKa, designed by architects of the Projekt Praga studio (this is the white barge between the Świętokrzyski and railway bridge) and Cud nad Wisłą (located by the Vistula Flotilla Boulevard). All three have regular DJ events and concerts.

1.

2.

1. Plażowa
2. Cud nad Wisłą

#ludziewarszawy
#thepeopleofwarsaw

agata nowicka „endo”

Ilustratorka i autorka komiksów, jej prace publikują m.in. „New Yorker” i „New York Times”. Współzałożycielka fundacji i agencji ilustratorów ILLO. Kuratorka i producentka wystaw polskiej współczesnej ilustracji.

Illustrator and comics author. Her work has been published in the New Yorker and The New York Times. Co-founder of the Illo agency and foundation. Curator and producer of exhibitions of Polish modern illustration.

Jest kilka czynności i miejsc, które sprawiają, że czuję, że naprawdę kocham Warszawę. Przejażdżka rowerem wzdłuż Wisły albo którymś z mostów, której za każdym razem towarzyszy olśnienie – mieszkamy w mieście nad wodą. Drugim ważnym miejscem jest dla mnie Muzeum Sztuki Nowoczesnej. Pamiętam dobrze dreszcz emocji i atmosferę, które towarzyszyły otwarciu pierwszej wystawy w budynku Emilii, ekscytację, że w końcu mamy swoje MoMA. Pamiętam też miejsca, których już nie ma, a które na zawsze pozostaną wspomnieniem czegoś niezwykłego i ważnego, takie jak Baumgart Café w CSW czy Chłodna 25. To mnie najbardziej ekscytuje w tym mieście, połączenie tego, co było, z tym, co może się jeszcze wydarzyć, nieustająca zmiana i rozwój.

There are a few things and places that make me really love Warsaw. Riding my bike along the Vistula or across one of the bridges always makes me drool – we live in a city on the water! Another important place for me is the Museum of Modern Art. I remember the emotions and atmosphere that accompanied the opening of the first exhibition in the Emilia building – the excitement that we finally have our own MoMA. I also remember places that no longer exist but will always be remembered as somewhere unusual and important like the Baumgart Café at CSW or Chłodna 25. That's what excites me most about this city – the connection between what once was, what could happen and the constant change and development.

→ www.agatanowicka.com

jedz zdrowo

W Warszawie mamy prawdziwy boom na targi zdrowej żywności. Zaczynamy zwracać uwagę na to, co jemy i gdzie robimy zakupy. Wolimy jechać na bazarek na drugi koniec miasta po chleb czy wędlinę, niż kupić je w supermarkecie. Moda? Snobizm? Jeśli tak, to bardzo zdrowe.

Tego zdrowego odżywiania uczą nas aktywiści ruchu Slow Food Warszawa, a zakupy robimy na targowiskach, m.in. w Fortecy u Kręglickich (www.kregliccy.pl), na Targu Spożywczym w Domu Towarowym Braci Jabłkowskich (ul. Bracka 25, od piątku do niedzieli), BioBazarze w dawnej fabryce Norblina (ul. Żelazna 51/53, soboty i środy) i w Soho Food Markecie (Soho Factory, ul. Mińska 25, soboty i niedziele).

Z całej Polski zjeżdżają do Warszawy na te targi najlepsi producenci żywności: zieleninę sprzedaje Pan Ziółko, ryby Pan Sandacz (na zdjęciu), sery Spółdzielnia Mleczarska w Skarszewach czy Kaszubska Koza, soki Wiatrowy Sad, wędliny Dobra Kiszka i wielu, wielu innych.

Spotkania z nimi wychodzą nam na zdrowie i są niezwykle inspirujące. Smacznego!

→	www.slowfood.waw.pl
→	www.biobazar.org.pl

Dariusz Wolszczak – Pan Sandacz Mr. Zander

eat healthy food

In Warsaw, we have seen a real boom of healthy food markets. Varsovians are starting to pay attention to what they eat and where they shop, preferring to go to a bazaar on the other side of town to get bread and meat, rather than to buy it at a supermarket. Is this a trend or simply snobbery? Whatever it is, it's healthier.

We are being taught to eat healthy by the Slow Food movement activists of Warsaw, and we do our shopping at markets including the Targ Spożywczy (Grocery Market) in the Dom Towarowy Braci Jabłkowskich (Jabłkowski Brothers Department Store ul. Bracka 25, from Friday to Sunday), BioBazar in the former Norblin factory (ul. Żelazna 51/53 , Saturdays and Wednesdays) and at the Soho Food Market (Soho Factory, ul. Minska 25 , Saturdays and Sundays).

The best food producers from around Poland come to these markets to sell their products: Pan Ziółko (Mr. Herb) vegetables, Pan Sandacz (Mr. Zander) fish, the Spółdzielnia Mleczarska w Skarszewach (the Dairy Cooperative in Skarszewy) or the Kaszubska Koza (Kashubian Goat), juices at Wiatrowy Sad, meat from Dobra Kiszka and many others.

Doing your shopping at their stands is good for your health, but is also very inspiring. Enjoy!

bądź biedny, ale kulturalny

Chcesz posmakować trochę kultury, a nie masz grosza przy duszy? Znajdziemy sposób.

Na koncert dobrego zespołu wybierz się latem nad Wisłę, do klubu BarKa.

Na wystawę sztuki współczesnej idź do: Muzeum Sztuki Nowoczesnej (Emilii Plater 51), galerii Zachęta (wstęp wolny we czwartki, w godz. 12-20) albo którejś z naszych bardzo dobrych prywatnych galerii (adresy znajdziesz na stronie www.warsawgalleryweekend.pl). Do Muzeum Narodowego (Al. Jerozolimskie 3) wstęp wolny na ekspozycje stałe jest we wtorki.

Duże muzea i galerie, podobnie jak klubokawiarnie, organizują zresztą mnóstwo ciekawych spotkań, pokazów filmów, promocji książek. Warto na bieżąco zaglądać na ich strony.

Bardzo bogaty program ma też Dom Spotkań z Historią (ul. Karowa 20), którego specjalnością są wystawy historycznych fotografii. Z kolei prace współczesnych fotografów bez biletu wstępu zobaczysz w galerii Leica (ul. Mysia 3) czy Lookout Gallery (ul. Puławska 41/22).

be poor, but cultural

Do you want to get a taste of culture, but you don't have a penny? You can still make it happen. For a good concert during the summer, head down to the Vistula River to the club BarKa. For an exhibition of contemporary art, go to Muzeum Sztuki Nowoczesnej (ul. Emilii Plater 51, Museum of Modern Art), The Zachęta Gallery (free admission on Thursdays between 12-8 pm) or one of the very good private galleries (addresses can be found at warsawgalleryweekend.pl). The National Museum's (Muzeum Narodowe, al. Jerozolimskie 3) permanent exhibitions are free of charge on Tuesdays.

The big museums and galleries, as well as café-clubs, organize an abundance of interesting meetings, screenings or book promotions. So, it's worth staying up to date with their websites.

Another place with a rich program of events is the Dom Spotkań z Historią (History Meeting House, ul. Karowa 20), which specializes in exhibitions of historical photographs. On the other hand, if your interested in contemporary photography you can see it free of charge at the Leica Gallery (ul. Mysia 3) or the Lookout Gallery (ul. Puławska 41/22).

Dom Spotkań z Historią
→

→	www.artmuseum.pl
→	www.zacheta.art.pl
→	www.dsh.waw.pl

kup ciuszek od polskich projektantów

Branża modowa bardzo prężnie rozwija się w Warszawie. Przybywa młodych zdolnych projektantów, targów modowych, butików.

Polecamy wstępny rekonesans w internetowych sklepach Shwrm.pl, Mustache.pl i Cloudmine.pl.

Z regularnie odbywających się targów największe to HUSH Warsaw. Organizatorki tego wydarzenia Anna Pięta i Magda Korcz przygotowały właśnie pierwszą mapę warszawskiej mody, z 50 rekomendowanymi butikami i pracowniami. Znajdziecie na niej te miejsca, które lubimy szczególnie – butiki: Ani Kuczyńskiej (ul. Mokotowska 61), Mamapiki (ul. Marszałkowska 34/50, lok. 3) oraz szyjących cuda z szarego dresowego materiału projektantek Risk Made in Warsaw (ul. Szpitalna 6/9).

A jeśli chcecie mieć szerszy wybór w jednym miejscu, to polecamy Młodych Polskich Projektantów (ul. Bracka 23/52) i TFH Tymczasowy Butik (ul. Szpitalna 8).

buy clothes from polish designers

The fashion industry is dynamically developing in Warsaw. There is an increasing amount of young, talented designers, fashion fairs and boutiques.

We recommend an initial reconnaissance on the following online sites: Shwrm.pl, Mustache.pl and Cloudmine.pl.

The largest regularly held trade fair is HUSH Warsaw. The organizers of this event, Anna Pięta and Magda Korcz, have also just finished preparing the first map of Warsaw fashion spots with 50 boutiques and studios that they recommen. You'll find boutiques we like, such as Ania Kuczyńska (ul. Mokotowska 61), Mamapiki (ul. Marszałkowska 34/50) and the masters of sweatshirt material design, Risk Made in Warsaw (ul. Szpitalna 6/9).

If you want to have access to a wider variety of different designers gathered in one place, we recommend the Młodzi Polscy Projektanci shop (ul. Bracka 23/52) and the TFH Tymczasowy Butik boutique (ul. Szpitalna 8).

Organizatorki HUSH Magda Korcz i Anna Pięta z projektantem Jerzym Antkowiakiem
HUSH organizers Magda Korcz and Anna Pięta with Jerzy Antkowiaki, fashion designer
←

→	www.hushwarsaw.com
→	www.aniakuczynska.com
→	www.ueg-store.com
→	www.riskmadeinwarsaw.com
→	www.mamapiki.com

Butik TFH
→

UEG

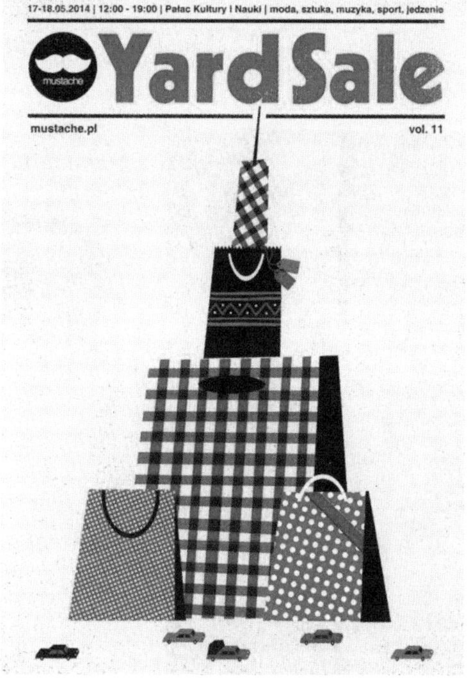

SERWUS

SERWUS

krzyknij „serwus!" i zjedz zapiekankę

shout "serwus!" and have a zapiekanka

Zapiekanki to chyba nasza polska specjalność, bo nie spotkaliśmy ich nigdzie indziej na świecie. Przekrojona na pół bagietka, zapieczona z serem, pieczarkami, szynką, z czym sobie tylko wymyślimy, właśnie przeżywa w Warszawie swój wielki renesans.

Na wyżyny sztuki robienia zapiekanek wznieśli się twórcy baru Serwus Zapiekanki – malutkiego lokalu z przedwojenną witryną przy ul. Chocimskiej. Ze zdrowych, lokalnych produktów wyczarowują prawdziwe cuda, często wymyślając nowe zapiekankowe warianty.

Na najwyższym poziomie jest też projekt wnętrza. Ale trudno się dziwić, w końcu Serwus Zapiekanki wymyślili i prowadzą jedni z najlepszych warszawskich architektów Marta Frejda i Michał Gratkowski z pracowni Moko Architekci/MFRMGR. Ich specjalnością są kawiarniane i restauracyjne wnętrza. Zaprojektowali m.in. Stółdzielnię, MOMU, Tuk Tuk – tajską knajpkę na pl. Zbawiciela, współprojektowali też kawiarnię Relaks. Jak nikt inny potrafią wycisnąć ile się da z malutkiego wnętrza.

Zapiekanki are a very Polish specialty – we haven't seen them anywhere else in the world. They are halved baguettes, baked with cheese, mushrooms, ham, and whatever else you can think of and, in Warsaw, they are experiencing a true renaissance.

The creators of the Serwus Zapiekanki bar have become true zapiekanki artists. They are located in a tiny pre-war apartment with a shop window out to ul. Chocimska. They use healthy, local ingredients, produce real miracles and are not shy to invent new combinations of zapiekanki.

The interior design is also really cool, but it is hardly surprising since Serwus Zapienkanki was started by some of Warsaw's best architects, Marta Freyda and Michał Gratkowski with Moko studio Architects/MFRMGR. Their specialties include café and restaurant interiors. They designed places like Stółdzielnia, MOMU, Tuk tuk (a Thai bar on pl. Zbawiciela) and co-designed the Relaks café. They are able, like no one else, to make the most of a tiny interior.

🔍	Serwus Zapiekanki
📍	ul. Chocimska 33

odkryj skarby muzeum narodowego

Muzeum Narodowe to nasza duma. Wreszcie po latach zapaści odżyło. To zasługa dyrektor Agnieszki Morawińskiej i jej zespołu.

Z elewacji zdjęto banery, odczyszczono je i efektownie podświetlono. A jest co eksponować, bo to wyjątkowo ciekawy modernistyczny budynek (z lat 1927–1938, projektu Tadeusza Tołwińskiego).

Otwarto i zrewitalizowano Dziedziniec im. prof. Lorentza – działa tam kawiarnia, a latem odbywają się warsztaty i pokazy filmów.

Ekspozycje stałe muzeum też przeszły poważny lifting. Przearanżowano je i dostosowano do oczekiwań współczesnej muzealnej publiczności. Narodowe chwali się tym, co ma najlepsze: polską sztuką XIX i XX w., sztuką średniowieczną, a w 2014 r. otworzy ostatnią już wyremontowaną galerię – Faras – która zawsze cieszyła się ogromnym zainteresowaniem publiczności. To największa w Europie ekspozycja zabytków kultury i sztuki nubijskiej z okresu chrześcijańskiego.

discover the national museum's treasures

The National Museum is our pride and, finally, after years of degradation it has been revived. This is due to director Agnieszka Morawińska and her team.

The facade has been stripped of banners, cleaned and interestingly illuminated, so, once again, it is possible to admire the building in its full prominence as it is an extremely interesting, modernist building (from the years 1927-1938 , designed by Tadeusz Tołwiński).

In addition to this, the museum's courtyard, designed by Prof. Lorentz, has also been opened and revitalized. It has a café and is a place for summer workshops and film screenings.

The permanent exhibitions of the museum have also undergone a major refreshment. It has all been rearranged and adapted to the expectations of the modern museum visitor. It boasts with what it's best at: Polish art of the nineteenth and twentieth centuries, medieval art and, in 2014, it will open its the most recent gallery to be renovated, the Faras gallery, which has always attracted large audiences. It is Europe's largest exhibition of Nubian art and culture from the Christian period.

Q	**Muzeum Narodowe**
⚲	**Al. Jerozolimskie 3**
→	**www.mnw.art.pl**

1. **Galeria Sztuki Średniowiecznej**
   Medieval Art Gallery
2. **Galeria Sztuki XX i XXI w.**
   XX and XXI Art Gallery
3. **Galeria Sztuki XIX w.**
   XIX Art Gallery

pobiegaj po lesie

Z Warszawy mamy bardzo blisko do Kampinoskiego Parku Narodowego. Kawał lasu z pięknymi szlakami turystycznymi. Ale są też mniejsze kawałki, w mieście. Warto wybrać się na spacer albo na rower do Lasu Kabackiego (metro Kabaty) czy Bielańskiego. Zanim zanurzymy się w ten ostatni, polecamy sąsiadującą z nim niezwykłą architekturę kampusu Akademii Wychowania Fizycznego.

Zespół budynków AWF to wybitne dzieło architektury funkcjonalnej okresu międzywojennego. Powstał w latach 1928-1930 według projektu Edgara Norwertha i był wtedy jednym z największych i najnowocześniejszych założeń sportowych w Europie. Dziś wciąż budynkami dysponuje uczelnia, ale korzystać z nich mogą również osoby z zewnątrz. A na pewno jest to jedno z najpiękniejszych spacerowych miejsc Warszawy.

go running in the forest

Warsaw is right next to the Kampinoski National Park, a huge chunk of forest, with beautiful walking trails. But, there are also smaller areas like this right in the city. Take a walk or go for a bike ride in the Kabaty (metro Kabaty) or Bielany forest. Although, before you delve into the latter, we recommend the extraordinary architecture of the neighboring campus of the University of Physical Education.

The AWF building complex is an outstanding work of functional architecture from the interwar period. Built between 1928-1930, according to the Edgar Norwerth project, it was then one of the largest and most modern sports complexes in Europe. Still today, the buildings are part of the university, but they are open to the general public. It is certainly one of the most beautiful places for a walk in Warsaw.

🔍	AWF
📍	ul. Marymoncka 90

zobacz mural sasnala

Wilhelm Sasnal, jeden z najlepszych polskich malarzy, choć zdeklarowany krakus, oddał hołd powstańcom warszawskim i namalował mural w Muzeum Powstania – żółte bratki na czarnym tle. Na pierwszy rzut oka – spokojny obrazek. Ale gdy przyjrzeć się bliżej, niewinne kwiaty zmieniają się w czaszki, pokrzywione twarze zjaw. – Te kwiaty, które często widzimy rosnące na grobach, budzą rozmaite skojarzenia. Chciałem, żeby mój obraz nie był dosłowny, ale jak najbardziej otwarty na interpretacje. Wybrałem też nieco ustronne miejsce, po to by zlewały się z rosnącą w ogrodzie roślinnością i tym bardziej zaskakiwały – mówił Sasnal podczas malowania w lipcu 2007 r. Wyszedł mocny obraz, który trafił nawet na okładkę książki poświęconej malarzowi – „Sasnal. Przewodnik »Krytyki Politycznej«". W plenerowej galerii Mur Sztuki w Ogrodzie Różanym za Murem Pamięci można też oglądać dzieła m.in. Edwarda Dwurnika, grupy Twożywo i Przemka „Trusta" Truścińskiego. Całkowicie za darmo, bo tu bilet wstępu nie jest konieczny.

see a sasnal mural

Wilhelm Sasnal, one of the best Polish painters these days, is a Cracovian to the core, but he paid homage to the Warsaw insurgents by painting a mural at the Warsaw Rising Museum. It features yellow pansies on black backdrop. It may seem a quiet picture at first glance, but when you take a closer look, you will find out that the lovely flowers are actually human skulls and distorted spectre faces. "Pansies often grow on graves and have a variety of connotations. I did not want my painting to express any verbatim message but to allow various interpretations. And I chose a quiet place where it blends with the garden plants and is, therefore, more surprising," Sasnal explained as he was halfway through painting the mural in July 2007. He produced a strong image which was even reproduced on the front page of a book about the artist: *Sasnal. A Krytyka Polityczna Guidebook* (*Sasnal. Przewodnik Krytyki Politycznej*). Once you are in the open-air gallery known as the Wall of Art in the Rose Garden right behind the Memorial Wall, you can also see works by Edward Dwurnik, the group Twożywo and Przemek 'Trust' Truściński. It's free to enter the gardens.

Q	Muzeum Powstania Warszawskiego
O	ul. Grzybowska 79
→	www.1944.pl

#ludziewarszawy
#thepeopleofwarsaw

ludwik lis

Fotograf (Stylwarszawski), dziennikarz, operator (tworzy reportaże dla stacji TVN), właściciel marki odzieżowej Street It.

Photographer (Stylwarszawski), journalist, cameraman (film reports for TVN), owns the Street It clothing brand.

Z cyklu „Zrób to w WWA!" polecam zrobić sobie czarno-białą analogową fotografię w zakładzie istniejącym od 1962 r. na ul. Zwycięzców 25. Fotografem z wielkim uśmiechem jest tam pani Celina.

Można też skoczyć na ul. Poznańską 26 do pracowni pędzli i szczotek (1951 r.) i kupić od pana Ryszarda ręcznie robioną szczotkę, np. ze szczeciny dzika.

Jeśli chcielibyśmy odpocząć, to w cieplejsze dni warto wpaść na plażę pod mostem Poniatowskiego (patrz zdjęcie). Zarówno w dzień, jak i w nocy tętni życiem. Można zrobić ognisko, grilla i na legalu napić się piwka, podziwiając panoramę Warszawy. Trzeba jednak pamiętać, że wieczorami grasują komary.

From the Zrób to WWA! series, I recommend getting an analogue photo taken at the studio at ul. Zwycięzców 25 that's been there since 1962. The photographer there, Ms. Celina, has a huge smile on her face.

You can also go to ul. Poznańska 26 to the Pędzli i Szczotek Studio (1951) and buy a handmade boar hair from Szczecin paint brush from Mr. Ryszard.

If you want to relax, we recommend the beach under Poniatowski Bridge on warm days. It's teeming with life both during the day and at night. You can light a fire and a grill and legally drink beer outdoors while admiring the Warsaw skyline. Just remember about the nasty mosquitoes at night.

→ www.ludwiklis.com

policz klatki schodowe w najdłuższym bloku

Zrób to, jeśli bardzo ci się nudzi (podpowiedź – jest ich ponad 40). A blok przy ul. Kijowskiej jest rzeczywiście niezwykły. Tego kolosa o długości ponad pół kilometra (508 m) zbudowano w 1973 r. po to chyba tylko, żeby wychodzącym z Dworca Wschodniego oszczędzić widoku niszczejących praskich kamienic.

Dla uściślenia trzeba dodać, że blok przy Kijowskiej, zwany przez mieszkańców jamnikiem lub tasiemcem, jest najdłuższym zbudowanym w linii prostej. Łamane budynki bywają dłuższe, np. ten z końca lat 60. na osiedlu Przyczółek Grochowski – ciąg 22 bloków o długości półtora kilometra.

Jamnik zasłynął m.in. tym, że swój teledysk do utworu „Love Will Come Through" kręcił tu brytyjski zespół Travis.

ul. Kijowska 11, Praga-Północ

count the stairwells in the longest building

This is an option to stave off boredom (hint: there are more than 40 stairwells in the whole building). This block of flats on ul. Kijowska is by all means unusual. The 508-metres long giant was built in 1973. Its only reasonable purpose seems to have been to eclipse the sad view of crumbling old tenement houses behind it so that passengers coming out of the Dworzec Wschodni Railway Station might have a different first glimpse of Warsaw.

The Kijowska Street building, often called the 'dachshund' or 'tapeworm', is the longest building ever built in a straight line. There are some longer ones around, like a block of flats built in the late 1960s in the Przyczółek Grochowski housing estate that is 1.5 kilometers long but, in fact, it is actually a row of 22 attached buildings not in a straight line.

The 'dachshund' has become famous because British band Travis shot a video clip for the song Love Will Come Through there.

przejdź kanałem

Jeśli nie cierpisz urlopowego terroru polegającego na obowiązkowym zaliczeniu Muzeum Narodowego i Zamku Królewskiego, polecamy odtrutkę. W Muzeum Powstania się wyleczysz! Warszawiacy są z niego niesłychanie dumni. Podobnie jak z powstańców.

Fascynująca jest już sama architektura zmodernizowanej starej elektrowni tramwajowej na Woli, która była świadkiem walk. A ekspozycja niewiele ma sobie równych w Polsce. Tu wszystkiego możesz dotykać: wysuwać ze ścian szuflady z tekstami, zrywać kartki z kalendarza, przykładać ucho do dziur w murze, z których płyną powstańcze piosenki. Możesz obejrzeć filmy w prawdziwym kinie i napić się kawy w kawiarni stylizowanej na przedwojenną. Hitem wśród zwiedzających jest fragment kanału, którym można po ciemku przejść z latarką (przypomina, w jakich warunkach przemieszczali się powstańcy pod ulicami Warszawy). Znajdziesz tu też zrekonstruowany ogromny bombowiec Liberator i wjedziesz windą na wieżę, z której rozciąga się wspaniały widok na Warszawę.

🔍	Muzeum Powstania Warszawskiego
📍	ul. Grzybowska 79
→	www.1944.pl

walk through a sewer

If you're not a fan of the pressure of a vacation that forces you to go to the mandatory attractions such as the National Museum and Royal Castle, this is a real alternative. The people of Warsaw are extremely proud of the Warsaw Uprising Museum as they are proud of the insurgents in 1944.

At first, you will be fascinated by the building which houses the Museum. It is a rebuilt, old tram depot in the Wola district that witnessed the many street battles fought by the insurgents. You will be fascinated by what you see inside – the exhibition is absolutely unparalleled. You are allowed to touch the exhibits, pull out drawers with relevant texts, tear off calendar pages and listen to the insurgents singing behind a shell-cracked wall. You can also watch films about the Rising in a real cinema or have a cup of coffee in a pre-war style café. The biggest attraction is the section of a sewer in which you can walk, equipped with a flashlight to get an impression of what the insurgents had to go through when they moved from battle to battle under the streets of Warsaw. Among the exhibits you will find a renovated Liberator bomber and, of course, you can also take the elevator to the top of the tower which has an amazing view of Warsaw.

doceń design neonów

Nasze neony z lat 60. i 70. to prawdziwy fenomen na skalę światową. W przaśnych czasach Polski Ludowej, kiedy reklamy zachodnich firm nie były mile widziane (tego akurat zazdrościmy!), graficy i projektanci mogli się wyżyć, wymyślając ciekawe sklepowe szyldy, murale i reklamy świetlne. Powstawały nawet kompleksowe plany tzw. neonizacji całych ulic (np. ul. Puławskiej). Neony nie tylko rozświetlały mroki miasta, ale również wprowadzały elementy koloru, lekkości i finezji. Charakteryzowały się pięknym liternictwem i pomysłową formą: sportsmenka zrzucała piłkę z dachu budynku, globus reklamujący biuro podróży nie tylko się świecił, lecz także obracał, nad kwiaciarnią zawisł kolorowy motyl, nad barem mlecznym – krówka, a elewację domu towarowego Smyk zdobił gigantyczny neonowy zawijas. Niewiele z tych dzieł przetrwało do dziś, a jeśli przetrwały, to giną w zalewie ogromnych reklamowych banerów. Dlatego miłośnicy warszawskich neonów organizują się w nieformalne kluby, fotografują to, co ocalało, restaurują, co się da, i uświadamiają właścicielom sklepów i punktów usługowych, że nie warto wyrzucać neonów na śmietnik.

Gromadzeniem neonów, archiwów i badaniem historii tego złotego okresu polskich reklam świetlnych zajmuje się przede wszystkim Neon Muzeum, które można zwiedzać w Soho Factory na Kamionku.

Q	**Neon Muzeum**
⚲	**Soho Factory, ul. Mińska 25**
→	**www.neonmuzeum.org**

1. Ul. Bracka 16
2. Neon Muzeum

admire unique neon signs

Warsaw's neon signs from the 1960s and 70s were a unique phenomenon around the world. During the austere era of Communist Poland when colourful adverts of western companies were not very popular with the authorities, clever advert designers enjoyed a little more freedom to use their imagination when making unconventional shop windows, murals, and neon signs (something we truly miss today!). There were even comprehensive plans to "neonize" entire streets (such as Puławska Street) in order to advertise products and cast some more light on the streets and to, perhaps, add a little more colour to a gloomy city. The designers used nice lettering and original shapes; for example, one neon sign shows a female athlete throwing a ball from the rooftop of a building, another is a shining rotating globe to advertise a state-owned travel agency or a colourful butterfly glowing over a flower shop, a little cow over the entrance to a milk bar or a huge, abstract zig-zag ornamenting the front wall of the Smyk department store. Very few of those neon signs have survived until today and those which still exist are hardly noticed amidst the multitude of huge advertising banners and billboards. As such, some people who appreciate the nostalgia of the old neon signs have gotten organized into clubs to document the surviving neon relics, renovate some of them and try to explain to store owners that it is a shame to throw the old neons away.

The Neon Muzeum collects old neons, archives and historical research from that golden period of Polish advertising. The Museum is located in the Soho Factory in Praga.

Ul. Marszałkowska 55/73

←
Neon Muzeum

przysiądź się do agnieszki osieckiej

Nie przepadamy za takimi pomysłami, żeby dopiero co zmarłe charyzmatyczne postaci polskiej kultury uwieczniać w postaci figur z brązu siedzących przy stoliku przed ich niegdyś ulubioną knajpką. Ale o pomniku poetki Agnieszki Osieckiej wspominamy ze względu na nią samą i na Saską Kępę, z którą była związana. Osiecka siedzi co prawda przed francuską naleśnikarnią, a nie przed swoją ulubioną kafejką, którą była mała klitka Sax ulokowana nieopodal (ul. Francuska 31), ale kawa w ogródku naleśnikarni to też całkiem niezły początek zwiedzania Saskiej Kępy. Przysiądź się więc do młodej Agnieszki Osieckiej (autorstwa rzeźbiarzy Teresy i Dariusza Kowalskich) i podpytuj przechodniów, co powinieneś zobaczyć w okolicy. Jednym z takich miejsc związanych z Agnieszką Osiecką jest dom przy ul. Dąbrowieckiej 25, w którym mieszkała niemal przez całe życie (1936-1997). Zdobi go oryginalna tablica pamiątkowa w kształcie rozłożonego zeszytu z cytatem: „To był maj, pachniała Saska Kępa", z piosenki „Małgośka", którą śpiewa Maryla Rodowicz.

Teksty Agnieszki Osieckiej i historię jej życia znajdziesz na stronie fundacji Okularnicy (www.osiecka.pl) stworzonej przez córkę poetki Agatę Passent.

sit next to agnieszka osiecka

We are not so enthusiastic about the idea of installing bronze statues of recently deceased charismatic Polish cultural personas at a table in front of their once-favourite café. But, we mention this Agnieszka Osiecka monument for the sake of herself and of the Saska Kępa district where she used to live. In fact, the figure of Osiecka sitting is in front of a French pancake bar and not the tiny café Sax where she was a frequent customer (ul. Francuska 31). But, a cup of coffee there makes quite a good start for Saska Kępa sight-seeing anyway. So, sit down for a while next to the figure (by Teresa and Dariusz Kowalski) of the young Agnieszka Osiecka and ask a passer-by what else is worth seeing in the area. One such place, also associated with Osiecka, is the house at ul. Dąbrowiecka 25 where she lived almost all her life (1936-1997). The building is now decorated with an original memorial plaque featuring a quotation from lyrics written by Osiecka to a once popular song sung by Maryla Rodowicz, titled "Małgośka" (a diminutive of Margaret).

Poems, lyrics, and other texts written by Agnieszka Osiecka and her life story can be found on the webpage of the Foundation Okularnicy (The Bespectacled), www.osiecka.pl, which was created by the poet's daughter, Agata Passent.

Q	Rue de Paris
⚲	ul. Francuska 13, róg Obrońców

Q	kawiarnia Francuska 30
⚲	ul. Francuska 30

1. Rue de Paris
2. Francuska 30
3. Ul. Francuska 2

1.

Płaskorzeźba „Plon", ul. Zwycięzców 11
Plon relief, ul. Zwycięzców 11

2.

3.

znajdź kosmiczne domki

Kopulaki to architektura przyszłości z lat 60. XX w. Zapomniana, odkrywana na nowo na fali zainteresowania modernistycznym budownictwem okresu PRL. Niziutkie domki sklejone z dwóch lub trzech kopuł, z nieproporcjonalnie dużymi oknami, wyglądają tak, jakby narysowało je dziecko obdarzone dużą wyobraźnią albo scenograf filmu science fiction. Aż trudno uwierzyć, że tak eksperymentalne osiedle domków jednorodzinnych powstało w Warszawie w okresie, gdy budowano tu głównie socrealistyczne bloki. Kopulaki projektu Andrzeja Iwanickiego zbudował w latach 1961-1966 Zakątek, czyli Spółdzielcze Zrzeszenie Budowy Domów Jednorodzinnych, wśród szczerych pól na styku Rakowca i Okęcia. Zamiast 70 powstało zaledwie dziesięć, bo okazały się zbyt drogie w realizacji. A i tak tylko niektóre z nich do dziś zachowały czystość bajkowej formy, reszta obrosła dobudówkami. Mieszkańcy nazywają je ulami, okrąglakami lub grzybkami. I chwalą je sobie, mimo że aranżacja wnętrz jest trudna, a rury trzeba wyginać w kształt ścian.

Możesz tu wstąpić w drodze na lotnisko, wystarczy zboczyć na chwilę z ul. Żwirki i Wigury.

houses from outer space

A number of dome-shaped houses were designed by futuristic architects in the 1960s. This trend was long forgotten until recently but it is now coming back on a wave of fascination with the modernistic style of housing construction of Communist Poland. Bungalows, each looking like a cluster of two or three domes, with big windows, resemble a child's drawing or the set decoration for a sci-fi movie. It seems hard to believe that such a highly experimental, fancy residential quarter could be built in Warsaw at a time when housing construction was totally dominated by square social-realist blocks of flats. The dome-shaped bungalows were designed by Andrzej Iwanicki and built by the Single-Family Homes Building Co-operative in 1961-1966. The place is called Zakątek (Crescent). At the time when the bungalows were built, they were surrounded by open fields between the districts of Rakowiec and Okęcie. The original plan was to build 70 such homes, but only 10 were actually finished because their construction turned out to be too expensive. Few of them have survived in their original, fairy-tale shape, while the majority have evolved and been annexed and added onto. Locals call them bee-hives, circulars, or mushrooms. Their residents are fond of them, despite the fact that rounded walls do not make interior decoration easy and plumbing must be bent and customized to the shape of the walls.

You can pop in here on your way to the airport as it is just off of al. Żwirki i Wigury.

ul. Ustrzycka

zobacz jajo na ścianie

Dla grochowiaków to była sprawa honorowa. Miejscy społecznicy podjęli się zadania rekonstrukcji kultowej ściennej reklamy z jajem z ronda Wiatraczna. Mural nieistniejącego już zrzeszenia PolDrob z lat 70. XX w. zniknął z kamienicy przy Grochowskiej 215 w 2010 r. Wspólnota wolała docieplić styropianem kamienicę, niż zachować to kultowe dzieło. Najciekawszy był w nim trójwymiarowy element – doklejona do ściany wielka połówka jajka.

Inicjatorom akcji udało się ją ocalić. – Mural był punktem nadającym charakter dzielnicy, wyznaczał miejsce spotkań. Rekonstruując go, chcemy podkreślić nie tylko jego rangę sentymentalną, lecz także artystyczną. Tę reklamę wyróżniała po prostu doskonała grafika – tłumaczyła wówczas Anna Brzezińska-Czerska, autorka projektu „Bliżej konsumenta" dedykowanego starym warszawskim reklamom malowanym na murach. Wraz z fundacją Vlepvnet podjęła się rekonstrukcji reklamy. Jajo wróciło w innym miejscu i w nieco zmienionej formie. Można je teraz podziwiać w sąsiedztwie bazarku przy Universamie Grochów, na ścianie kamienicy przy ul. Męcińskiej 42.

check out the egg on the wall

For Varsovians associated with Grochów, this was a matter of honor. City activists took on the challenge of reconstructing the legendary wall advertisement with an egg located on Rondo Wiatraczna.

The mural of the nonexistent PolDrób association from the 1970s disappeared from the building at ul. Grochowska 215 in 2010. The building's owners preferred to perform a quick insulation job, rather than preserving this iconic work of art. Its most interesting element was an extruding, glued on half of an egg.

Creators of the initiative succeeded. The mural was, for decades, an element which added character to the district and became a popular meeting place. "In reconstructing it, we wanted to emphasize its importance not only for its sentimental value, but also for its artistic value. This ad stood out simply because of its great graphic design," explains Anna Brzezińska-Czerska, creator of the Bliżej Konsumenta (Closer to the Consumer) project dedicated to old Warsaw ads painted on walls. Together with the Vlepvnet foundation, she undertook actions to reconstruct the advertisement.

The egg returned, but was placed in a different spot and slightly modified. Now people can admire it in the vicinity of the Universam Grochow, on the wall of a building at ul. Męcińska 42.

ul. Męcińska 42

#ludziewarszawy
#thepeopleofwarsaw

magdalena estera łapińska

Graficzka, ilustratorka, założycielka marki Łapińska Porcelana. Przez trzy lata odpowiedzialna była za wygląd lifestyle'owego magazynu „K MAG". W wolnych chwilach z dwiema przyjaciółkami tworzy trio didżejskie Ménage à trois.

Graphic designer, illustrator, founder of Łapinska Porcelana. In charge of art direction at K MAG for three years. Part of the Ménage à trois DJ trio with two friends in her free time.

Warszawę najbardziej lubię, gdy jest ciepło i można spacerować od knajpy do knajpy, przez parki, popijając prosecco. Dlatego trzeba korzystać z zielonego czasu i łazić, łazić, łazić oraz imprezować na świeżym powietrzu. Jednym z miejsc, które uwielbiam, jak jest ciepło, jest klub Syreni Śpiew, który usytuowany jest pośrodku parku Rydza-Śmigłego i jest przepięknie odrestaurowaną modernistyczną perełką architektury lat 70. Można tam wypić pyszne drinki, rozsmakować się w whisky i zapalić papierosa w konarach drzew.

A jak jesteśmy trochę głodni i ciekawi nowych smaków, to najlepiej wybrać się do Kaskrutu na ul. Poznańską. Ja uwielbiam tam wpadać „po drodze", zjeść coś pysznego, a jednocześnie zaskakującego, chwilę posiedzieć i ruszyć dalej na spacer.

I love Warsaw most when it's warm and you can walk from bar to bar through the parks sipping prosecco. You have to take advantage of the summer and walk and walk and walk and party outside. Somewhere I especially love when it's warm is the club Syreni Śpiew which is in the middle of Rydza-Śmigłego Park and is located in a renovated modernist architectural gem from the 1970s. You can get great drinks there, taste all sorts of whiskeys and smoke cigarettes under the trees.

When we're a bit hungry and want to try something new, we go to Kaskrut on ul. Poznańska. I love to drop in there on the way somewhere to eat tasty yet surprising food, sit down a minute and continue on my walk.

→	www.lapinska.com
→	www.lapinska-porcelana.com

świętuj imieniny joli bord

Imieniny Joli Bord to cykliczne sąsiedzkie święto na Żoliborzu. Bo ta dzielnica nazywa się z francuska, od określenia „joli bord" (piękny brzeg). I rzeczywiście jest jedną z najpiękniejszych w Warszawie. Lokalna społeczność kisi się troszeczkę w swoim sosie, no ale to naturalne, gdy ma się taką enklawę. Na szczęście powstaje coraz więcej miejsc, do których zaglądają też warszawiacy z innych dzielnic oraz przyjezdni.

Proponujemy wybrać się tam w sobotę i zacząć spacer w okolicy pl. Inwalidów, w Faworach (ul. Mickiewicza 21) – bardzo gościnnej klubokawiarni z wielkimi witrynami. Zajrzyjcie koniecznie do sąsiedniego sklepu Komplet (ul. Mickiewicza 9/2) z duńskimi meblami, artystycznymi fotografiami i przedmiotami wyposażenia wnętrz z lat 50. i 60. XX w.

Również po sąsiedzku, w al. Wojska Polskiego 1a, co sobotę w godz. 9.30-16.30 odbywa się plenerowy Targ Śniadaniowy. Można tu zjeść coś pysznego, kupić produkty od lokalnych wytwórców, kwiaty do ogródka, posiedzieć przy stołach ze znajomymi.

Idziemy dalej, do pl. Wilsona, i wciąż prosto ul. Mickiewicza. Po prawej mijamy corbusierowski Szklany Dom (ul. Mickiewicza 34/36) z lat 1937-1939, z wielkim tarasem na dachu, projektu znakomitego międzywojennego architekta Juliusza Żórawskiego. Za „szklaniakiem" skręcamy w prawo i idziemy aż do ogródków działkowych. Prawda, że pięknie? Przez ogródki możemy przejść, alejką w prawo, w dół aż do Kępy Potockiej – idealnego parku na piknik na trawie (to ten z neonem – szklanką z różowymi bąbelkami).

Masz jeszcze siłę? Pokrzepisz się doskonałym jedzeniem w knajpce DOM (ul. Mierosławskiego 12). Żoliborzanie polecają.

→	**www.targsniadaniowy.pl**
→	**www.projektkomplet.pl**

celebrate joli bord's name day

The Joli Bord's name day is a cyclical neighbood party in Żoliborz. The district takes it's name from the French term *Joli bord* (beautiful shore). And, indeed, it is one of the most beautiful in Warsaw. The locals are often called out for staying so within the community, but it's only natural when you have such an enclave. Fortunately, more and more places are opening up attracting people from other districts, as well as newcomers.

We suggest you go there on Saturday and begin your walk at the Invalides Square and Fawory (ul. Mickiewicza 21) – a very hospitable café-club, with large storefront-like windows. Also, make sure to drop by a neighboring store called Komplet (ul. Mickiewicza 9/2) which has Danish furniture, artistic photography and interior design items from the 1950s and 60s.

Also in the neighborhood, next to the al. Wojska Polskiego 1a, every Saturday between 9:30 am-4:30 pm, you can drop by the outdoor Targ Śniadaniowy (Breakfast Market) where you can eat delicious things, buy products from local producers, get flowers for your garden or just enjoy sitting at a table with friends.

Heading towards Wilson Square and straight down ul. Mickiewicza, on the right you have the Corbusier-like Glass House (ul. Mickiewicza 34/36) from the years 1937-1939, with a big terrace on the roof and an decadent interior, designed by architect Juliusz Żórawski. It is referred to as the szklaniak. Passing it, take a right and head over to the local garden allotments or ogródki działkowe. Aren't they beautiful? You can take a path to the right through the gardens down to Kępa Potocka, an ideal park for a picnic on the grass. It's the one with the pink neon of a glass with bubbles.

Are you still up for more? Load up on excellent food in the restaurant DOM (ul. Mierosławskiego 12) – recommend by Żoliborz locals.

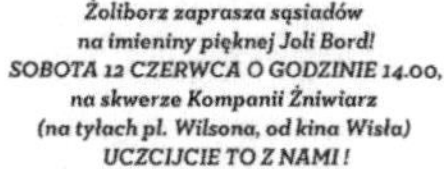
Żoliborz zaprasza sąsiadów
na imieniny pięknej Joli Bord!
SOBOTA 12 CZERWCA O GODZINIE 14.00,
na skwerze Kompanii Żniwiarz
(na tyłach pl. Wilsona, od kina Wisła)
UCZCIJCIE TO Z NAMI !

1. Plakat autorstwa Jakuba Jezierskiego
2. Targ Śniadaniowy
3. Żoligaraż – mural Krzysztofa Golińskiego, ul. Koźmiana
4. Fawory
5. Komplet

1. Na Lato
2. Charlotte
3. Aioli

zjedz przy wspólnym stole

Tę modę zapoczątkowała u nas kawiarnia i piekarnia Charlotte przy pl. Zbawiciela. Pośrodku lokalu stanął wielki drewniany stół, w dodatku ciekawie zaprojektowany przez jednego z naszych najlepszych designerów Tomka Rygalika. Wieczorem wędruje w górę i siedzi się przy nim na wysokich barowych stołkach.

Polacy dopiero przekonują się do tego wspólnego biesiadowania w knajpie z obcymi ludźmi przy jednym stole. Ale warto, bo z naszych obserwacji wynika, że gdzie w Warszawie taki wielki stół stanął, tam dobrze karmią.

Oprócz Charlotte polecamy więc wspólne stoły w lokalach: Aioli (ul. Świętokrzyska 18 – tu również „męskie" opcje – duże porcje burgerów i dobre piwa), Na Lato (ul. Rozbrat 44 – m.in. pyszna pizza), SAM Kameralny Kompleks Gastronomiczny (ul. Lipowa 7a) i Petit Appétit (ul. Nowy Świat 27) – oba miejsca zwłaszcza na śniadania, bo to również piekarnie.

dine at a big table

This trend was started by the Charlotte café and bakery on pl. Zbawiciela. Right in the center of the place, a large wooden table was installed – an interestingly designed one, we should add, as it is the work of one of our best designers, Tomek Rygalik. In the evening, it is raised and circled with bar stools for people to sit at.

Poles are only now slowly growing accustomed to and fond of sitting at one table in a bar with strangers. It sure is worth trying if you haven't because, from our observations, these large tables tend to be located in places that serve good food.

In addition to Charlotte, we recommend other places with big tables: Aioli (ul. Świętokrzyska 18 – it has many macho options like large burgers and good beer), Na Lato (ul. Rozbrat 44 – delicious pizza), SAM Kameralny Kompleks Gastronomiczny (ul. Lipowa 7a) and Petit Appetit (ul. Nowy Świat 27) – the last two are especially good for breakfast, as they are also bakeries.

→	www.aioli-cantine.com
→	www.na-lato.com
→	www.petitapetit.pl
→	www.sam.info.pl
→	www.bistrocharlotte.com

zdecyduj: pies czy suka?

To ciekawe połączenie baru i sklepu z designem. W dodatku w przepięknej kamienicy z lat 80. XIX w., niedawno starannie wyremontowanej. W podwórku przy ul. Hortensji (tak się wówczas nazywała) mieściła się pierwsza fabryka czekolady Wedla, zanim w latach 20. XX w. powstała ta na Kamionku. Dziś znajdziesz tam Psa czy Sukę. Poznasz po wielkim plastikowym koniu, którego widać zza szyby.

Miejsce prowadzą Beata i Paweł Konarscy, artyści znani z projektów w przestrzeni publicznej, m.in. Pegazów na pl. Krasińskich.

Idealnie się tu urządzili. Na antresoli mają swoją pracownię, a na dole bar ze znakomitymi drinkami i takimi specjalnościami jak hot dogi i hot bitche. Są tu organizowane kameralne wystawy, jest też sklep, w którym znajdziesz starannie wyselekcjonowane albumy, mapy Warszawy, aparaty fotograficzne Lomo i autorskie projekty Konarskich – kolorowe zwierzaki z tworzyw sztucznych – od wspomnianego już konia i wielkiej paszczy rekina po malutkie wiewiórki. Są też oczywiście psy. No właśnie: psy czy suki?

Q	**Pies czy Suka**
⚲	**ul. Szpitalna 8a**

dog or bitch? you decide

Pies czy Suka is interesting as it combines a bar and design shop. It's located in a beautiful building from the 1880s, which has been recently carefully renovated. It is in the courtyard of ul. Hortensa (as it was called then) – where the first Wedel chocolate factory was located before it moved in the 20th century, to its current location in Kamionek.

Today, you'll find Pies czy Suka in this courtyard. You will recognize it by the big rocking horse visible through the window.

The place is run by Beata and Paweł Konarski, artists known for their projects in public spaces, such as, for example, the Pegasus flock on Krasiński Square.

They have settled in perfectly. Their work space is in a loft and the ground floor hosts a bar with awesome drinks and specialties such as hot dogs and "hot bitches". They organize intimate exhibitions and there is also a shop where you will find carefully selected books, maps of Warsaw, Lomo cameras and the Konarskis' original designs of colorful animals made out of synthetic materials – from the afore-mentioned horses to giant shark jaws to tiny squirrels. Of course, there are also dogs. That's right: dogs or bitches?

zrób zakupy przy hali mirowskiej

Jeśli chcesz upichcić coś smacznego i szukasz dobrych produktów, znajdziesz je na targowisku przy Hali Mirowskiej. Wiejskie jaja, miody, mięso, ryby, owoce polskie i egzotyczne, słowem – czego dusza zapragnie i we wszystkich możliwych odmianach. Od babulinek, które sprzedają pierogi i ćwikłę własnej roboty prosto z ulicznego trotuaru, aż po zagraniczne towary na eleganckich stoiskach w nowych zadaszonych pawilonach. Przyjedź tu też koniecznie, jeśli chcesz kupić dużo niedrogich kwiatów.

Warto również obejrzeć sobie dokładnie samą halę, a właściwie dwie Hale Mirowskie z 1901 r., bo to najpiękniejszy przykład tego typu architektury w Warszawie.

Ciekawostka: w czasie swojej oficjalnej wizyty w Polsce w 1988 r. halę odwiedziła Margaret Thatcher. Tłum gapiów obserwował, jak kupowała warzywa.

shop at hala mirowska

If you want to cook something good and need the right ingredients, go to the bazaar at the Hala Mirowska market hall. Free-range eggs, honeys, meat, fish, Polish and southern fruit – all you might want is offered here. You can buy from old women displaying their products directly on the pavement or from the better-off, roofed stands. Should you need flowers in big quantities and at a low price, this is the best place to buy them.

While you are there, do not forget to look closely at the market hall itself, or in fact, at the two Hala Mirowska halls standing here. Built in 1901, they are the best sample of this type of architecture in Warsaw.

By the way, when Margaret Thatcher visited Poland in 1988, people flocked to see her buy vegetables at this bazaar.

pl. Mirowski 1

zobacz wzorcową architekturę socrealistyczną

Plac Konstytucji to jeden z największych i najpiękniejszych placów Warszawy, choć na pewno nie wszyscy warszawiacy się z nami zgodzą. Nie da się bowiem na niego patrzeć, nie widząc kontekstu czasów, w jakich został zbudowany. Oddany do użytku w 1952 r. był sercem Marszałkowskiej Dzielnicy Mieszkaniowej, która miała być nie tylko wzorem architektury socrealistycznej, lecz także przykładem społecznej polityki władz. Zaprojektowana w 1949 r. przez Józefa Sigalina i współpracowników miała służyć ludziom z awansu społecznego, ale o robotniczym rodowodzie. Chodziło o zanegowanie burżuazyjnego charakteru przedwojennej ul. Marszałkowskiej. Przy okazji wytyczania pl. Konstytucji zburzono sporo nieźle zachowanych kamienic. Przerwano też w kuriozalny sposób bieg ul. Koszykowej, która dochodzi teraz do jednego narożnika placu, by z drugiej strony pojawić się przy zupełnie innym, po skosie. Ozdobą pl. Konstytucji są wielkie kandelabry i zamontowany w 1961 r. nad sklepem sportowym neon z siatkarką odbijającą piłkę, która spada wzdłuż narożnika budynku przy pl. Konstytucji 5 (autorstwa Jana Mucharskiego, odrestaurowany przez artystkę sztuk wizualnych Paulinę Ołowską).

see social-realist architecture

Plac Konstytucji is one of the largest, nicest squares in Warsaw, though definitely not all Varsovians share this opinion. The square does not seem so fascinating until you learn more about the era in which it was built in 1952. It was designed to be the heart of MDM, the Marszałkowska Housing Estate (Marszałkowska Dzielnica Mieszkaniowa) and was not only intended to be a pure sample of social-realist architecture, but also an expression of the social policy pursued by state authorities. The whole thing was designed by the architect Józef Sigalin and his team in 1949 to provide accommodation for new elites with working class roots. The intention was to do away with the bourgeois character of the pre-war Marszałkowska Street forever. Many well-preserved old buildings had to be demolished to make room for the new MDM estate and its Plac Konstytucji (Constitution Square). The project also brutally disrupted the line of Koszykowa Street, which now runs up to one corner of the square and shows up again at the other corner. The square is decorated with ornate lamp posts and a neon display on a building where a sports equipment store used to be, featuring a volleyball player and a ball falling down along the corner walls of the building at pl. Konstytucji 5 (designed by Jan Mucharski and renovated by visual artist Paulina Ołowska).

🔍	**MDM**
📍	**ul. Marszałkowska w sąsiedztwie pl. Konstytucji**

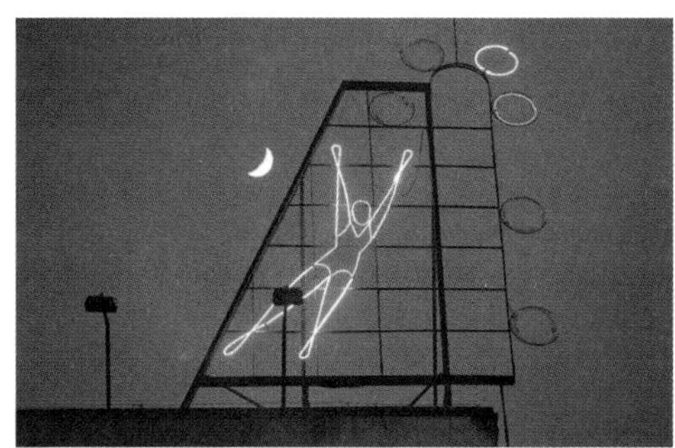

MDM
22 - VII - 1952

zrelaksuj się w sportowej alei

Miejscy sportowcy są w Warszawie w awangardzie zmian, jeśli chodzi o myślenie o przestrzeni publicznej. Koalicja architektów, sportowców, socjologów i aktywistów, która z inicjatywy Grzegorza Gądka zawiązała się wokół projektu Skwer Sportów Miejskich, wypracowuje wraz z mieszkańcami i urzędnikami model tworzenia takich wielofunkcyjnych przestrzeni. Przekonują, że obok siebie odpoczywać i aktywnie spędzać czas mogą zarówno skejci, jak i rodzice z małymi dziećmi czy seniorzy. I że warto włożyć więcej wysiłku w wygląd i animację takich miejsc.

Testowali już swoje pomysły na plenerowych piknikach i w Muzeum Sztuki Nowoczesnej, pomagali Stadionowi Narodowemu otwierać się dla mieszkańców, konsultowali projekt nowych nadwiślańskich bulwarów.

Otwierają też w tym roku pierwszy skwer, a konkretnie Aleję Sportów Miejskich na Bemowie. Tam możesz sprawdzić, jak to działa. A na stronie www.skwer.eu śledź, co dzieje się w sportach miejskich w Warszawie.

relax and play sports

Urban athletes are at the forefront of change in Warsaw when it comes to thinking about public space. A coalition of architects, athletes, sociologists and activists have come together around the Municipal Sports Square (Skwer Sportów Miejskich) project. Initiator Grzegorz Gądek works alongside local residents and officials to create multi-functional recreational spaces. They argue that one spot can provide what urban sport enthusiasts are looking for, at the same time creating a place which will suit and attract parents with small children and seniors, thus arguing that more effort should be put into the design and realization of such sites.

The group has been able to put their ideas to test at outdoor picnics and indoor parties: they were involved in helping the National Stadium open up to local residents and took part in consultations of draft plans for the new boulevards along the Vistula.

This year, they also opened their first square, namely the Municipal Sports Square located in Bemowo. There you will be able to see how the activists' vision came to life and on their website, Skwer.eu, you can stay up to date on what is happening in municipal sports in Warsaw.

Skwer w Pawilonie
←

Q	Aleja Sportów Miejskich
○	ul. Pełczyńskiego
→	www.skwer.eu

zobacz kościół „od cudów"

Jest takie znane zdjęcie: gruzowisko, jak okiem sięgnąć, rozbite w drobny mak budynki, a pośród nich stoi niemal niewzruszona ceglana wieża kościoła św. Augustyna. Cud? Nie do końca. Po prostu Niemcy ulokowali tu swoje działa, bo uznali, że to doskonały punkt obserwacyjny i strzelnicza wieża. Podczas II wojny światowej ten neoromański kościół z końca XIX w. znalazł się w granicach żydowskiego getta. Został zamieniony w magazyn, później w stajnię. Stanowisko dla broni maszynowej Niemcy umieścili w wieży podczas Powstania Warszawskiego (sierpień-październik 1944 r.). Po Powstaniu podpalili dach świątyni, ale jej struktura częściowo ocalała.

Wieża kościoła zwieńczona jest krzyżem umocowanym na pozłacanej kuli, którą komunistyczne władze nakazały pomalować na czarno. Było to w 1959 r., gdy po mieście rozeszła się pogłoska o cudownym ukazaniu się na tle kuli wizerunku Matki Boskiej. Wierni coraz liczniej gromadzili się pod kościołem, do czego władze nie chciały dopuścić. W świadomości wielu warszawiaków do dziś kościół św. Augustyna funkcjonuje jako „ten od cudu", w którym ukazała się Matka Boska.

see the 'miracle church'

There is a famous photograph of a sea of rubble, all buildings razed to the ground up to the horizon line and the lonely tower of St. Augustin's Church tower standing straight in the middle of the field. Was it a miracle? Not exactly. The real story is that the Germans gathered their cannons here because the place was an excellent observation point and they chose the tower as a place from where they could very comfortably keep the area under fire. During World War II, this neo-romanesque church built in the 19th century found itself inside the Jewish Ghetto. It was used as storage and, later on, as stables. The Germans installed a machine gun atop the tower during the Warsaw Rising (August-October 1944) and, when the Rising was crushed, they burnt the Church's roof, but much of the walls survived.

The top of the tower features a cross standing on a gilded sphere which the Communists painted black in 1959 after rumours that the Virgin Mary had appeared there on the backdrop of the sphere and people flocked to the Church to see the miracle. That was something the Communists would not deal with. Today, many people in Warsaw still call St. Augustin's Church the 'miracle church' – the location of the miraculous apparition of the Virgin Mary.

🔍	**kościół św. Augustyna**
⚲	**ul. Nowolipki 18**
→	**www.swaugustyn.rubikon.pl**

MM

śledź zmianę mokotowskiej

– Mamy czasy kryzysu i instytucje kultury też muszą się w nich odnaleźć – twierdzi Bogna Świątkowska z Fundacji Nowej Kultury „Bęc Zmiana" – jednej z najprężniejszych organizacji pozarządowych animujących kulturę w Warszawie. I realizuje tę zasadę w minilokalu na ul. Mokotowskiej. Celowo zawalczyła o wynajęcie od miasta tak małej klitki, w której teoretycznie nie da się nic sensownego zrobić. Chciała zamanifestować, że kultura powinna być obecna również w samym sercu miasta, na reprezentacyjnych ulicach, na których rządzi pieniądz. I że nawet w tak niesprzyjających warunkach można kreować ważne wydarzenia. Bęc Zmianie udało się na Mokotowskiej urządzić coś, co jest połączeniem punktu informacji kulturalnej i turystycznej, galerii i miejsca spotkań. Znajdziesz tu też wydawnictwa Bęc Zmiany, m.in. bezpłatną praktyczną mapę Warszawy dla travellersów, informatory kulturalne „Notes.na.6.tygodni" czy książkę „Stadion X. Miejsce, którego nie było".

Dobry obiad zjesz w sąsiedztwie w knajpce Przegryź, prowadzonej przez znanego dziennikarza Piotra Najsztuba.

←
Bogna Świątkowska, fundacja Bęc Zmiana

check out how mokotowska's changed!

"It is crisis time and cultural institutions must find their way in this situation too," says Bogna Świątkowska of the New Culture Foundation Bęc Zmiana (Bang Change) – perhaps the most dynamic NGO that works to animate cultural life in Warsaw. It now works out of a tiny space on ul. Mokotowska. The Foundation deliberately asked City Hall for this extremely small place in which doing anything at all seems hardly possible. The Foundation's idea was to demonstrate that culture should be present in the very heart of the city, in its high streets where money rules. And it wanted to show that important events can be created even in that very uncomfortable space. The Bęc Zmiana Foundation plans to use its place in ul. Mokotowska as a cultural and tourist information point integrated with an art gallery and meeting point. Bęc Zmiana's publications are available there as well, including the free, practical map of Warsaw for travelers (also available in app form at www.use-it-warsaw.pl), the Notes.na.6.tygodni cultural guide and the book Stadion X. Miejsce, którego nie było (Stadium X. The place that wasn't there).

You can eat a really good lunch at the neighboring restaurant Przegryź, owned by the well-known journalist, Piotr Najsztub.

kup z drugiej ręki

Miłośnikom pięknych staroci polecamy przede wszystkim wizytę na targowiskach Olimpia i Koło (s. 150). Tam za grosik można upolować unikatową porcelanę, szkło, książki, zabawki, magazyny i winylowe płyty. No ale to wyłącznie w weekendy.

Są też na szczęście stacjonarne miejsca, czynne przez cały tydzień.

Po druki chodzimy najchętniej do antykwariatów Kosmos i Logos w Al. Ujazdowskich 16.

Po meble, lampy, porcelanę z lat 50., 60. i 70. udajemy się na Mokotów, do sklepu Vintage Store (ul. Dąbrowskiego 40).

A po ubrania – do Magdaleny Wińskiej, która przy malowniczej uliczce Oleandrów, pod numerem 3, prowadzi butik Safripsti. Znajdziesz tam: marmurkowe spódnice, skórzane szorty, kurtki z logo amerykańskich uniwersytetów, jedwabne koszule. – Takimi rzeczami inspirują się dziś projektanci mody, ja mam oryginały – chwali się właścicielka.

Na ul. Oleandrów tak czy inaczej warto się wybrać. To jedno z naszych ulubionych kulturalno-knajpianych miejsc w Warszawie. Mieści się tu m.in. galeria m2, klubokawiarnia Nie Zawsze Musi Być Chaos, Okienko z frytkami i Małe Piwo – knajpka z dużym wyborem lokalnych browarów (s. 256).

buy old, used tresaures

For lovers of beautiful antiques, we suggest visiting the Olimpia and Koło markets (page 150). There, for even as little as a penny, you'll be able to hunt down beautiful pieces of porcelain, glass, books, toys, magazines and vinyls. But, it's open only on the weekends.

There are, fortunately, little shops with such goods that function all week.

When searching for prints, we mainly go to the antique, used bookstores Kosmos and Logos on al. Ujazdowskie 16.

If you're after furniture, lamps, porcelain from the 50s, 60s and 70s, we like going to Mokotów to the Vintage Store (ul. Dąbrowskiego 40).

And clothes are best bought at Magdalena Wińska's on the picturesque ul. Oleandrów 3 at the Safripsti boutique. You will find acid washed skirts, leather shorts, jackets with logos of American universities, silk shirts and more. "Such things inspire fashion designers today, I have the originals," says the owner.

Ul. Oleandrów is worth visiting anyway. This is one of our favorite cultural café-bar areas in Warsaw. It houses, among others, the m2 gallery, the Nie zawsze musi być chaos café-club, Okienko z Frytkami and Małe Piwo - a pub with a great selection of beers from local breweries (page 256).

Q	Safripsti
⚲	ul. Oleandrów 3

Q	Vintage Store
⚲	ul. Dąbrowskiego 40

1.

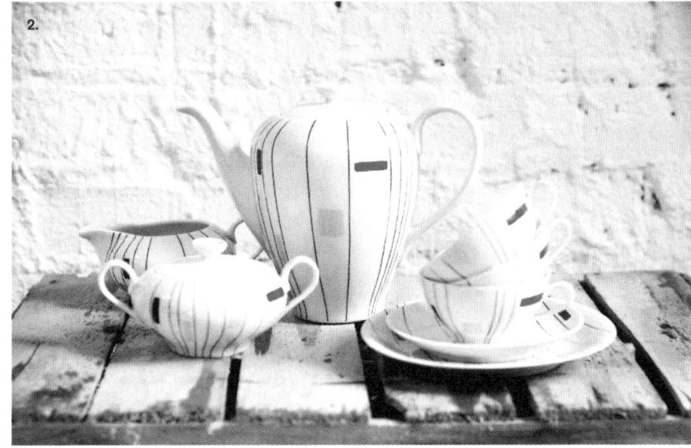

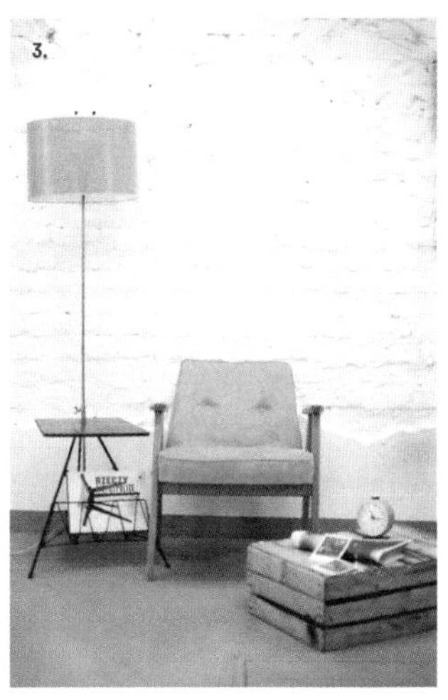

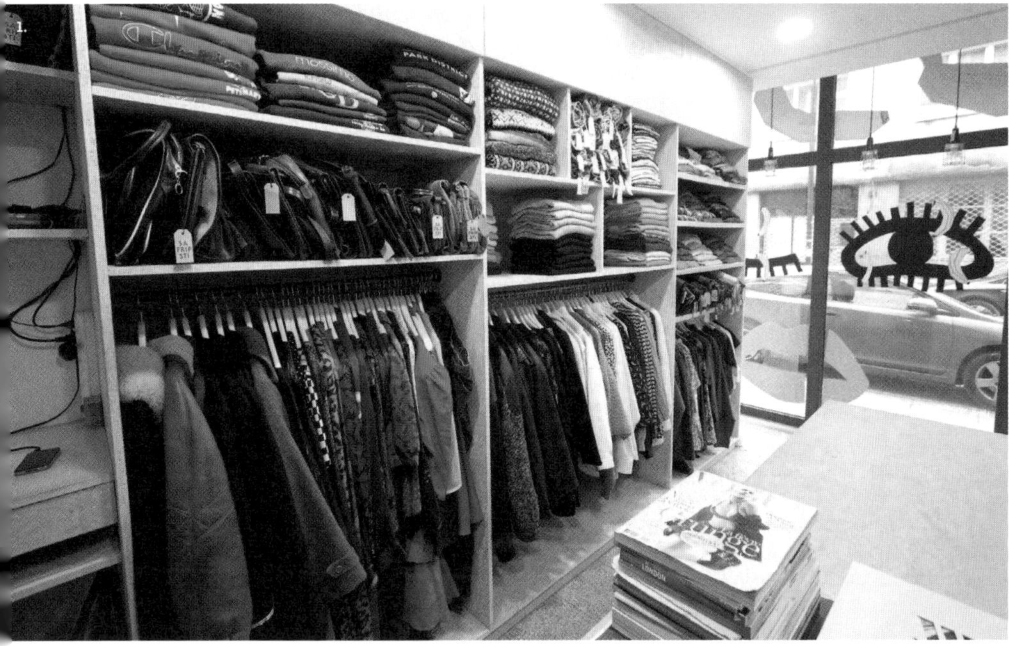

2.

3.

1. Safripsti
2 i 3. Vintage Store

#ludziewarszawy
#thepeopleofwarsaw

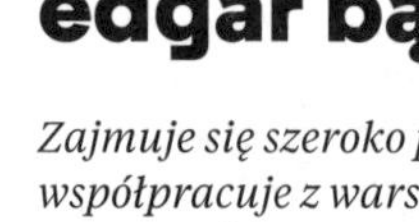

edgar bąk

Zajmuje się szeroko pojętą komunikacją wizualną. Stale współpracuje z warszawskim Nowym Teatrem, magazynem „Monitor" i Centrum Nauki „Kopernik". W poznańskiej School of Form prowadzi zajęcia z grafiki wydawniczej.

A visual communications designer. Cooperates with Warsaw's Nowy Teatr (New Theater), Monitor magazine and the Copernicus Science Center. Lectures on graphic publishing at the Poznań School of Form.

Lubię te miejsca, gdzie warszawskie proporcje placów i socrealistycznych ulic są odwrócone, lubię miejsca ciasne. Narodowy Bank Polski na ul. Świętokrzyskiej ma ciężką fasadę (proj. Barbara Czerwińska, Mirosław Duchowski i Eugeniusz Karwatka) podniesioną na wysokość jednej kondygnacji przeszkloną ścianą, robi wrażenie niedostępnego, jest niczym sejf. Ale w środku wnętrze ma jasne, ciepłe i zielone. Dziesiątki palm i rododendronów, między nimi ławeczki. Polecam sobie posiedzieć. Atmosfera podwodna, trochę jak w akwarium. W skali mikro lubię jeszcze Dolinkę Szwajcarską, czyli park leżący w obniżeniu między ambasadą Rumunii a al. Róż.

I love that place where the proportion of Warsaw's squares and socio-realist streets are turned upside down – I like tight spaces. The National Bank on ul. Świętokrzyska has a heavy exterior (designed by Barbara Czerwińska, Mirosław Duchowski and Eugeniusz Karwatka), raised above a glass wall – it gives off the impression of being unavailable and safe. But, the inside is bright, warm and green. There are dozens of palm trees and rhododendrons and little benches in between. I recommend just sitting there. It feels like you're under water, a bit like in an aquarium. I also like the Swiss Valley (Dolina Szwajcarska), the park in the dip between the Romanian Embassy and al. Róż.

→ www.edgarbak.info

załóż świńską koszulkę

Nie wiemy, czy polecać to miejsce turystom. W końcu napisy na koszulkach i bluzach produkowanych przez Chrum.com są bardzo lokalne, np. „Lans Kabacki", „Poliszynel" czy „Cicha woda".

No ale odkąd zobaczyliśmy 50 Centa w ich koszulce „50 Groszy", nie powinniśmy mieć wątpliwości – to po prostu wystarczy przetłumaczyć, wytłumaczyć i działa. W końcu na przykład taki „Foch!" jest uniwersalnym zjawiskiem pod każdą szerokością geograficzną.

Do Chrum.com mamy szczególny sentyment, bo wypuścili serię koszulek i toreb z Syrenką z okładki poprzedniej edycji naszego przewodnika (s. 13). Ich ubrania są dobrej jakości i ciekawie zaprojektowane. Mają też świetny sklepik na Powiślu – jak na świńską markę przystało, utrzymany w stylistyce sklepu mięsnego. Na hakach zamiast tusz mięsnych wiszą tu udźce poduszki.

put on your pig shirt

Chrum is the sound a pig makes in Polish – the equivalent of 'Oink Oink'.

We are never sure whether or not to recommend this place to tourists because the inscriptions on the t-shirts and sweatshirts, manufactured by Chrum.com are local, inside jokes and are also in Polish, like, for example, Lans Kabacki (Kabatian Showoff), Poliszynel (a grump), Cicha woda (Quiet Water). Sure, the ideas are a bit abstract, but since we saw 50 Cent in their 50 groszy shirt, we shouldn't hesitate – a simple translation, a bit of context and you can see how their mottos work. Let's take another example: Foch, which is Polish slang for an outburst of diva-like behavior's, a universal phenomenon known to all of humankind, making that t-shirt applicable globally, and locally.

We feel a personal sentiment to Chrum.com because they produced a series of t-shirts and bags with the mermaid from the cover of our previous edition of the guide (p. 13). Their clothes are good quality and interestingly designed. In addition to this, they have a great shop in Powiśle run, as best fits a pig brand, in the form of a butcher shop.

🔍	**Sklep chrum.com**
📍	**ul. Dobra 53**
→	**www.chrum.com**

wejdź do bloku przez dziurawy ser

Na osiedlu WSM na Kole znajdziesz ciekawe architektoniczne detale, np. osłony wejść do klatek schodowych przypominające szwajcarski ser – z betonu z powycinanymi dziurkami.

Dziś to całkiem ładny zakątek Warszawy, ale 50 lat temu osiedle WSM sprawiało wrażenie wybudowanego na pustyni. Zaprojektowane zostało w 1947 r. przez Helenę i Szymona Syrkusów w duchu modernizmu i funkcjonalizmu lat 30., niespotykanym w okresie dominującego socrealizmu. Długie budynki stanęły na słupach, a ich partery częściowo były niezabudowane, tak by stworzyć wrażenie otwartej przestrzeni. Przyroda miała się tu przenikać z architekturą. Jeszcze w trakcie budowy Helena Syrkusowa przywiozła tu Pabla Picassa, gdy ten w 1948 r. gościł u nas z okazji Światowego Kongresu Intelektualistów w Obronie Pokoju. Na ścianie jednego z mieszkań niewykończonego galeriowca przy ówczesnej ul. Deotymy (dziś ks. Sitnika 4) słynny malarz narysował spontanicznie warszawską Syrenkę z młotkiem w dłoni. Niestety, mieszkańcy nie wytrzymali naporu ciekawskich i Syrenkę zamalowali.

enter a building through swiss cheese

Interesting architectural details can be seen at the WSM housing estate in the Koło district, such as, for example, building entrances which look like pieces of Swiss cheese. Made of concrete, they are riddled with holes just like Emmentaler cheese.

The place is quite nice today, but 50 years ago, the WSM blocks of flats looked like they were built in the middle of a desert. The buildings were designed by Helena and Szymon Syrkus in 1947 in the modernist and functional style of the 1930s which was not seen elsewhere in an era dominated by social-realist style. The long buildings are rested on pillars, the ground levels having no walls so as to create an impression of an open space. The architects wanted to blend nature with architecture.

During the construction, Helena Syrkus brought Pablo Picasso there when he came to Poland for the 1948 World Congress of Intellectuals in Defence of Peace. The great artist spontaneously made a drawing of the Warsaw Mermaid holding a hammer on one of the walls (building at ul. Sitnika 4), but the residents could not bear the crowds of onlookers and painted the drawing over.

🔍	**osiedle Warszawskiej Spółdzielni Mieszkaniowej „Koło"**
📍	**ul. Deotymy i ks. Sitnika**

zobacz ekologiczny dom kultury

– Tu będzie zagroda dla zwierząt, tu warzywniak, a ten piękny wiatrak zapewni nam energię do oświetlenia parkingu – opowiada Natalia Paszkowska, architektka z pracowni WWAA. Nie jesteśmy na wsi, a Natalia nie prowadzi ekologicznego gospodarstwa. Za plecami mamy wielkie bloki dzielnicy Służew, a Natalia Paszkowska i Marcin Mostafa (WWAA) wraz z Janem Sukiennikiem (137kilo) zbudowali tu niezwykły dom kultury. Drewniane domki i ich otoczenie nawiązują do wiejskiego siedliska, które przetrwało tu aż do połowy XX w.

Otwarcie Służewskiego Domu Kultury wciąż jest przesuwane, ale architektura jest już gotowa. Warto ją zobaczyć, bo to jeden z nielicznych w Warszawie przykładów nowoczesnych budynków użyteczności publicznej.

WWAA znani są m.in. z wielokrotnie nagradzanego pawilonu polskiego na Expo 2010 w Szanghaju, Marcin Mostafa jest też prezesem warszawskiego oddziału Stowarzyszenia Architektów Polskich. Z kolei pracownia 137kilo zaprojektuje ekspozycję powstającego właśnie Muzeum Warszawskiej Pragi.

check out the eco cultural center

"Here, we will have a place for animals, a vegetable garden, and this beautiful windmill will provide us with energy to illuminate the parking lot," says Natalia Paszkowska, architect of the WWAA studio. We are not in the countryside and Natalia does not run an organic farm. In fact, we are right next to the big housing estates of the Służew district and we are standing in a remarkable cultural center built by Natalia Paszkowska, Marcin Mostafa (WWAA) and Jan Sukiennik (137kilo). Wooden houses and their surroundings look like the rural enclave, which survived here until the mid-twentieth century.

The opening of the Służewski Dom Kultury is constantly being postponed although the buildings have been already built. The place is worth seeing, since it is one of few examples of modern architecture for public use in Warsaw.

WWAA is known for their award-winning Polish pavilion at Expo 2010 in Shanghai, Marcin Mostafa is also president of the Warsaw branch of the Association of Polish Architects. In addition to this, 137kilo studio will design the Praga Museum's exhibition, which is currently under construction.

🔍	Służewski Dom Kultury
📍	ul. Jana Sebastiana Bacha 15
→	www.wwaa.pl
→	www.137kilo.pl

sfotografuj najpiękniejsze żyrandole

Pałac Kultury i Nauki to istna szkatułka z pięknymi drobiazgami. Trudno w to uwierzyć, patrząc na jego surową, socrealistyczną skorupę. A jednak. Architekci, myśląc o detalach, sięgnęli do rozmaitych stylów, również tych polskich pałacowych, i wyposażyli PKiN z prawdziwym rozmachem. Polecamy więc – powłócz się po zakamarkach Pałacu i sfotografuj co piękniejsze szczegóły.

Zdjęcia swobodnie zrobisz w multipleksie Kinoteka (wejście od strony Alej Jerozolimskich). Znajdziesz tu zarówno wielkie żyrandole kryształowe (na piętrach), jak i geometryczne, podświetlane na czerwono, wypełniające sufitowe płyciny. Największe wrażenie robią ceramiczne żyrandole giganty wysokie na kilka pięter, zawieszone na klatkach schodowych teatrów Dramatycznego i Studio, wykonane przez Zakłady Fajansu Artystycznego we Włocławku (dzieło Heleny i Lecha Grześkiewiczów).

take a picture of the most beautiful chandeliers

The Palace of Culture and Science is a true architectural treasure chest. It may seem hard to believe when you look from the outside at this social-realist austere pyramid. Nevertheless, the architects who designed the Palace's interiors strove to incorporate details representing a variety of styles, among them, styles known from old Polish mansions and palaces, and they generously applied them to the Palace. You are, therefore, highly recommended to take a stroll in its spacious lobbies and rooms and take pictures of the details you find most interesting.

You can take some good shots at the Kinoteka multiplex (entrance facing Aleje Jerozolimskie). Here you will find some large crystal chandeliers (on the higher floors) and others in geometrical shapes lit with red light and attached flat to the ceiling. But the most impressive ones are giant chandeliers made of ceramic hanging in the stair cases of the Dramatic and Studio Theatres. They were made by the famous Artistic Faience Works in Włocławek (designers: Helena and Lech Grześkiewicz).

🔍	Pałac Kultury i Nauki
📍	pl. Defilad 1

zobacz, gdzie polański kręcił „pianistę"

„Pianista" to jeden z głośniejszych filmów naszego rodaka Romana Polańskiego, w którym Adrien Brody wciela się w rolę Władysława Szpilmana, znakomitego pianisty żydowskiego pochodzenia. W marcu 2001 r. międzynarodowa ekipa filmowa przyjechała do Warszawy. Nad zdjęciami czuwał sam Polański i scenograf Allan Starski. Krakowskie Przedmieście w okolicach pomnika Kopernika zagrało w scenie wejścia wojsk niemieckich do miasta. Z budynków zdjęto współczesne szyldy, reszta – np. ślady zniszczeń – powstała już później, przy użyciu komputera. Zdjęcia kręcono też na Pradze-Północ na ul. Małej i Stalowej. Wzdłuż ulic zbudowano mur getta, a nad Stalową – drewnianą kładkę łączącą obie jego części. W scenie przeprowadzki getta jesienią 1941 r. po kładce przeszły tłumy Żydów (648 statystów), wśród nich Władysław Szpilman z bratem Henrykiem. Na sąsiedniej ul. Zaokopowej, w budynkach przeznaczonych do rozbiórki, zaaranżowano plac budowy po aryjskiej stronie getta, na który Szpilman trafia po uratowaniu się z Umschlagplatzu.

see where polański filmed the pianist

The Pianist is one of Polish-born Roman Polański's best-known pictures starring Adrien Brody as the excellent pianist of Jewish origin, Władysław Szpilman. An international film crew came to Warsaw in March 2001. Polański personally supervised the camera work together with set decorator Allan Starski. Warsaw's high street, Krakowskie Przedmieście, and the area close to the Nicolas Copernicus monument were used in the movie as the backdrop for the German army marching into the city. All shop signs and other contemporary objects were removed and bullet craters on building walls and other details showing war destruction were added later by computer mastering. Shots were also taken on location in the Praga-Północ district, specifically, on ul. Mała and Stalowa. The scenographers built a ghetto wall and a replica of the wooden bridge that once linked the two parts of the ghetto over Stalowa Street. A scene in the movie showed the relocation of the ghetto in autumn 1944 shows thousands of Jews (648 extras) being herded over a bridge, Władysław Szpilman and his brother Henryk among them. A nearby building on ul. Zaokopowa, qualified for demolition long before, was used by filmmakers as the building site outside the ghetto where Szpilman reappeared after sneaking out from the Umschlagplatz square where German troopers squeezed the Jews into trains and transported them to death camps.

Mural Eltono na ul. Małej

⚲	ul. Mała
⚲	ul. Stalowa

odkryj mniej znaną stronę łazienek

discover the lesser known side of the royal baths

Łazienki Królewskie to jeden z najpiękniejszych warszawskich parków. To ten, w którym stoi klasycystyczny pałac Na Wyspie, pomnik Chopina i z którym sąsiaduje pałacyk, w którym mieszka prezydent RP, czyli Belweder. Ale właśnie dlatego panuje tam ogromny tłok, za którym nie przepadamy.

Na szczęście mamy na to sposób, bo Łazienki to duży park. Polecamy więc wejść do nich na wysokości pomnika Chopina i szybko czmychnąć w prawo. Spacerując tamtędy, możesz napotkać po drodze stadninę koni albo szklany pawilon, w którym mieści się manufaktura żakardów – jej historia sięga jeszcze czasów królewskich, XVIII w. Zobaczysz tu nie tylko stare, drewniane krosna i panie tkaczki przy nich, lecz także możesz kupić ich dzieła – piękne obrusy czy serwetki.

Ale jeśli mimo wszystko Łazienki cię męczą, to polecamy przejść Al. Ujazdowskimi wzdłuż parkowego ogrodzenia kawałek w stronę pl. Na Rozdrożu. Po prawej stronie znajdziesz wejście do ogrodu botanicznego. Nawet się nie spodziewasz, jak jest duży i pełen romantycznych zakamarków.

The Royal Baths (Łazienki Park) are one of the most beautiful parks in Warsaw. It's the big park with the classical palace on an island, a Chopin monument and the neighboring Belvedere Palace, the current residence of the President of Poland. All of the above are reason enough to see this place, but also why it often gets crowded (and we are not fans of that).

Fortunately, we have a way to get around that, since Łazienki is a large park, we suggest you enter where the Chopin monument is and take an immediate right. Walking down that way, you will stumble upon a horse stable and later a glass pavilion, which houses Jacquard pieces dating back to the times of eighteenth century kings. There, you'll also be able to see old wooden looms and ladies working on them, you'll also be able to buy their beautiful tablecloths and napkins.

If you end up getting tired, just continue along Al. Ujazdowskie and the park fence towards pl. Na Rozdrożu. On the right, you will find the entrance to the Botanical Gardens. At first, you won't realize how large they are, but go in and explore and you will find many hidden romantic spots.

→	www.lazienki-krolewskie.pl
→	www.manufakturakrolewska.pl
→	www.ogrod.uw.edu.pl

1 i 2. Królewska manufaktura żakardów
3. Ogród botaniczny
Botanical garden

zwiedź kultowe muzeum

Ta ekspozycja ma swoich wiernych fanów. Świadczą o tym chociażby tłumy szturmujące ją podczas Nocy Muzeów. Warszawscy 30-latkowie potwierdzą, że od czasu, kiedy zwiedzali Muzeum Techniki z rodzicami w latach 70., niewiele się tu zmieniło. Ale za to właśnie je kochamy!

Muzeum w Pałacu Kultury posiada w swoich zbiorach takie osiągnięcia okresu PRL jak pralka Frania, samochód Fiat 126p popularnie zwany „maluchem", skutery Osa czy komputery Odra. Z innych ciekawostek znajdziesz tu model statku kosmicznego Wostok Jurija Gagarina. Są też oczywiście eksponaty starsze: kolekcja przedwojennych radioodbiorników, ręczne centrale telefoniczne, XIX-wieczne prasy drukarskie, samochody o ponadstuletniej historii, zabytkowe bicykle i XIX-wieczny welocyped.

visit a cult museum

The exhibitions here have their loyal fans and you should see the crowds flocking here on the annual Night of Museums. Some 30-year-olds might say that little has changed there since they visited with their parents in the 1970s, but this is exactly the reason why people love it!

The Museum of Technology in the Palace of Culture and Science presents the achievements of Communist Poland's industry, such as the Frania washing machine, a mini Fiat 126 (commonly known as a 'maluch' or 'baby'), Osa scooters and Odra computers. There are many other interesting things to see here, among them, a model of Yuri Gagarin's spaceship Vostok, and many older exhibits, like the first radio receivers, manual telephone switches, 19th century printing machines, motor cars over a hundred years old, similarly old push-bikes, and more.

Muzeum Techniki

Pałac Kultury i Nauki, pl. Defilad 1

muzeumtechniki.warszawa.pl

zobacz wieżowiec w miejscu synagogi

a skyscraper where a synagogue once was

Ten biurowiec zwany jest „błękitnym wieżowcem”, bo w jego szklanych elewacjach przy dobrej pogodzie odbija się błękitne niebo. To prawdziwy rekordzista, jeśli chodzi o czas budowy. Jego pierwsze projekty pochodzą już z końca lat 50., a budowę ukończono dopiero w 1992 r.

Nie dziw się, że gromadzą się przy nim często wycieczki z Izraela. Tu bowiem do 1943 r. stała Wielka Synagoga – największa w przedwojennej Warszawie, otwarta w 1878 r. Wysadzenie jej w powietrze przez Niemców 16 maja 1943 r. było jednym z ostatnich akordów tłumienia powstania w getcie.

Na tyłach „błękitnego wieżowca” ma swoją siedzibę Żydowski Instytut Historyczny. Obejrzyj tam wystawę.

This high rise is commonly referred to as the 'blue tower' because the blue sky reflects nicely in its glass-panelled walls whenever the weather is good. It is also an unofficial record-holder as the building known for being under construction for so long. The first blueprints were made in the late 1950s, but builders finished the job as recently as 1992.

Do not be surprised if you spot a tour group from Israel there. This is the place where the Great Synagogue used to be until it was destroyed in 1943. It was the biggest synagogue in pre-war Warsaw, built in 1878. The Germans blew it up on 16 May 1943 as part of the last push to suppress the uprising in the Jewish Ghetto.

The Jewish Historical Institute has its seat at the back of the blue tower. Why not pop in to see an exhibition?

🔍	Żydowski Instytut Historyczny
📍	ul. Tłomackie 3/5
→	www.jhi.pl

powłócz się po osiedlach
wander through housing estates

Zrób to raczej w słoneczne dni, żeby nie nabawić się depresji. Polecamy twojej uwadze blokowiska, ale oryginalne i z charakterem. Przeczytaj też książkę Jarosława Trybusia „Przewodnik po warszawskich blokowiskach".

...but choose a sunny day, otherwise you could become depressed. Go to see the blocks of flats which stand in irregular groups and have their own character. Make sure to read Jarosław Trybuś's Guide to Warsaw's Housing Estates („Przewodnik po warszawskich blokowiskach") for full details.

OSIEDLE ZA ŻELAZNĄ BRAMĄ

19 białych pudeł 16-piętrowych bloczysk zbudowano w latach 1961-1972 w samym centrum miasta na pozostałych po wojnie gruzach gęstej śródmiejskiej zabudowy. I zawsze budziły wiele kontrowersji. Sam układ i bryły bloków inspirowanych architekturą Le Corbusiera mogą się podobać, ciekawe są też ich wielkie klatki schodowe z kanapami i palmami w donicach, w stylu lobby podupadłych hoteli z lat 70. Ale mieszkańców to raczej nie bawi. Żyją w małych klitkach z ciemnymi kuchniami, bez balkonów, i robią wszystko, żeby się stąd wyrwać. Łącznie mieszka tu ponad 25 tys. ludzi.

Włócząc się po osiedlu, możesz się natknąć m.in. na: synagogę Nożyków, XIX-wieczny kościół św. Karola Boromeusza (ul. Chłodna 21), Halę Mirowską, rzeźbę warszawskiej Syrenki i tory tramwajowe na ul. Chłodnej prowadzące donikąd. Zobacz też film „Za Żelazną Bramą", nakręcony tu przez austriacką artystkę Heidrun Holzfeind.

BEHIND THE IRON GATE

Nineteen white blocks of huge, 16-story buildings were erected in the very heart of the city in 1961-1972 to replace the heaps of rubble that was the previous densely built-up downtown area after the war. These blocks have always been controversial. The very arrangement of the buildings in the available space and their shape, inspired by Le Corbusier's ideology, may be attractive from the outside. Inside, they have spacious staircases with sofas and palm trees in pots resembling the lobbies of declining 1970s hotels, but all that is not something people living in them really enjoy because they must spend their lives squeezed into extremely small rooms with kitchenettes with no windows or balconies, etc. They would likely do anything to get out of there. Altogether, the place has over 25,000 residents.

As you walk criss-crossing among the buildings, you may run into such things as the Nożyk Synagogue, the 19th century St. Charles Borromeo's Church (ul. Chłodna 21), the Hala Mirowska market hall, a statue of the Warsaw Mermaid and street car tracks in ul. Chłodna that lead to nowhere. Make sure to watch the film *Behind the Iron Gate*, filmed here by Austrian artist Heidrun Holzfeind.

Grafika Magdaleny Estery Łapińskiej pokazywana przez Centrum Architektury na osiedlu Za Żelazną Bramą
Designer Magdalena Estera Łapińska exhibited by the Centrum Architektury at the Behind the Iron Gate residential estate

🔍	osiedle Za Żelazną Bramą
📍	między ul. Marszałkowską, Królewską, pl. Grzybowskim, ul. Twardą, Prostą, Żelazną, Chłodną, pl. Mirowskim, ul. Ptasią
ⓘ	projekt: Jerzy Czyż, Jan Furman, Jerzy Józefowicz i Andrzej Skapiński

SADY ŻOLIBORSKIE I

Zielone osiedle Warszawskiej Spółdzielni Mieszkaniowej Sady Żoliborskie I to jeden z najlepiej rozplanowanych zespołów mieszkaniowych PRL. Powstawało w latach 1958-1963 na terenie zajmowanym wcześniej przez ogródki działkowe. Projektantka Halina Skibniewska wkomponowała bloki w układ terenu, nie niszcząc ocalałych drzew owocowych.

To blokowisko malownicze, na ludzką skalę, z przydomowymi ogródkami i kameralnymi placykami zabaw. Dlatego ci warszawiacy, którzy tu się wychowali, wspominają swoje podwórkowe życie z dużym sentymentem. Jeśli włócząc się po Sadach Żoliborskich, zgłodniejesz, zajrzyj na domowy obiad do kultowego już baru mlecznego Sady (róg ul. Krasińskiego i Broniewskiego) albo do Pawilonu Kulturalnego (ul. Sady Żoliborskie 4). I wyrusz koniecznie dalej, przez Stary Żoliborz aż do Kępy Potockiej.

SADY ŻOLIBORSKIE I

The green residential estate of the Warsaw Housing Co-op WSM (Warszawska Spółdzielnia Mieszkaniowa), called Sady Żoliborskie I (Żoliborz Orchards I) is probably one of the best planned housing projects in Communist Poland. It was built in 1958-63 on an area formerly used as private garden allotments and the designer, Halina Skibniewska, nicely integrated the buildings with the landscape without destroying the trees and orchards. This group of blocks of flats is not depressing, but is far more people-oriented and many buildings have their little gardens and safe play grounds. Those Varsovians who were born and raised here have very good memories of their childhood. When walking around Sady Żoliborskie, you may feel like having a snack so do not hesitate and visit the famous milk bar Sady (ul. Krasińskiego, at ul. Broniewskiego) and then walk through the Stary Żoliborz district to the area called Kępa Potocka.

Jarosław Trybuś, autor *Przewodnika po warszawskich blokowiskach*
Jarosław Trybuś and his *Guide to Warsaw's Housing Estates*

🔍	**osiedle Sady Żoliborskie**
📍	**między ulicami: Włościańską, Krasińskiego, Broniewskiego, Popiełuszki, Gojawiczyńskiej i Braci Załuskich**
ⓘ	**projekt: Halina Skibniewska**

🔍	Przyczółek Grochowski
📍	między ulicami: Ostrzycką, Motorową, Żymirskiego, Kwarcianą i Bracławską
ⓘ	projekt: Oskar i Zofia Hansenowie

PRZYCZÓŁEK GROCHOWSKI

To osiedle osobliwe, zwane przez mieszkańców Pekinem. Tworzy je jeden budynek długi na półtora kilometra, załamujący się dziewięciokrotnie pod kątem prostym, otoczony rodzajem fosy, przez którą przechodzi się po kładkach. Budowany od 1963 do 1972 r., w latach 80. i 90. niszczał i cieszył się złą sławą. Dziś jest stopniowo odnawiany. W 1,8 tys. mieszkaniach żyje tu prawie 7 tys. ludzi, którzy podobnie jak ci Za Żelazną Bramą narzekają. Nie przekonuje ich nawet to, że mieszkają w podręcznikowym już osiedlu autorstwa wybitnego architekta Oskara Hansena i jego żony Zofii. Mieszkania są tu ciasne, wchodzi się do nich bezpośrednio z okalających blok długich, ciemnych galerii, na których panuje nieustający gwar. Nie przypadkiem już w latach 70. kręcono tu sceny do filmów kryminalnych. Dziś korytarze pocięte są ściankami, przegrodami, w oknach mieszkań wychodzących na galerie tkwią kraty. To przykład na to, jak wizjonerska architektura chwalona na międzynarodowych wystawach sprawdza się w zetknięciu z rzeczywistością.

PRZYCZÓŁEK GROCHOWSKI

This is a strange place to live and the locals call it 'Beijing'. Actually, it is only one building, half a kilometre long, whose façade bends 9 times at 90° and is surrounded by a kind of moat which you can cross over several little bridges. It was built between 1963-1972, after some time it started to deteriorate until it developed bad reputation in the 1980s and 1990s, but it is under renovation now. The building comprises 1,800 flats in which nearly 7,000 people are living and complaining just like those living in the Behind the Iron Gate estate. Those who live here are not comforted by the fact that their extraordinary building was designed by the outstanding architect Oskar Hansen, whose name can be found in every architecture textbook, and his wife Zofia. The flats are very small and the doorways are placed along dark and noisy access galleries. The whole place has a bit of a creepy air about it and this is why the building was used as a location for shooting crime movies in the 1970s. With time, the lobbies and galleries have been divided by makeshift partition panels and walls and some people have secured their windows with anti-burglary steel bars, turning the building into a perfect example of how an architect's vision, however praised at international exhibitions, works (or doesn't) in real life.

#ludziewarszawy
#thepeopleofwarsaw

syfon studio

Studio projektowe, które tworzą Ula Janowska i Filip Tofil. Zajmują się interakcją wizualną, budują koncepcje graficzne dla firm i instytucji kultury, realizują też projekty autorskie.

Design studio run by Ula Janowska and Filip Tofil. They specialize in visual interaction, building graphic concepts for companies and cultural institutions. They create their own pieces as well.

Kiedyś z kolegą poszliśmy na tyły dawnego Dworca Głównego z trąbką, z której umieliśmy wydobyć jedynie coś na podobieństwo ryku jelenia. Stanęliśmy przy torach i gdy nadjeżdżał pociąg, trąbiliśmy i czekaliśmy, aż maszynista nam odtrąbił, na zmianę – raz my, raz kolega. W odtrąbieniach przegraliśmy pięć do sześciu. I te opuszczone perony Dworca Głównego – miejsce w lecie tak puste, że ma się wrażenie bycia na wsi – stały się ważnym punktem na naszej mapie Warszawy.

Z okien naszego studia co weekend widzimy dziesiątki ludzi zmierzających ku knajpom w okolicy Parkingowej. I to też jest nasze miejsce. To tu chodzimy na piwo do Kufli i Kapsli czy wpadamy na obiad do Bobby Burgera. Miasto żyje, my żyjemy!

One time, I hung out with a friend behind the old Main Station with a trumpet which we didn't know how to play, only managing the sound of a dying deer. We stood by the tracks and trumpeted to passing trains, waiting for the conductor to trumpet back. Taking turns, I lost with only 5 return calls to his six. But the empty platforms in the Main Station... it's so empty there in the summer that you feel like you're in the country side, but you're really in a very important spot on the map of Warsaw.

On the other hand, on weekends, we see crowds of people partying at the bars around ul. Parkingowa from the windows of our studio. And that's also our place. We go for a beer to Klufle i Kapsle and drop into Bobby Burger for lunch. The city is alive! We are alive!

→ www.syfonstudio.com

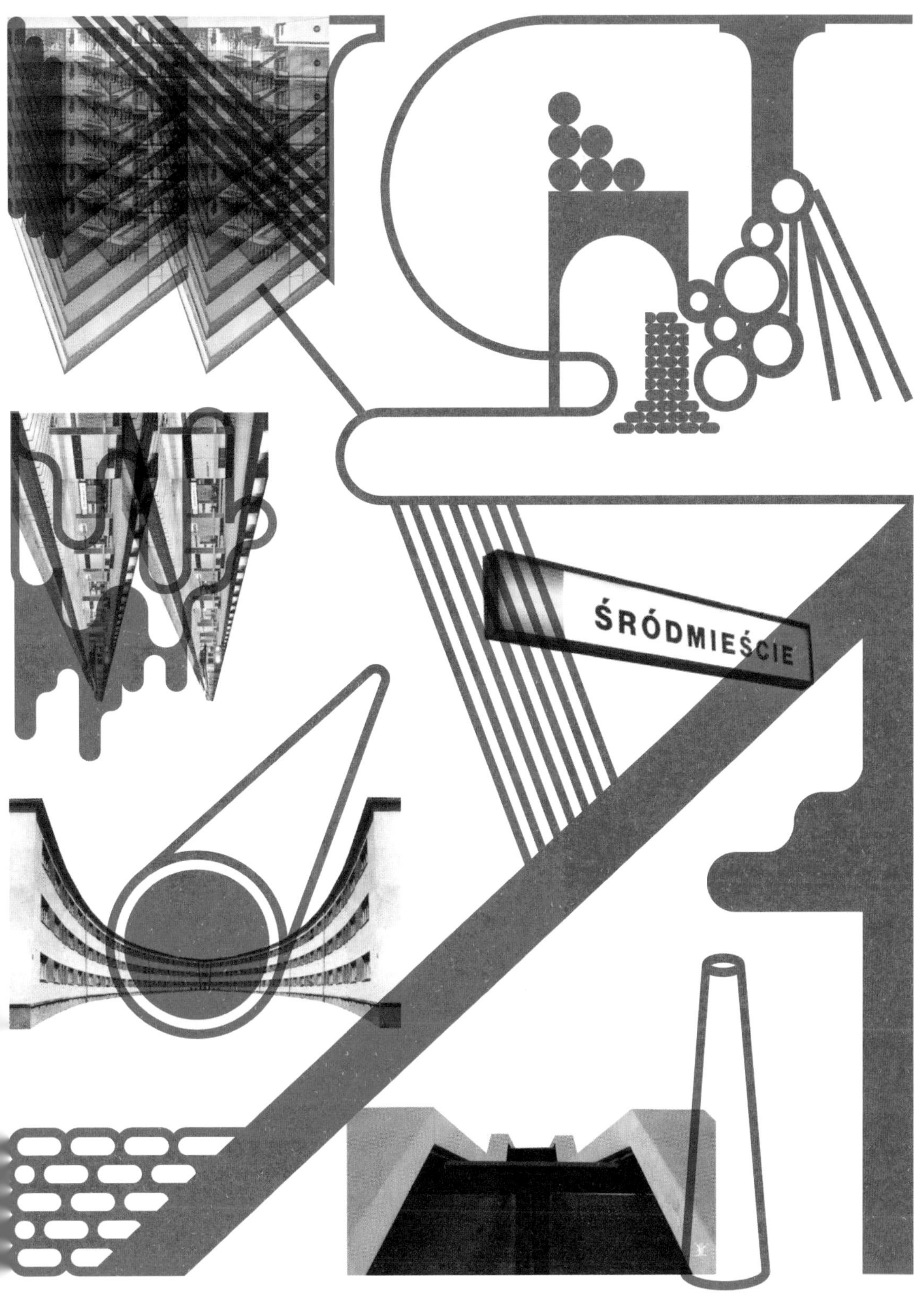
ŚRÓDMIEŚCIE

pobaw się na najbardziej kulturalnym podwórku

To prawdziwa pierwsza liga wśród warszawskich klubów. Jeśli więc macie tylko jeden wieczór w stolicy, to spędźcie go między barem-Studio a Café Kulturalną. Gdzie? Oczywiście w Pałacu Kultury.

Oba miejsca dobrze karmią, oba serwują też mnóstwo kultury. No i mają te wyjątkowe pałacowe wnętrza i wielkie wspólne podwórko.

Właśnie dzięki przychylności miasta zaczynają na ten plac przed głównym wejściem do Pałacu coraz śmielej wychodzić. Na trawniku będzie ogródek, na betonie relaks i sportowe aktywności, no i oczywiście dużo kultury.

enjoy the most cultural backyard

This is the real first partnership of Warsaw clubs, so if you have only one night in the capital, spend it between barStudio and Café Kulturalna. Where? At the Palace of Culture of course.

Both serve great food, as well as feature a lot of good art and culture. They have the unique interiors of the building they are located in and a great common front yard.

It's thanks to support from the city that they are beginning to spread out onto the square in front of the main entrance of the Palace with more confidence. The lawns will become a garden, the concrete area a place for sports or just hanging out, and of course there will be lots of room for plays, concerts and more.

Q	BarStudio w Teatrze Studio
Q	Café Kulturalna w Teatrze Dramatycznym
⚲	pl. Defilad 1
→	www.kulturalna.pl

1.

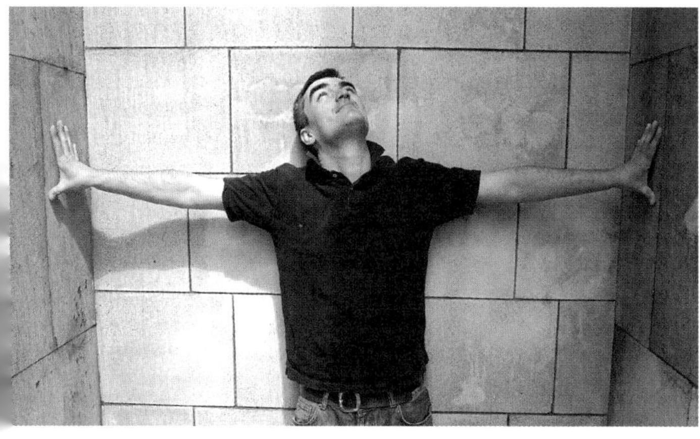

←
Grzegorz Lewandowski – barStudio

2.

3.

1 i 2. Café Kulturalna
3. BarStudio

zobacz dawny dom partii

see the former communist party headquarters

To jeden z warszawskich fenomenów. Po upadku komunistycznego systemu w dawnym Domu Partii, czyli centrum dowodzenia rządzącej Polskiej Zjednoczonej Partii Robotniczej, ulokowała się warszawska giełda. Symbol kapitalizmu w ikonie socjalizmu. Dom Partii (do dziś wielu warszawiaków tak go nazywa) zbudowano w 1951 r. według projektu zespołu architektów: Wacława Kłyszewskiego, Jerzego Mokrzyńskiego i Eugeniusza Wierzbickiego.

W 1990 r. pierwszy po wojnie demokratycznie wybrany premier Tadeusz Mazowiecki zdecydował, że środki z wynajmu pomieszczeń opuszczonego przez PZPR budynku zostaną przeznaczone na budowę nowej Biblioteki Uniwersyteckiej w Warszawie. Giełda Papierów Wartościowych mieściła się tu do 2000 r., a następnie przeniosła się do nowej siedziby zbudowanej w sąsiedztwie, na ul. Książęcej. Dziś w Domu Partii nadal mieszczą się banki i inne instytucje finansowe. Ale odbywają się też mniej formalne imprezy: wystawy, dyskusje, pokazy deskorolkowe. Zobacz film w małym Kinie KC, polecamy też piwo w barze Cuda na Kiju, który mieści się na parterze Domu Partii, tuż obok pomnika de Gaulle'a.

This is yet another unusual phenomenon in Warsaw. After the fall of communism, the Warsaw Stock Exchange moved into the Party Headquarters deserted by the Communist party, which had disbanded – a true symbol of capitalism inside a symbol of communism. The Party Headquarters (many Varsovians stick to the old name) was built in 1951, according to blueprints by the architect trio, Wacław Kłyszewski, Jerzy Mokrzyński and Eugeniusz Wierzbicki.

In 1990, the first democratically elected Prime Minister after World War II, Tadeusz Mazowiecki, ruled that rent money from the building deserted by the communist party would be spent on the construction of a new library for the University of Warsaw. The Warsaw Stock Exchange occupied the building in 1991-2000, but then they moved to its own new building next door on ul. Książęca and the large Party Headquarters now houses some banks and other financial institutions. Additionally, there are many informal events happening there from workshops to discussion to skateboarding parties. See a film in the very small KC Cinema or have a beer at Cuda na Kiju, a bar on the ground floor of the Party HQ.

ul. Nowy Świat 6/12,
przy rondzie de Gaulle'a

odleć z pegazami

To w Warszawie niecodzienny widok. Kolorowa, zwariowana instalacja artystyczna stanęła między zabytkowym barokowym pałacem, pomnikiem Powstania Warszawskiego i gmachem Sądu Najwyższego. Pięć wysokich na 3,5 m Pegazów z blachy, każdy w innym ostrym kolorze. Pasą się na równo przystrzyżonym trawniku przy Pałacu Rzeczypospolitej, w którym mieści się oddział Biblioteki Narodowej. Wcześniej mogliśmy je oglądać wewnątrz tego budynku na wystawie „Norwid – Herbert. Inspiracje śródziemnomorskie". Pegazy wymyślili Beata i Paweł Konarscy – artyści, projektanci, właściciele sklepu z designem Pies czy Suka.

– W pałacu znajdują się najcenniejsze i najstarsze zbiory Biblioteki Narodowej. Chodziło o to, żeby zaznaczyć jakoś ten punkt na mapie Warszawy i stworzyć nowoczesny symbol biblioteki, która dzięki temu może stać się bardziej rozpoznawalna i kojarzona z tym miejscem – mówi Mikołaj Baliszewski z Biblioteki Narodowej, kurator wystawy „Norwid – Herbert...". Pegazy wyszły z pałacu na trawę w sierpniu 2008 r., tuż po obchodach rocznicy Powstania Warszawskiego.

fly away with pegasus

This is an unusual sight in Warsaw: a colorful, slightly crazy art installation was set up between a historical baroque palace, the monument to the Warsaw Rising and the Supreme Court buildings. Five 3.5 meter high figures of Pegasus made of steel stand there, each in a different color. They are grazing on a neatly cut lawn at the Palace of the Commonwealth, now housing the Special Collections of the National Library. A Pegasus could be earlier seen inside that building at an exhibition titled "Herbert-Norwid. Mediterranean Inspirations." The idea to install those figures of Pegasus was proposed by artists Beata and Paweł Konarski, owners of the design shop Pies czy Suka (Dog or Bitch) at ul. Szpitalna 8a. "The Palace houses the most valuable and oldest resource of the National Library. The area needed a more distinctive feature on the map of Warsaw and create a modern symbol of the library that can become better noticeable and associated with this place," says Mikołaj Baliszewski of the National Library, curator of the Herbert-Norwid exhibition. So, Pegasus came out of the Palace to live permanently on the lawn in August 2008, shortly after the ceremonies to mark the Warsaw Rising anniversary were held.

pl. Krasińskich

zobacz kość mamuta w kościele

To dość nietypowy obiekt eksponowany we wnętrzu sakralnym. W kościele św. Anny w Wilanowie na pierwszym filarze po prawej stronie wisi wielka kość i informacja, że to „kość mamuta wykopana przy zakładaniu fundamentów pod kościół w 1770 r.". Wierzymy na słowo.

Samą świątynię zbudowaną w latach 1772--1775 zaprojektował Jan Kotecki, a przebudował w stylu neorenesansu włoskiego Henryk Marconi.

Warszawiacy najchętniej wybierają ten kościół na miejsce ceremonii ślubnych, zapewne ze względu na wyjątkowo piękną fasadę z wgłębionym portykiem wejściowym i dwiema wieżami. No i oczywiście z powodu sąsiedztwa perły polskiego baroku – Pałacu w Wilanowie (rezydencji m.in. króla Jana III Sobieskiego) i malowniczego parku, który jest doskonałą scenerią do ślubnych zdjęć.

Wybierz się do Wilanowa w słoneczny dzień. Dojeżdżają tu autobusy 522 z centrum oraz 180 i 116 z Nowego Światu. Po spacerze odetchnij w najlepszej lokalnej klubokawiarni Plakatówka, zajrzyj też koniecznie do Muzeum Plakatu.

see a mammoth bone in a church

It is a rare occasion to see such a thing on display in a church. But in St. Ann's Church in Wilanów, a big bone hangs on the first pillar on the right and the attached information reads that it is "a bone of a mammoth unearthed here when digging was done for the church foundations in 1770." You've got to take it for what it is.

The church was built in 1772-1775 according to blueprints by Jan Kotecki, but it was later modified into the neo-renaissance style by Italian architect Henryk Marconi.

The people of Warsaw love to choose this church for weddings, probably because of its beautiful façade, stylish entrance and two handsome towers. The neighboring Wilanów Palace, the jewel of the Polish baroque era, which used to be King John III Sobieski's residence, and the charming park around it are nearby and newlyweds can walk there to have pictures taken in the charming scenery. Go to see the place on a sunny day. You can get there on bus 522 from central Warsaw and buses 180 and 116 from Nowy Świat. And read about the Wilanów Palace on www.wilanow-palac.art.pl.

→	www.postermuseum.pl
→	www.plakatowka.pl
→	www.wilanow-palac.art.pl

Plakatówka

MUZEUM PLAKATU

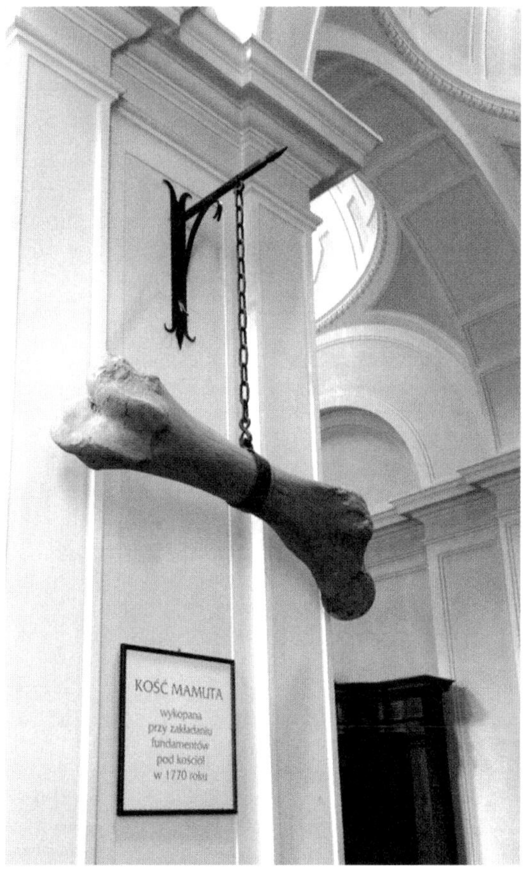
KOŚĆ MAMUTA
wykopana
przy zakładaniu
fundamentów
pod kościół
w 1770 roku

złap rytm w parku

„Rytm" to jedna z piękniejszych parkowych rzeźb w Warszawie. Znajdziesz ją w parku Skaryszewskim, który cały jest plenerową galerią rzeźby okresu międzywojennego. Spaceruj więc i szukaj:
– kobiety w tanecznej pozie przysłoniętej jedynie zwiewną tkaniną, nad brzegiem jednego z parkowych stawów – to właśnie „Rytm" Henryka Kuny, jednego z najlepszych polskich rzeźbiarzy lat międzywojennych. Kuna należał do grupy artystycznej Rytm, dla której posąg w parku Skaryszewskim był dziełem programowym. Pierwowzór „Rytmu" wykonał z hebanowego drewna. Parkowy odlew z brązu pochodzi z 1929 r.;
– „Kąpiącej się" – nagiej kobiety, którą wyrzeźbiła znana przed wojną, choć dziś trochę zapomniana artystka Olga Niewska. Odlana z brązu figura z 1929 r. ma niski okrągły cokół z czarnego marmuru otoczony basenem, w którym powinna pluskać woda. Urządzenie jednak od dawna nie działa. W 1997 r. złodzieje próbowali ukraść rzeźbę, ale tylko uszkodzili piłą jej nogę;
– kolejnej „Tancerki" – młodej kobiety z uniesionymi do góry rękami i odchyloną do tyłu głową stojącej wśród zadbanych pergoli ogrodu różanego. To rzeźba Stanisława Jackowskiego z 1927 r., za którą dostał nagrodę na wystawie sztuk pięknych w Paryżu.

W parku Skaryszewskim polecamy ci też: urządzić rodzinny piknik na trawie, pojeździć na rowerze lub łyżwach, zjeść pyszne ciasto w kafejce Misianka, wypożyczyć rower wodny i popływać po Jeziorku Kamionkowskim.

catch the 'rhythm' of the park

Rhythm is one of the nicest sculptures found in Warsaw's parks. It is located in Skaryszewski Park which, in fact, is like one big open-air gallery of pre-war sculpture. Take your time and walk around the park to find the figures of:
– a woman wrapped in a light soft piece of fabric, posing as if she were dancing on the bank of a pond. That is Rhythm, a figure made by Henryk Kuna, one of the best sculptors of pre-war Poland. Kuna was a member of a group of artists who called themselves Rhythm and they considered the female figure in the park as an expression of their ideals. The first figure of the Rhythm woman was carved in ebony, and its bronze replica in the park was made in 1929.
– a naked woman taking a bath, carved by artist Olga Niewska who was popular before WWII but now is rather forgotten. The bronze figure, cast in 1929, stands on a short, round plinth of marble surrounded by a pool that should be filled with water but the piping and pumps broke a long time ago. Some vandals tried to steal the whole figure in 1997, but they failed and only slightly damaged the figure's foot with a saw.
– another "dancing" woman with hands raised over her head and standing amidst the pergolas in a rose garden was sculpted by Stanisław Jackowski in 1927. The figure won him a prize at an art exhibition in Paris.

While at Skaryszewski Park, we also advise you to have a picnic, a bicycle ride or go skating then try a delicious pastry at the Misianka café and rent a pedal boat to take a cruise around the Jeziorko Kamionkowskie (Kamionkowskie Pond).

park Skaryszewski

rondo Waszyngtona, przystanek: Stadion Narodowy

wdrap się po 400 schodach

Po co? Żeby zobaczyć pomnik Polski Walczącej i kolejną piękną panoramę miasta. Kopiec Czerniakowski (120 m n.p.m.) usypano po wojnie z gruzów zburzonej Warszawy. Dlatego gdy zapuścisz się nieco w boczne ścieżki, możesz tu znaleźć cegły, fragmenty kolumn, belki stropowe, a nawet kawałki portali z lat 30. Projekt, by tu właśnie upamiętnić powstańców warszawskich, powstał już w latach 40., ale władze komunistyczne nie chciały na to pozwolić. Dopiero w 1994 r., w 50. rocznicę wybuchu Powstania, ustawiono tu gigantyczną „kotwicę" – symbol Polski Walczącej – przy której odtąd co roku płonie symboliczny ogień.

climb 400 steps

Why would you want to do that? To see the Fighting Poland monument and one more thrilling panorama of Warsaw. The Czerniakowski Mound (120 m above sea level) is actually a huge heap of rubble gathered there right after World War II when the city streets were cleared of the war-time destruction. When walking among the trees, you will often see bricks, concrete beams and other construction elements buried in the ground. The idea to commemorate the Warsaw Rising here dates back to the 1940s, but the Communist authorities would not allow that. A lot of time had to pass until the symbol of Fighting Poland, a huge anchor, was built on top of the mound and a symbolic torch at its foot was lit on the 50th anniversary of the Rising in 1994.

🔍	kopiec Czerniakowski
📍	ul. Bartycka

namaluj swój pierwszy obraz

Jest takie miejsce w Warszawie, gdzie malować, rzeźbić, rysować, projektować strony internetowe uczą się i mali, i duzi, a nawet emeryci. To Atelier Foksal w pięknie odremontowanych zabytkowych wnętrzach Kamienicy Artystycznej przy ul. Foksal 11. Stworzyła je para artystów, malarka Teresa Starzec i grafik Andrzej Bielawski. I mają już na swoim koncie kilkanaście roczników młodych ludzi, którzy po zajęciach w Atelier ukończyli studia na Akademii Sztuk Pięknych.

Na Foksal powstała też galeria, w której swoje prace prezentują absolwenci Atelier. Nie krępuj się więc i jeśli tylko poczujesz wenę twórczą, wpadaj na Foksal. Bo Kamienica Artystyczna inspiruje.

paint your first painting

Warsaw has a place where painting, sculpture, drawing and designing web sites is taught to youth and adults – even to elderly pensioners. The place is called Atelier Foksal and it operates in the beautifully renovated historical Artistic Building (Kamienica Artystyczna) at ul. Foksal 11. The Atelier was organized by a couple of artists: painter Teresa Starzec and graphic artist Andrzej Bielawski. They have so far trained many young people, who have then gone on to complete their studies at the Academy of Fine Arts. There is also a gallery on Foksal where the Atelier graduates exhibit their work. Do not hesitate – test out your talents and come to the Atelier Foksal. This Artistic Building is full of inspiration.

🔍	Atelier Foksal
📍	ul. Foksal 11
→	www.atelier.org.pl

popływaj w basenie z widokiem

To przyjemność z serii luksusowych. Bo żeby z niej skorzystać, trzeba albo zatrzymać się w pięciogwiazdkowym hotelu InterContinental (tym z dziwną dziurą pośrodku), albo wykupić drogie członkostwo w tamtejszym fitness clubie. Ale jeśli masz trochę luźnej gotówki, musisz koniecznie spróbować. Na 44. piętrze hotelu ulokowany jest bowiem basen, z którego rozciąga się prawdziwie wielkomiejski widok na Pałac Kultury i ścisłe centrum miasta. Warto wybrać się tu po zmierzchu, bo rozświetlone nocą city wygląda naprawdę atrakcyjnie. Basen co prawda nie jest wielki, ale nie o to chodzi. Ważne, że tafla wody niemal styka się tu z przeszklonymi ścianami, za którymi tętni życiem miasto.

Nic więc dziwnego, że basen hotelu InterContinental zagrał w tak wielu polskich filmach, które miały pokazać nowobogacki blichtr współczesnej Warszawy.

a swimming pool with a view

This is quite a luxury. To try it, you have to check in the five-star Intercontinental Hotel (the one with a strange gap in the middle) or buy an expensive membership to the Hotel's fitness club. Anyway, if you happen to have some spare cash, why not do it? The panorama swimming pool is on the 44th floor of the hotel and you can see the whole city with the Palace of Culture and Science towering in the middle from there. It is nice to come here in the evening when the city's lights, seen from above, make an unforgettable impression. The pool is not very large, but this is not the point. The point is that the water directly touches the glass walls, behind which, and far below, is the big city of Warsaw. This swimming pool has already been used as the location for several Polish films when directors needed to show the lifestyle and wealth of contemporary Warsaw upstarts.

RiverView Wellness Centre
ul. Emilii Plater 49
www.riverview.com.pl

przejdź po torach biegnących donikąd

To jedno z magicznych miejsc Warszawy. Dlatego przejdź się koniecznie spacerkiem od Hali Mirowskiej do klubokawiarni Chłodna 25.

Przed wojną ul. Chłodną pełną sklepów i kin nazywano wolską Marszałkowską. Z tego czasu zachował się tu zabytkowy bruk i tory tramwajowe, które w czasie II wojny światowej przecinały żydowskie getto, a dziś prowadzą donikąd. W 1942 r. w pobliżu skrzyżowania z ul. Żelazną, przy Chłodnej 22, Niemcy przerzucili nad ulicą drewnianą kładkę, po której Żydzi przemieszczali się nad torami tramwajowymi z jednej części getta do drugiej.

Dziś ul. Chłodną zrewitalizowano, a kładkę zaznaczono w symboliczny sposób, instalacją składającą się ze snopu światła i pokazu archiwalnych zdjęć.

Na tym krótkim odcinku ul. Chłodnej zobaczysz niezwykłą mieszankę architektoniczną – od hali targowej z początku XX w., przez PRL-owskie bloki osiedla Za Żelazną Bramą, piękny neorenesansowy kościół św. Karola Boromeusza projektu Henryka Marconiego z połowy XIX w., małe sklepiki i warsztaty, pozostałość po Kercelaku, największym przedwojennym targowisku Warszawy, aż po widoczny na horyzoncie strzelisty wieżowiec Warsaw Trade Tower. W sąsiedztwie znajdziesz też słynny najwęższy dom świata, czyli Dom Kereta, projektu Jakuba Szczęsnego (ul. Żelazna 74).

ul. Chłodna od al. Jana Pawła II

walk on a track to nowhere

This is a pretty magical place in Warsaw, so you must take a walk there, starting at the Hala Mirowska Market Hall up to the Chłodna 25 café.

Before World War II, ul. Chłodna was full of shops and cinemas as it was the most busy street in the Wola district. Historical cobblestones and tram rails are still there. The tram line ran across the Jewish Ghetto during WWII, but now it leads to nowhere. The Germans built a wooden pedestrian bridge over ul. Chłodna and its tram line in 1942 to allow Jews squeezed in the Ghetto to walk between its two parts.

Ul. Chłodna has been revitalized and, today, the bridge is rather more a symbolic light installation featuring archived photos.

This short stretch of ul. Chłodna presents a real mixture of architectural styles from the market hall dating back to the early 20th century to Communist era blocks of flats in the Behind the Iron Gate housing estate to the beautiful neo-renaissance St. Charles Borromeo's Church designed by Henryk Marconi and built in the middle of the 19th century, to small stores and craftsmen's shops being the relics of Kercelak, the biggest bazaar of pre-war Warsaw, and to the Warsaw Trade Tower.

Additionally, the narrowest house in the world, the Keret House (Dom Kereta), designed by Jakub Szczęsny is located nearby (ul. Żelazna 74).

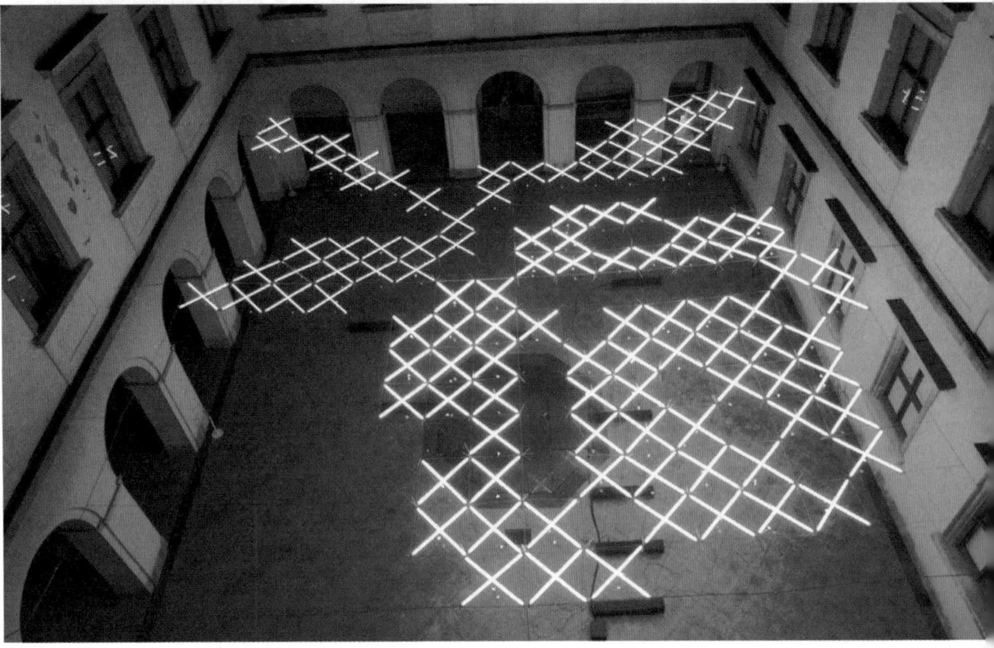

poczytaj na ławce...

...a w zasadzie z ławki. Przed Centrum Sztuki Współczesnej możesz posiedzieć na jednej z dziesięciu ław projektu znanej amerykańskiej artystki Jenny Holzer, na których umieściła dające do myślenia aforyzmy.

Są ławki z „truizmami" takimi jak: „Zadbaj o to, aby twe życie nie stało w miejscu" czy „Egoizm jest najbardziej podstawową motywacją", i „ławki survivalowe" z napomnieniami w stylu: „Chroń mnie przed tym, czego pragnę". À propos survivalu – nie siedź na nich, gdy jest zimno, bo ławki są z kamienia i szybko się wychładzają. Stanęły w tym miejscu w 1999 r. i miały być zalążkiem plenerowej galerii rzeźby. Ten projekt jednak zbytnio nie zaowocował. Rozwinęło się za to Centrum Sztuki Współczesnej Zamek Ujazdowski, które jest jednym z najważniejszych ośrodków promujących sztukę najnowszą w Polsce. Zobacz tu wystawę albo film w studyjnym KINO.LAB. Kup książkę w księgarni artystycznej albo zjedz stylowy obiad w prowadzonej przez Martę Gessler Qchni Artystycznej. Restauracja ulokowana jest na tyłach Zamku i ma jeden z najlepszych w mieście ogródków z widokiem.

read on a bench

Actually, you can read... a bench. When you are in front of the Centre for Contemporary Art, you can sit down on one of 10 benches designed by a famous US artist Jenny Holzer, who inscribed a number of aphorisms on them. The benches are covered with "truisms", such as: "It's crucial to have an active fantasy life" or "Selfishness is the most basic motivation;" other benches carry more "survival-oriented" texts like: "Protect me from what I want." Since we have mentioned survival, so as not to freeze to death, don't sit down on these stone benches on a cold day. The benches were installed there in 1999 to become seed from which an open-air gallery was hoped to evolve. The project did not work out but, instead, the Centre for Contemporary Art Ujazdowski Castle has developed perfectly into a major centre promoting modern art in Poland. Come here to see an exhibition or a film in the Kino.LAB cinema or buy a book at the bookstore and have an amazing lunch in the Qchnia Artystyczna (Artistic Cuisine) restaurant run by Marta Gessler. The restaurant is in the back of the Castle and has one of Warsaw's lovelies outdoor gardens with a perfect view.

← Instalacja Mirosława Filonika

Q	Centrum Sztuki Współczesnej Zamek Ujazdowski
⚲	ul. Jazdów 2
→	www.csw.art.pl

#ludziewarszawy
#thepeopleofwarsaw

dominik cymer

Z Katarzyną Lorenz prowadzi studio kreatywne Cyber Kids on Real, wykłada responsive design w poznańskiej School of Form.

Runs the Cyber Kids on Real creative studio with Katarzyna Lorenz, lectures on responsive design at the Poznań School of Form.

Znajomi spoza Warszawy często pytają. „Co tam u was słychać?", bo w telewizji widzieli, że znowu są rozróby wokół krzyża i że ewakuowano kamienicę w centrum. Ja zawsze żartuję, że nie wiem, co słychać w Warszawie, bo siedzę na Woli i gdy wyglądam przez moje okno, nic się nie dzieje.

Poleciłbym park Moczydło, są tu dwa place zabaw, pagórkowaty teren, stawik z romantycznym mostkiem, kaczki do karmienia oraz inne nieznane mi gatunki pływających ptaków. Podobno na terenie Moczydła znajdowało się kiedyś wysypisko śmieci, które zostało uprzątnięte przez ludzi w czynie społecznym. Zimą często zjeżdżamy tu na sankach z wysokiego pagórka. Z tej sporej górki rozciąga się też ładny widok na okolicę.

Obok Moczydła w każdą niedzielę działa targ Olimpia. Można kupić tu wszystko, począwszy od klapek marki Buma, a skończywszy na żelazku z duszą.

Friends not from Warsaw often ask what's going on here because they saw some new clashes around the cross or an evacuated building in the city center on the news. I always joke that I have no idea what is happening in Warsaw because I live in Wola and, when I look out the window, there's nothing happening.

I recommend Moczydło Park – there are two playgrounds there, a hilly area, a pond with a romantic bridge, ducks to feed and other kinds of water birds I don't know. Apparently Moczydło used to be somewhere people dumped garbage, but it was cleaned up by people and put to social use. In the winter, we go sledding on the taller hills. There's a great view of the neighborhood from the tallest one.

There's also the Olimpia flea market every Sunday right next door. You can get everything there from Buma flip-flops to irons.

→ www.cyberkids.pl

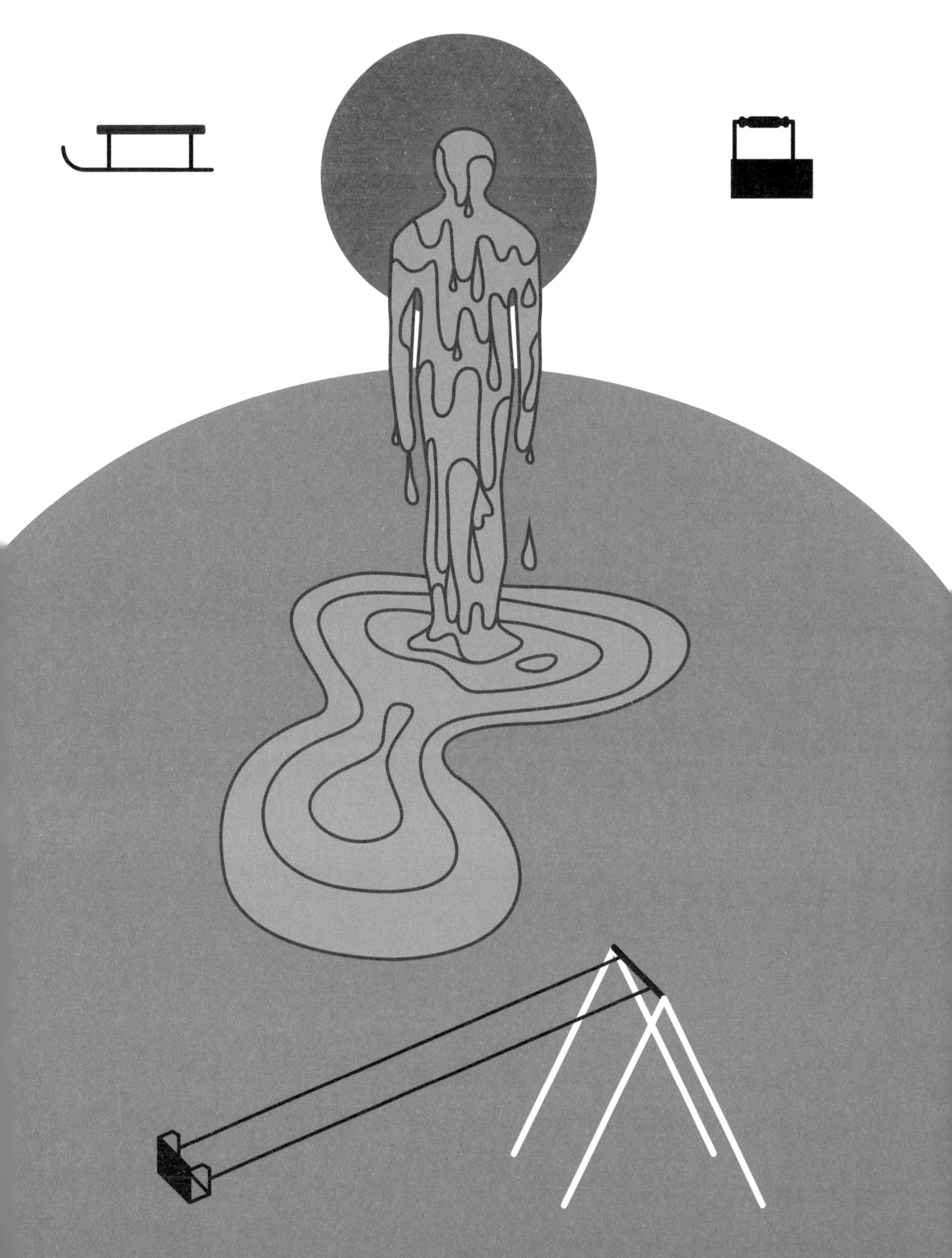

odkryj skarby prawobrzeżnej warszawy

Praga to dzielnica artystów czy slumsy Warszawy? Ani jedno, ani drugie. Już nie dzielnica o złej sławie, ale jeszcze nie dzielnica artystyczna. Coś drgnęło, ale znów tąpnęło przez budowę metra, która odcięła w zasadzie Pragę-Północ od reszty miasta. Knajpki, małe warsztaty rzemieślnicze, kluby zaczęły się zwijać.

Nie znaczy to jednak, że nie można tam dojechać, a tym bardziej, że nie warto. Na prawym brzegu Wisły znajdziesz perełki przedwojennej architektury i niezwykły uliczny klimat, włącznie ze specyficzną praską gwarą.

Warto udać się najpierw do prężnych lokalnych klubokawiarni Café Melon i Centrum Zarządzania Światem, gdzie na pewno dobrze cię pokierują. Koniecznie przespaceruj się też ul. Ząbkowską, od Targowej do pięknego poprzemysłowego kompleksu dawnej fabryki wódek Koneser.

Praga miała być naszym Mitte, potem Kreuzbergiem, w końcu Prenzlauer Bergiem. Dlatego dajmy już spokój tym porównaniom z Berlinem. Wszyscy tu czekają na metro jak na zbawienie, oby nim było. Trzymajmy kciuki za Pragę-Północ i odkrywajmy jej skarby.

discover treasures on the right side of the river

So, is Praga really Warsaw's artist district or a slum? Neither one nor the other. It's not a slum anymore, yet its still not a proper artists district. Things started changing for the better not long ago, but everything has since slowed down again. With the subway construction, which basically cut off Praga-Północ from the rest of the city, shops, small workshops, and clubs began to close.

This does not mean that you can't get there or that taking a trip there wouldn't be worth it. On the right bank of the river, you will find pre-war architectural gems, an amazing and unique city vibe and even a local form of Praga slang.

Make sure to first go to the thriving Café Melon and Centrum Dowodzenia Światem, which will definitely give you good hints as to what to see. Definitely walk down ul. Ząbkowska, starting at ul. Targowa and walk down to the beautiful former factory complex of Koneser vodka.

Prague was to be our Mitte, then Kreuzberg and Prenzlauer Berg in the end. So, let's quit with the Berlin comparisons. As of now, we're all waiting for the subway and we hope it will be the saving grace we are hoping it to be. Let's hold our fingers crossed for the future of Praga-Północ and just keep on exploring its treasures.

Q	Café Melon
⚲	ul. Inżynierska 1

Q	Centrum Zarządzania Światem
⚲	ul. Okrzei 26

1897-1970
REKTYFIKACJA SPIRYTUSU

zejdź pod ziemię do cysterny wodnej

W podziemiach przed Zamkiem Ujazdowskim, w którym mieści się centrum sztuki znany japoński artysta Tadashi Kawamata odkrył dla nas na nowo fragment zamkowego systemu kanalizacji – XIX-wieczną ceglaną cysternę wodną. W 2003 r. podjął się odsłonięcia zbiornika i przystosowania go do celów wystawienniczych. Na 116 m kw. powstała niezwykła przestrzeń, która służy teraz artystom do tworzenia specyficznych instalacji i performance'ów. Zobaczysz ją tuż przed głównym wejściem do Centrum Sztuki Współczesnej, po lewej stronie. Pokonaj klaustrofobiczne lęki i zejdź po schodkach do podziemi. Cysterna jest otwarta tylko wtedy, gdy prezentowane są tam wystawy.

enter an underground water cistern

Well-known Japanese artist Tadashi Kawamata helped us to unearth and renovate a fragment of the Castle's sewage system, a 19th brick-walled cistern in front of the main entrance to the building, for exhibition purposes. He started to excavate and do the adjustments in 2003 and, as a result, created 116 square metres of unusual free space available to artists and their original installations and performances now. To get there, you must approach the main entrance to Ujazdowski Castle on the left and walk down the stairs. The Cistern is open only on days when there is an exhibition on inside.

🔍	**przed Centrum Sztuki Współczesnej Zamek Ujazdowski**
⚲	**ul. Jazdów 2**
→	**www.csw.art.pl**

wyraź się

Hyde Parku z prawdziwego zdarzenia w Warszawie nie mamy. Co prawda próbowali go „zorganizować" w parku Świętokrzyskim przy Pałacu Kultury politycy, ale przyznasz, że trudno o większy absurd. Więc się nie powiodło. Ale jest takie miejsce, gdzie prezentują się codziennie muzycy, młodzi zdolni tancerze oraz wszelkiej maści aktywiści i dziwacy głoszący swoje poglądy. To placyk przy stacji metra Centrum. Jeśli chcesz coś zakomunikować warszawiakom, zrób to właśnie tutaj, bo codziennie przechodzą tędy tysiące potencjalnych widzów i słuchaczy.

Dobrym miejscem na wygłoszenie orędzia, oświadczenia czy przemówienia jest też wielka trybuna honorowa na pl. Defilad przed Pałacem Kultury. Kiedyś partyjni dygnitarze pozdrawiali stąd tłumy defilujące na pochodach pierwszomajowych. A teraz to miejsce wyraźnie się marnuje.

express yourself

Warsaw has no such place as Hyde Park in London. There have been some efforts made to arrange something of this kind in the Świętokrzyski Park by some politicians, but clearly the idea was considered too absurd and the plan failed. Nevertheless, there is a place where musicians express their feelings together with young dancers and all sorts of activists and strange people keen on telling the others what they think. This place is in front of the entrance to the metro's Centrum Station. If you want to share your opinion on a given topic with others, this is the place to do so. It is always full of passers-by and there is a potentially large audience at all times.

Another good place to speak your mind or give a lecture is the big saluting platform on pl. Defilad in front of the Palace of Culture. In the old days, Communist party tycoons greeted parading crowds from there but, today, it is useless and deserted.

⚲	**plac przy stacji metra Centrum**
⚲	**trybuna honorowa, pl. Defilad**

poklucz po muranowie

Zapuść się koniecznie w te okolice, bo Muranów to wielce oryginalne osiedle zbudowane po II wojnie światowej na gruzach żydowskiego getta. Stąd tak wiele tu pagórków, wzniesień i nierówności, schodków, sekretnych przejść i labiryntów ścieżek. Raj dla dzieciaków. I małomiasteczkowy klimat. Mieszkania – jak to za komuny budowano – malutkie, więc okolica raczej biedna, robotnicza. Ale ostatnio zmienia się bardzo, bo jak każde osiedle ulokowane w pobliżu centrum staje się coraz atrakcyjniejsze dla młodych, dobrze zarabiających, chcących sobie oszczędzić przedzierania się przez korki w drodze do pracy.

Możesz się tu natknąć m.in. na pomnik Bohaterów Getta, Umschlagplatz, kościół, który ocalał w morzu ruin, kino Muranów i... sieć sex-shopów. W sercu Muranowa powstało też niedawno Muzeum Historii Żydów Polskich. Ekspozycja nie jest jeszcze gotowa (planowana jest na jesień 2014 r.), ale budynek można już zwiedzać. Jest jedną z najlepszych nowoczesnych realizacji architektonicznych w Warszawie, więc warto.

Na spacer po Muranowie wyrusz ze Stacji Muranów (ul. Andersa 13) założonej przez miejskich społeczników i pasjonatów tej okolicy. Tuż obok znajdziesz ciekawe galerie – Fundacji Archeologia Fotografii (fotografia) i Starter (sztuka współczesna) – a w sąsiedztwie zjesz dobry lunch w zaangażowanej klubokawiarni Państwomiasto (ul. Andersa 29).

take a tour of muranów

It is definitely worth taking a closer look at the Muranów district because it is special and has an unusual past. It was built after World War II in the area where the Jewish Ghetto used to be, which explains the uneven terrain between the buildings and many small footpaths and passages. Children love the place for its characteristics of a tiny little Polish town. The flats were designed to a Communist standard and are very small, the people living there are mostly working class, so it is not a wealthy neighborhood. This, however, tends to change rather quickly these days because it is not very far from downtown Warsaw and the price of land in the district is going up, which becomes increasingly attractive for local yuppies who prefer to live there than in the suburbs, so as to avoid spending hours in traffic jams.

When walking the streets of Muranów, you may come across the Hero of the Ghetto monument, the Umschlagplatz, a church which stood out among the ruins, Muranów Cinema and... a network of sex shops. The Museum of the History of Polish Jews was just constructed in the heart of Muranów and it was designed by Rainer Mahlamaki. The permanent exhibition is not yet ready (it is planned top open in autumn 2014), but you can already go see the building. It is one of the best examples of modern architecture in Warsaw, so it really is worth it.

Start your walk from Stacja Muranów (ul. Andersa 13), opened by a group of city activists and people who love their district. It's located just next to some interesting galleries, like the Foundation for Archeological Photographs and Starter (a modern art gallery), plus there's a great lunch place called Państwomiasto just nearby (ul. Andersa 29).

www.stacjamuranow.art.pl

←
Beata Chomątowska, Stacja Muranów

zobacz słynne żyletki

Niewiele dobrych nowoczesnych budynków powstaje w Warszawie. I przypadek zrządził, że dwa z nich mają bardzo podobne elewacje, pokryte żyletkami, czyli rodzajem wielkich żaluzji.

Biurowiec Metropolitan autorstwa słynnego architekta Normana Fostera, który stanął w 2003 r. na pl. Piłsudskiego, ma żyletki z granitu. Z kolei siedziba firmy Agora przy ul. Czerskiej, w której mieści się m.in. redakcja „Gazety Wyborczej" – z drewna cedru kanadyjskiego. Ten ostatni budynek, z 2002 r., według projektu architektów z firmy JEMS, został zbudowany nieco solidniej. Żyletki Fostera już po roku zaczęły pękać i wiele z nich trzeba było wymienić. Nie zmienia to faktu, że warszawiacy bardzo lubią przesiadywać na nowoczesnym otwartym dziedzińcu biurowca Metropolitan, obserwując podświetlaną fontannę.

U nas też jest miło. Na Czerską możesz wpaść na kawę do kawiarenki, w której przeczytasz dzisiejszą „Gazetę", kupisz wydawane przez nas książki i płyty oraz skorzystasz z darmowego hotspota.

see the famous razor blades

There are few decent, high-tech buildings built in Warsaw these days. Incidentally, two new buildings have very similar outer walls covered with what people call "razor blades" or a kind of large-size vertical blinds. The Metropolitan office building, designed by the famous Norman Foster, was built in pl. Piłsudskiego in 2003 and its razor blades are made of granite. Another example, the Agora SA building in ul. Czerska, which houses the Gazeta Wyborcza daily, has razor blades made of Canadian cedar wood. The building was designed by the JEMS architect group and built in 2002 and the workmanship was better here than on the previously mentioned building. Foster's blades started to crack after about a year and many had to be replaced. Nevertheless, people love to come to the Metropolitan, sit down in the courtyard and gaze at the pretty illuminated fountain.

Of course, Agora is nice too. You can pop into the building on Czerska for a coffee and read the latest issue of *Gazeta Wyborcza*, buy books or CDs published by our company and, perhaps, use the free internet access.

Q	**Metropolitan**
⚲	**pl. Piłsudskiego 1**

Q	**Agora**
⚲	**ul. Czerska 8/10**
→	**www.wyborcza.pl**
→	**www.jems.pl**

skocz na zakupy do mediolanu

Milano w Warszawie znajdziesz na Saskiej Kępie. W charakterystycznych półokrągłych budynkach zamykających rondo Waszyngtona od 1975 r. działała kafejka o tej nazwie. Starsi popijali tu koniak, a dzieciaki zajadały się bitą śmietaną. Dziś wnuczka właściciela kawiarni Elżbieta Kochanek van Dijk (która zresztą u dziadka kelnerowała) prowadzi tu galerię sztuki współczesnej. I mieszka tuż nad nią.

W Milano kupisz obraz polskiego malarza po naprawdę przyzwoitej cenie (w ofercie m.in. dzieła Edwarda Dwurnika, Olgi Wolniak, Marii Kiesner – na zdjęciu obok). A jeśli jesteś sroczką na biżuterię, to w gablotach pod oknem możesz wyszperać prawdziwe cacka autorstwa polskich projektantów.

Milano to też doskonała baza wypadowa do spacerów po Saskiej Kępie, jednej z najpiękniejszych willowych dzielnic Warszawy, gdzie znajdziesz wyjątkowej urody modernistyczne budynki z lat 20. i 30. (głównie na ul. Obrońców, Katowickiej i Francuskiej).

shop in milano

Warsaw's Milano is in the Saska Kępa district. This name was given to a café in a circular building on the Waszyngtona roundabout when it was opened in 1975. Adults would come there for a sip of brandy and children could get whipped cream or a candy. The place is now run by the original owner's granddaughter, Elżbieta Kochanek van Dijk (she used to work for her grandfather as a waitress), who opened a contemporary art gallery there. As well, she lives there, on the second floor above the gallery.

When in Milano, you may be lucky to buy a painting by a good Polish artist for a really decent price (Edward Dwurnik, Olga Wolniak, and Maria Kiesner are often offered).

If you love jewellery, carefully inspect the light-boxes and you will probably find a real masterpiece made by Polish designers.

Milano is also an excellent starting point for walks in Saska Kępa, probably the nicest residential quarter in Warsaw full of charming modernist-style houses build in the 1920s and 1930s (the best examples are on ul. Obrońców, ul. Katowicka and ul. Francuska).

🔍	**Galeria Milano**
📍	**rondo Waszyngtona 2a**
→	**www.milano.arts.pl**

zobacz wybuchową mozaikę

Księgarnię Empik przy rondzie de Gaulle'a zdobi mozaika, nad której treścią nikt się specjalnie nie zastanawia. A jest dość wywrotowa. Przedstawieni tu kobieta i dwóch mężczyzn uzbrojeni w granat, pistolet i karabin to żołnierze Gwardii Ludowej, którzy w czasie okupacji hitlerowskiej dwukrotnie zaatakowali działający tu wówczas Café Club przeznaczony „nur für Deutsche" (tylko dla Niemców).

Autorem tej socrealistycznej mozaiki z 1964 r. jest Władysław Zych. Tym, którzy chcieliby zobaczyć więcej pięknych mozaik z lat 60. (a to, obok neonów, jedna z naszych polskich specjalności), polecamy wizytę na dziedzińcu Domu Chłopa (hotelu Gromada, pl. Powstańców Warszawy 2) oraz wydawnictwo „Archimapa. Mozaiki warszawskie".

see an explosive mosaic

The Empik bookstore at Rondo de Gaulle'a is ornamented with a mosaic, but hardly anyone takes interest in what it actually shows. Its message is quite rebellious: the mosaic features a woman and two men armed with hand grenades, a pistol and a rifle. They are National Guard soldiers who twice raided the place which, during World War II, housed the Café Club, a nur für Deutsche (admission: Germans only) club.

This social-realist mosaic was designed by Władysław Zych in 1964. For those who might want to see more beautiful mosaics from the 1960s (and mosaics, besides neons, are a Polish specialty), we recommend a visit to the Dom Chłopca (Hotel Gromada, pl. Powstańców Warszawy 2) and a read of the book Archimapa. Mozaiki Warszawskie (Archimapa. Warsaw's Mosaics).

🔍	**Empik**
📍	**Al. Jerozolimskie 28**

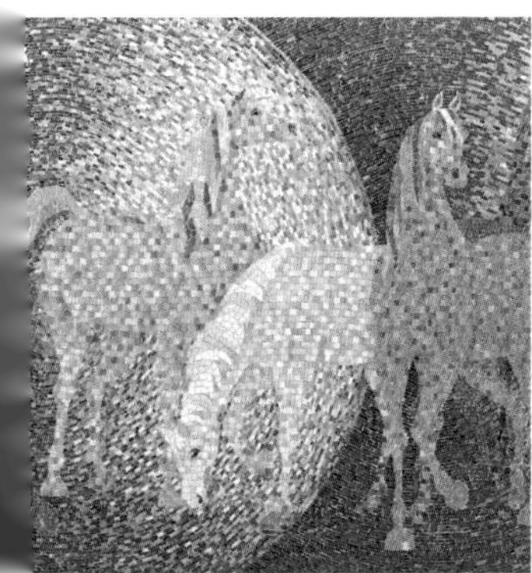

1. Syreni Śpiew
2. Empik
3. Ul. Zgoda 6, 1980

#ludziewarszawy
#thepeopleofwarsaw

ola niepsuj

Ilustratorka i projektantka graficzna, znana z plakatów do warszawskich imprez klubowych. Ostatnio dla wydawnictwa Mundin zilustrowała książkę „Miami Blues" Charlesa Willeforda.

Illustrator and graphic designer, known for her posters for parties at Warsaw's clubs. Recently illustrated Charles Willeford's book Miami Blues for the Mundin publishing house.

Jako fanka Mokotowa polecam kawiarnię Relaks – protoplastę warszawskich klubokawiarni. Łyk najlepszej kawy w mieście i rzut okiem na polski plakat zapewniają mi energię do pracy na cały dzień.

Turystom zagranicznym i sentymentalnym polecam niezwykły bar mleczny Rusałka na Pradze (ul. Floriańska 14). Ręcznie wycinana typografia menu, panie w fartuchach i kakao za złotówkę. Darmowa podróż w czasie.

As a fan of Mokotów, I highly recommend Relaks café, the godfather of Warsaw's café-clubs. Sipping on the best coffee in town and look at the Polish posters give me energy to work all day.

For tourists from abroad and nostalgics, I recommend the unusual bar mleczny Rusałka in Praga (ul. Floriańska 14) for its hand-cut typography on the menu, the little ladies in aprons and 1 złoty hot chocolate. It's likefree time travel!

→ aleksandraniepsuj.blogspot.com

dowiedz się czegoś o polskim teatrze

Instytut Teatralny to miejsce, w którym koncentruje się życie teatralne Warszawy. Gromadzi archiwa, prowadzi wortal teatralny www.e-teatr.pl uzupełniany codziennie o świeże newsy, wydaje książki, organizuje debaty, prezentuje spektakle w kameralnej salce widowiskowej.

Do nowoczesnej siedziby Instytutu Teatralnego trafisz, idąc z pl. Na Rozdrożu w kierunku CSW Zamek Ujazdowski (na tyłach kawiarni Rozdroże). Skorzystasz tu z biblioteki, kupisz książkę w księgarni, obejrzysz wystawę i napijesz się kawy w kawiarnianym ogródku.

find out more about polish theatre

The Theatre Institute is the focal point for Warsaw's theatrical life. It not only keeps archives but also runs the www.e-teatr.pl portal, which is updated daily with latest news, publishes books, and organises debates and presents spectacles in the intimate theater hall.

To get to the modern headquarters of the Theatre Institute, walk from pl. Na Rozdrożu towards the Centre for Contemporary Art Ujazdowski Castle (at the back of the Rozdroże Restaurant). When you reach the place, you can use the library, buy a book, see an exhibition and have a cup of coffee in the cozy café gardens.

🔍	**Instytut Teatralny im. Zbigniewa Raszewskiego**
⚲	**ul. Jazdów 1**
→	**www.instytut-teatralny.pl**

zobacz deszcz spływający po dachu złotych tarasów

Sam budynek centrum handlowego Złote Tarasy, który wyrósł w 2007 r. w centrum miasta, jest brzydki i przeskalowany. Jedyne, co się amerykańskim architektom z pracowni The Jerde Partnership udało, to pofalowany szklany dach złożony z ośmiu mniejszych i większych kopuł posklejanych ze szklanych trójkącików. I to też nie do końca, bo przez to, że po kopułach spływa deszcz lub roztopiony śnieg, notorycznie są brudne. Nie mówiąc już o tym, że spływa szerokim strumieniem tuż przy głównym wejściu. No ale nic, nie narzekajmy. Na szybkie zakupy Złote Tarasy są bardzo dobre, bo czynne do godz. 22. A na ostatnim piętrze z fast foodami można się nawet rozmarzyć, oglądając szarą panoramę centrum i deszcz spływający po szklanych kopułach.

see the rain on the golden terraces' roof

The actual Golden Terraces (Złote Tarasy) shopping centre is ugly and out of proportion. All the US architects from the Jerde Partnership managed to do well was design the wavy glass roof that looks like a cluster of eight big and small semi-domes made of triangle-shaped glass panels. However, this interesting roof has some disadvantages too because, being exposed to rain and snow, the glass is permanently covered with dirt. Not to mention the fact that the main mass of runoff water from the roof cascades down a bit too close to the main entrance. But, enough complaining. The place is more than perfect for quick shopping and it is open until 10:00 pm. When necessary, you can warm up in one of the fast food places on the top floor and look at the grey panorama of the town outside and at the rain water running down the glass roof domes and walls.

🔍	Złote Tarasy
📍	ul. Złota 59
→	www.zlotetarasy.pl

wynajmij 1500 m2

Labirynt poprzemysłowych wnętrz z lat 60. przy ul. Solec na Powiślu, w których wcześniej mieściła się drukarnia kartograficzna, wypełniła kultura.

Na początku 1500m2 wyglądało jak berliński artystyczny squat. Bramę i podwórko wymalowali uliczni artyści, stanęły prowizoryczne stoły i siedziska, zaparkowano pierwsze rowery. Wiele offowych imprez i festiwali rozwinęło tu skrzydła i nabrało rozmachu.

Dziś podwórko wygląda porządniej (zieleń, osobny bar), mieści się tu świetna restauracja sto900, kilka sklepików z ciuchami, co weekend można liczyć na doskonałe koncerty i taneczne imprezy, odbywają się tu targowiska mody i jedzeniowe Urban Markety. I na szczęście ten alternatywny klimat pozostał.

Wracając z imprezy w 1500, zajrzyj koniecznie do mieszczącej się nieopodal klubokawiarni Warszawa Powiśle.

rent out 1,500 m2

A labyrinth of post-industrial buildings dating back to the 1960s on ul. Solec in the Powiśle district, the complex was formerly occupied by a printing house that produced maps and is now a cultural center.

At the beginning, 1,500m2 looked like an artistic squat somewhere in Berlin. The gates and yard were painted by street artists, others brought in makeshift tables and benches and then the first bicycles were seen parked there. A number of indie events and festivals took flight and got started here. Currently, the courtyard is clean and verdant (with it's own bar) and is the location of the tasty restaurant sto900, a few clothing stores and is host to a few fashion fairs and the Urban Market food fair.

After your party night in 1500, you should definitely pop into the nearby café-club Warszawa Powiśle.

Q	**1500m2 do Wynajęcia**
⚲	**ul. Solec 18**
→	**www.1500m2.pl**

przeżyj apokalipsę z warsaw city rockers

Jeśli nigdy nie trafiłeś na imprezę z Warsaw City Rockers, to najwyższy czas! Gdy gra ten kolektyw, to rock and roll miesza się z piwem, potem, łzami, krwią. Ale w końcu punk rock to nie bułka z masłem. I choć minęły już czasy, gdy podczas ich imprez płonął sprzęt, a ludzie dla hecy okładali się kijami golfowymi, to duch apokaliptycznej zabawy pozostał.

Karol, Łukasz, Andy i Kozi kolektyw didżejski tworzą od kilku lat. Na ich pierwsze imprezy przychodzili przede wszystkim punkowcy, a z głośników leciały hity The Ramones, Misfits, Rancid, Cock Sparrer, ale też piosenki zespołów mniej znanych, np. gejowskiej kapeli z San Francisco Hunx and His Punx czy bluesowo-rockowego The Gun Club. Dziś wciąż prezentują klasyki punk rocka, ale też garażową muzykę lat 60. oraz współczesne rockowe i indierockowe brzmienia.

Poza graniem imprez WCR zajmują się też wydawaniem płyt, organizowaniem koncertów, produkują koszulki i torby na płyty. W planach mają otwarcie sklepu płytowego.

experience the apocalypse with the warsaw city rockers

If you have never been to a Warsaw City Rockers concert, it is high time to get to one! When this band plays, rock-and-roll gets mixed with beer, sweat, tears and blood. While punk rock is not the most popular genre anymore and the times when instruments and furniture were burnt in flames and spectators were fighting with golf clubs at concerts just for fun are over now, some of that apocalyptic spirit is still there.

Karol, Łukasz, Andy and Kozi have been a DJ collective for years now. Their first concerts attracted almost exclusively a punk audience to listen to hits by The Ramones, Misfits, Rancid, Cock Sparrer, as well as pieces by less famous groups, such as the gay band from San Francisco Hunx and His Punx or a blues-rock group The Gun Club. The Rockers still present punk rock classics today, but they also play garage music of the 1960s and contemporary and indie rock sounds. Apart from playing music, WCR also releases albums, organizes concerts, produces T-shirts and CD bags. They also plan to open a record shop in the future.

→ www.warsawcityrockers.com

przejedź się nyską

Rafał Patla kończył pisać pracę magisterską o przedwojennej Warszawie, a jego przyjaciel Tomek Baranowski biegał po mieście z aparatem fotograficznym. Postanowili połączyć siły i stworzyli stronę internetową Adventure Warsaw z alternatywną ofertą dla turystów. Kupili samochód Nysa 522, żeby stylowo wozić swoich klientów, zostawili ulotki w hostelach i zaczęło się – grupy z Anglii, Stanów, Wenezueli, Chin. Bardzo pomogła też rekomendacja turystycznego portalu Trip Advisor.

Czterogodzinna wycieczka pod hasłem „Warszawska przygoda" kosztuje u nich 169 zł (40 euro) od osoby. W programie m.in.: pl. Konstytucji, Pałac Kultury, Dworzec Centralny, Próżna, osiedle Za Żelazną Bramą, Muranów, przejazd na Pragę na wódeczkę i zakąski, obiad w barze mlecznym. Warszawa przedwojenna, socrealistyczna i współczesna.

– Oczywiście bierzemy też pod uwagę sugestie naszych klientów. Bardzo szybko się podczas tych wycieczek integrujemy – mówi Tomek.

Adventure Warsaw proponuje też bardziej konkretne usługi: pomoc w wyborze noclegu, fotograficzne warsztaty w plenerze, wycieczki rowerowe, gokarty, paintball w starej fabryce, jazdę quadem po poligonie czy spływ kajakowy po Wiśle. Mogą z nich skorzystać nie tylko zagraniczni turyści. Warto zajrzeć też do ich bazy – muzeum Czar PRL mieszczącego się w sąsiedztwie Soho Factory, w dawnym budynku PZO przy ul. Grochowskiej.

take a ride in a nyska van

A year ago, Rafał Patla was finishing his M.A. thesis on pre-war Warsaw and his friend Tomek Baranowski kept running around the city with a camera. The two joined forces and opened a website called Adventure Warsaw, which offers off the beaten path attractions to tourists. They bought an obsolete Nysa 522 van (Nyska is a diminutive) to give style to their tourist transport, distributed advert fliers in student hostels and that is how it all started. Groups started to come from England, the US, Venezuela, and China. A positive recommendation on Trip Advisor played a crucial role in this.

A 4-hour trip costs PLN 169 (EUR 40) per person. The program includes: Plac Konstytucji, the Palace of Culture and Science, the Central Railway Station, ul. Próżna, the Behind the Iron Gate housing estate, the Muranów housing estate, a visit to the Praga district where you are offered a vodka shot and a snack in a Communist style flat at the top floor of the club Skłot (Squat) on ul. Ząbkowska, plus a visit to the Różycki Bazaar and a butcher's shop on ul. Brzeska and lunch in a milk bar. This is Warsaw as it was before World War II, under Communism and today. "Of course, we take our client's proposals into consideration. And we become integrated very quickly during these excursions," Tomek says.

Adventure Warsaw also offers some more practical services, such as, advice in finding hotel accommodation, photo workshops on location, bicycle trips, go-cart rides, paintball in an old factory, quad-bike rides at a shooting range and canoeing on the Vistula River. All of that is available to both Polish and foreign tourists.

It's also worth checking out their office in the PRL museum in the Soho Factory on Mińska 25, just next to the Neon Museum.

🔍	**Czar PRL**
⚲	**ul. Grochowska 316/320**
→	**www.adventurewarsaw.pl**

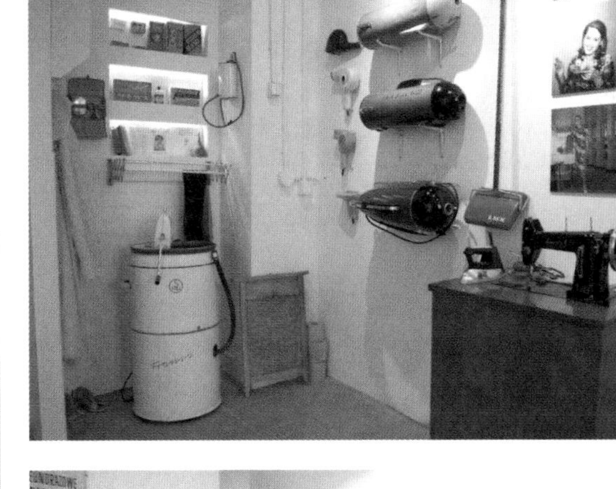

Woda
sodowa

zobacz sporny plac

To miejsce niezwykłe. W czasie II wojny światowej w granicach żydowskiego getta. Dziś krzyżują się tu różne szlaki. Starszych pań z pieskami i miejscowych meneli. Katolików spieszących na mszę do dominującego nad placem kościoła Wszystkich Świętych i Żydów zwiedzających dawne rejony getta, synagogę Nożyków i ul. Próżną. Mieszkańców blokowiska Za Żelazną Bramą i biznesmenów z sąsiednich biurowców. Nigdy dotąd nie mieli ani miejsca, ani okazji, żeby się spotkać. Mijali się tu bez słowa.

Kij w tę martwą przestrzeń postanowiła włożyć artystka sztuk wizualnych Joanna Rajkowska, autorka Palmy na rondzie de Gaulle'a. A konkretnie wbiła łopatę i wykopała dół. W lecie 2007 r. wraz z CSW Zamek Ujazdowski zbudowała na pl. Grzybowskim Dotleniacz – staw obsadzony roślinnością, nad którym unosiła się mgiełka dotlenionego powietrza. I ten prosty gest bardzo się warszawiakom spodobał. Gromadzili się przy stawie, odpoczywali, rozmawiali. Gdy Dotleniacz rozebrano, bo nie był przystosowany do zimowych mrozów, rozpoczęła się gorąca dyskusja – czy ma powrócić i w jakiej formie. Czy ma go może zastąpić wybetonowana fontanna, a może pomnik Polaków, którzy pomagali Żydom w czasie II wojny światowej. To najciekawsza od lat dyskusja o przestrzeni publicznej w Warszawie, w której wyraźnie słychać głos mieszkańców, którzy uwierzyli, że mogą decydować o swoim najbliższym otoczeniu.

Plac Grzybowski został zmodernizowany, ale wciąż jest miejscem debat i negocjacji. Ostatnio skejci przekonali władze dzielnicy, że warto wpuścić ich na plac i pozwolić im jeździć na wyznaczonych wspólnie murkach.

visit a disputed square

This is an unusual place. During World War II, it was part of the Jewish Ghetto. Today, all sorts of people are seen here: old ladies walking their little dogs, local tramps, Catholics going to the large All Saints' Church, Jews sightseeing the former Ghetto area, the Nożyk Synagogue and the nearby ul. Próżna, residents of the Behind the Iron Gate residential estate which looks like a forest of blocks of flats and businessmen going in and out of the nearby Deutsche Bank building. These people never usually met and rarely exchanged a few words. But this all changed when visual artist Joanna Rajkowska, the one who built the palm tree on Rondo de Gaulle'a, grabbed a shovel, dug a hole and made a pond in pl. Grzybowski which she called the Oxygenator (Dotleniacz). The pond was surrounded by vegetation and a cloud of oxygen-filled air hovered over it. This very simple trick soon won the hearts of many locals. They would come to the place, sit down by the pond and chat. When autumn came, the Oxygenator was dismantled because it was not winter-proof and a dispute is on whether or not it should be again placed in the square or perhaps replaced with a solid concrete fountain or maybe a monument to Poles who saved Jewish lives during WWII. It was one of the most interesting debates on public space in Warsaw in years because it prominently featured the voice of local residents who believed they could change their surroundings. Plac Grzybowski has now been renovated, but it is still a place of debate and negotiation. Recently, some skateboarders were able to convince the local government that they should be allowed to skate on the square and jump and grind on specially marked walls.

⚲	pl. Grzybowski
→	www.rajkowska.com

Dotleniacz Oxygenizer

odetchnij na działkach

relax in allotment gardens

To kolejny warszawski fenomen, że w środku miasta można natknąć się na całe połacie ogródków działkowych (w sumie około 175 ha) z malowniczymi domkami, drzewami owocowymi, warzywami i kwiatami. Tu swoje malutkie kawałki ziemi mają głównie starsi ludzie, którzy dzięki pieleniu grządek nie tylko zachowują aktywność, lecz także zyskują tańsze produkty żywnościowe. Pewnie troszkę skażone ołowiem z miejskich spalin, ale owoce i warzywa sprzedawane w większości sklepów też przecież trudno nazwać ekologicznymi.

Powłócz się po ogródkach działkowych, póki jeszcze istnieją, bo ostatnio coraz częściej są wydzierane właścicielom pod budowę dróg czy osiedli. Obserwuj, jak zmieniają się wraz z porami roku, rób zdjęcia, odpoczywaj.

This is another Warsaw phenomenon – a whole area of garden plots (about 175 hectares all together) in the centre of the city, with picturesque cabins, fruit trees, vegetables and flowers. These small plots of land belong mainly to senior citizens, who in this way not only remain active, but also benefit from cheaper produce. They may be a bit polluted by exhaust from the city's traffic, but the fruit and vegetables sold in most shops can hardly be called ecological either.

Wander among these plots while they still exist, because they are being taken away from their owners with increasing frequency to make way for roads or housing estates. Observe how they change with the seasons, take photographs and relax.

- al. Waszyngtona, róg ul. Kinowej
- ul. Promyka
- ul. Nadrzeczna 6a

zapal lampkę na powązkach

To najstarszy i najpiękniejszy cmentarz w Polsce. Spoczywa tu około miliona osób, a powierzchnia dorównuje Watykanowi. Kiedy go zakładano w 1790 r., znajdował się na obrzeżach miasta, dziś to właściwie centrum.

Spoczywają tu wybitni muzycy i kompozytorzy (Stanisław Moniuszko, Witold Lutosławski, Czesław Niemen, Krzysztof Komeda), poeci (Zbigniew Herbert, Bolesław Leśmian), pisarze (Marek Hłasko, Maria Dąbrowska), malarze (Jan Lebenstein, Józef Pankiewicz), aktorzy i reżyserzy (Zdzisław Maklakiewicz, Irena Solska, Krzysztof Kieślowski – jego nagrobek na zdjęciu poniżej) oraz naukowcy, działacze społeczni, narodowi bohaterowie. Powązki są piękne o każdej porze roku. Warto przyjść tu 1 listopada podczas dnia Wszystkich Świętych, kiedy cmentarz, jakkolwiek dziwnie by to zabrzmiało, staje się jednym z najbardziej magicznych miejsc w mieście. Zapach zwiędłych liści i stearyny jest oszałamiający, a łuna z setek tysięcy zniczy widoczna jest z daleka.

Jeśli uwiedzie cię ten klimat, możesz od razu zwiedzić znajdujący się niedaleko za Starymi Powązkami cmentarz Wojskowy, na którym spoczywają m.in. Jacek Kuroń i Ryszard Kapuściński.

light a candle at powązki

This is Poland's oldest and most beautiful cemeteries. About one million people are buried here and the cemetery covers an area equal to the Vatican. When the cemetery was established in 1790, it was outside the city, but now it's virtually in the center.

One can visit the Old Powązki Cemetery with a map in hand, looking for the tombs of renowned Warsaw residents and beautiful tombstones designed by distinguished artists. Or – and this we recommend – you can lose yourself in the maze of avenues and simply meander around.

Powązki is beautiful at any time of year. It is worth coming here on 1 November, All Saints' Day, when the cemetery – though this may sound odd - becomes one of the most magical places in the city. The smell of withered leaves and burning candles is overpowering, and the glow of hundreds of thousands of candles is visible from afar.

If you are seduced by the atmosphere, you can visit the cemetery next to Old Powązki right away: the Communal (formerly Military) Cemetery, the last resting place of Jacek Kuroń and Ryszard Kapuściński, among others.

🔍	Stare Powązki
📍	ul. Powązkowska 14

wyszperaj skarb na targu staroci

find a treasure

Miłośnicy antyków, kolekcjonerzy i szperacze mają w Warszawie swoje ulubione targowiska. Największe z nich to weekendowy bazar na Kole. Targowisko ma swoje rewiry. Wokół, wzdłuż ogrodzenia, można upolować okazję po naprawdę dobrej cenie. Wewnątrz miejsca zajmują już wytrawni sprzedawcy, którzy niechętnie obniżają ceny. Ale targować się trzeba. Zwłaszcza że Koło to prawdziwa ostoja warszawskiej gwary, anegdot i opowieści. Dlatego warto poświęcić chwilę na rozmowę, poznanie sprzedawców. To później procentuje. Znajdziesz tu różności – od mebli, przez militaria, dywany, szkło i ceramikę, zabawki i torebki, książki i winylowe płyty, po drobne pamiątki z PRL.

Z kolei Olimpia to miejsce dla cierpliwych, gotowych przekopywać się przez sterty bezużytecznych śmieci, by trafić na upragnioną rzecz. Tu w weekend handlują raczej biedniejsi warszawiacy, którzy pozbywają się z domów wszystkiego, co tylko się da – od starych ubrań, przez zabawki, po śrubki. Ale to oznacza, że jest tu bardzo tanio i niespodziewanie można upolować prawdziwą perełkę do kolekcji. Raj dla miłośników powojennego wzornictwa.

Those who love antiquities, fans of collectors item and those whose hobby is to look for unusual objects all have their favorite hunting grounds. The best in Warsaw is the Bazaar at Koło. On Saturday mornings, they sell furniture and anything else is sold on Sundays. The bazaar has special pockets too. Outside the bazaar, along the fencing, you can get real bargains. The proper bazaar inside the fence is host to professional sellers who are reluctant to offer a lower price. But you have to press them, especially since the bargaining will give you an opportunity to hear the local dialect which has managed to survive in the Koło district. Plus, you may hear an interesting story or anecdote. So, take the time to have a chat with a stall owner, it may just be worth it. And do carefully inspect the goods on offer, from furniture to military collectibles, carpets, glassware, china, toys, handbags, books, vinyl records and a multitude of small items from Communist-era Poland.

On the other hand, Olimpia is a place for very patient visitors who are prepared to dig through heaps of useless trash just to get hold of something they really want. The folks hawking things here are ordinary Warsaw residents who are poor and spend weekends here to sell anything they can just to earn some money. They offer old apparel, used toys and various metal bits and bobs. Naturally, they ask rather low prices, but that does not mean you cannot find interesting things for your collection here. Olimpia is paradise for enthusiasts of post-war design.

🔍	**bazar na Kole**
📍	**ul. Obozowa 99, róg Ciołka**

🔍	**Olimpia**
📍	**al. Prymasa Tysiąclecia, róg ul. Górczewskiej**

całuj się przy różowym neonie

Warszawa słynie z pięknych reklam świetlnych z lat 60. i 70. I to nimi właśnie zainspirował się współczesny artysta Maurycy Gomulicki, tworząc swój neon. Jest wyjątkowy, bo wolno stojący, w dodatku znajduje się w parku. Znajdziesz go na Kępie Potockiej na Żoliborzu – zielonej, spokojnej dzielnicy, z którą Maurycy jest szczególnie związany, bo tu się wychował (dziś dzieli czas między Meksyk i Warszawę). Wysoki na 17 m neon przypomina szklankę, z której ulatują ku niebu bąbelki oranżady. Kółeczka zapalają się sukcesywnie, tworząc na tle nieba niezwykły taniec różowej poświaty. Warszawiacy chętnie umawiają się „pod neonem" – na randki, na wieczorne spotkania z przyjaciółmi. I my polecamy to miejsce: na rower, kajaki, piknik, ziemniaczki z grilla w barze U Araba.

O odpalonym w październiku 2009 r. neonie Maurycy Gomulicki mówi: – To współczesny pomnik lekkości, radości, urody chwili i jej ulotności. Życiem można i trzeba się cieszyć, warto o tym przypominać, prowokować takie właśnie doświadczenie.

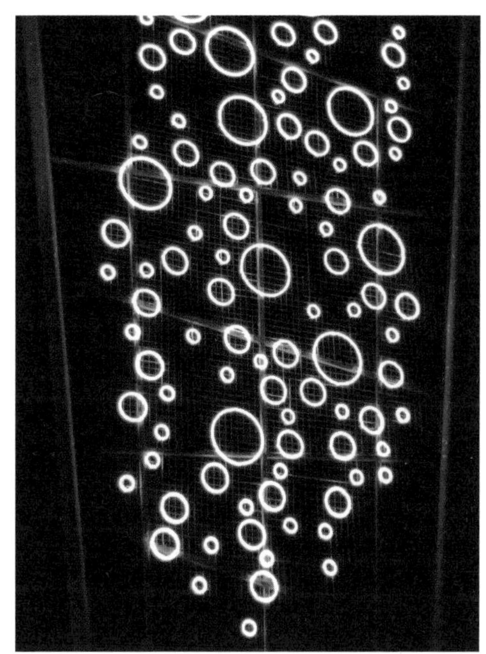

🔍	Kępa Potocka
📍	u zbiegu ul. Gwiaździstej i Krasińskiego

kiss by the pink neon

Warsaw is famous for its beautiful neon displays dating back to the 1960s and 70s. They provided an inspiration to the contemporary artist Maurycy Gomulicki who created his own neon display. It is quite exceptional, because it is not attached to a building and is located in a park. You'll find it in the Kępa Potocka Park in Żoliborz – a green, peaceful district which evokes Maurycy's special feelings because he was raised here (today, he splits his time between Mexico and Warsaw). The 17-meters high neon installation resembles a glass of sparkling orange lemonade with air bubbles flying into the sky. The circles are lit alternately and create an unusual pink light performance against the backdrop of the night sky. It is now a favorite date spot or a great place to meet with your friends after dark. We also recommend this place for biking, kayaking, picnicking or tasting grilled potatoes at the U Araba bar nearby.

"It is a contemporary monument to lightness, joy, the glory of the moment and its ephemerality. You can and have to enjoy life, this fact is well worth recalling, and it is well worth provoking this experience," says Maurycy Gomulicki of his neon, first lit up in October 2009.

#ludziewarszawy
#thepeopleofwarsaw

full metal jacket

Jan Bersz, Jerzy Gruchot i Wojciech Koss od 2004 r. tworzą wspólnie animacje, teledyski, projektują magazyny, książki, albumy, okładki płyt, plakaty i znaki graficzne.

Jan Bersz, Jerzy Gruchot and Wojciech Koss have been working together making animations, music videos, publishing designs, posters and various other graphic projects since 2004.

Jest takie miejsce, gdzie można przenieść się w czasie do nieistniejącej już Warszawy – galeria niesamowitych twarzy i postaci, przyjezdnych, Cyganów, cwaniaczków posługujących się warszawską gwarą i omawiających szemrane interesy. Można znaleźć tu tony albumów, gazet, pocztówek, scyzoryków, płyt winylowych, porcelany, żyrandoli, zabawek, znaczków, lampek, kieliszków, i innych starych i współczesnych sprzętów, które zwykle zakopane są na strychu lub w najgłębiej skitranych kartonach w piwnicy. To stadion Olimpii, prawdziwy warszawski pchli targ, miejsce wyjątkowe, w którym można zagłębić się na długie godziny i zrozumieć, co znaczy genius loci.

There is a place where you can turn back the clock in Warsaw to things that no longer exist – a gallery of amazing faces and characters, travelers, gypsies and conartists speaking a Warsaw slang and discussing shady business dealings. You can find dozens of albums, newspapers, postcards, pocket knives, vinyl records, porcelain chandeliers, toys, stamps, lamps, glasses and other little gadgets and pieces of equipment that are probably dug out of attics or basements. This can all be found at the Olimpia Stadium, a true Warsaw flea market, and an exceptional place that you can get lost in for hours at a time.

→ www.full-metal-jacket.pl

DELIKATES
ULTRA
SP OK ÓJ
SIŁA
KOSMOS
OCHOTA
lat
100
KLUB
Centrum
Wola
BAR
MISTRZ
B
SKWAR
WAFEL
ŚWIT
WARSZAWA
POWIŚLE
META
PRAGA
Jad
EX
TOTAL
SŁODYCZE
żoliborz
MOTO
SKARB
ZGODA
ZOO
UNIWERS
STAS
GWIAZDA
SZYK
mokotów
Elita
BISTRO
CUKIER
RUCH
„ZDROWIE"
STOK
Turbo
Eden
EKSTRA
radość
DISKO
deser
PRACA
Nimfa
Elegant
BAR
Ekstra
Solo
Brutal
SEKRET
Praga
Kaprys

odkryj warszawę chopina

To jedno z nowocześniejszych muzeów w mieście. Znajduje się w pięknym zamku Ostrogskich zaprojektowanym przez najwybitniejszego warszawskiego architekta XVII w. Tylmana z Gameren (stanął przy Tamce po 1681 r.).

Muzeum w rekordowym tempie i pocie czoła szykowane było na rok 2010, który ogłoszono Rokiem Chopinowskim (z okazji 200. rocznicy urodzin kompozytora). Ma przypominać o tym, że Fryderyk Chopin pierwszą połowę życia spędził właśnie w Warszawie. To muzeum multimedialne. Ze specjalnie zakodowanym na karcie biletem sam możesz wybrać sobie trasę zwiedzania, poziom narracji (podstawowy, zaawansowany, dla dzieci, niedowidzących) i język (do wyboru aż osiem).

Ekspozycja jest dziełem projektantów z mediolańskiej pracowni Migliore+Servetto. Tworzą ją nie tylko komputery, ekrany dotykowe czy muzyka sącząca się z głośników, lecz także autentyczne pamiątki po Chopinie, m.in. pełne skreśleń zapisy nutowe, złoty zegarek podarowany kilkuletniemu Fryderykowi przez słynną włoską śpiewaczkę Angelicę Catalani, która zachwyciła się jego grą, czy fortepian pochodzący z ostatniego mieszkania kompozytora przy placu Vendôme 12. Jednak największe wrażenie wywiera spowita w głębokiej czerni sala śmierci z kopią maski pośmiertnej Chopina, zabalsamowanymi włosami przywiezionymi do Warszawy przez Ludwikę Jędrzejewiczową i portretami kompozytora na łożu śmierci.

W piwnicach muzeum mieści się sala koncertowa, jest też część dla dzieci przypominająca kabinę statku kosmicznego.

Uwaga! Muzeum może jednorazowo zmieścić tylko około stu zwiedzających, dlatego warto wcześniej zarezerwować bilety przez internet.

A jeśli czujesz jeszcze niedosyt Chopina, zajrzyj do Łazienek Królewskich, gdzie w parkowej scenerii pod pomnikiem kompozytora można w niedzielę słuchać chopinowskich recitali.

Q	**Muzeum Fryderyka Chopina**
⚲	**ul. Okólnik 1**
→	**www.chopin.museum**

discover chopin's warsaw

This is the most modern museum in Warsaw. It is located in the beautiful Ostrogski Palace, designed by Warsaw's most distinguished architect of the 17th century, Tylman van Gameren, and was completed after 1681.

The museum was built at record speed and with enormous effort just in time for 2010, Chopin Year (the 200th anniversary of his birth). It is meant to serve as a reminder that Warsaw is where Fryderyk Chopin spent the first half of his life.

It is a multimedia museum – with a specially coded ticket, visitors can choose their own itinerary, choose the level of narration (basic, advanced and for children) and select a language (as many as eight to choose from).

The display is the work of designers from the Milan-based design firm Migliore+Servetto. It comprises not just computers, touch screens and background music, but also genuine mementoes of Chopin, for example, music scores full of deletion, a gold watch given to him when he was just a few years old by the famous Italian singer, Angelica Catalatni, who was fascinated by his music or a piano from his last address at Place Vendome 12 in Paris. But what makes the greatest impression is the death room enshrouded in deep black, with a copy of Chopin's death mask, a lock of hair brought to Warsaw by Ludwika Jędrzejewiczowa and portraits of the composer on his death bed.

In the museum basement, there is a concert hall and also a children's room which looks like a spaceship cabin.

Do note that the museum can only accommodate about one hundred visitors at a time, so it is a good idea to book tickets in advance on the internet.

And if you still want to learn more about Chopin and his music, you can attend the free Sunday recitals of Chopin's music beneath the composer's monument in the Łazienki Królewski Park in the summer.

zobacz zieloną metropolię

Warszawa to zielone miasto. Podkreślają to wszyscy przyjezdni. Oczywiście szary kolor betonu dominuje, ale zieleni, parków i kwiatów ci u nas dostatek. Zafascynowani obserwujemy, co na miejskich klombach wyczyniają ogrodnicy z Miejskiego Przedsiębiorstwa Robót Ogrodniczych. Są prawdziwymi mistrzami kwietnych kompozycji – z róż, wiosennych tulipanów czy jesiennych chryzantem.

Ale wiele jest też lokalnych, indywidualnych inicjatyw zazieleniania miasta. Ogrodnicza partyzantka potrafi wysiać całą al. Jana Pawła II słonecznikami. Artystka Teresa Murak rozsiewa wzdłuż torów tramwajowych len, rzeżuchę, maki. Grupa Kwiatuchi zrzuca kwietne bomby w zaniedbane kwietniki. A nasi nieocenieni emeryci czynią z miasta ogród, dbając o kawałki ziemi przy swoich blokach albo umajając kwieciem balkony.

Zieleń opanowuje też industrialne przestrzenie. Na lato 2014 r. w dawnej Fabryce Norblina na Woli obok BioBazaru zagościł projekt „Miasto i Ogród". To przestrzeń, w której można się zrelaksować, wynająć własny ogródek i nauczyć się go uprawiać (ul. Żelazna 51/53, czynne do końca września, pon.-pt. 12-19, weekendy 10-18).

see the green metropolis

Warsaw is a green city. All visitors are impressed by this. Of course, the grey color of concrete dominates, but we have a lots of greenery, parks and flowers. We are fascinated by what gardeners from the Municipal Gardening Enterprise can do to flowers. They are real masters of floral composition, with roses, spring tulips or autumn chrysanthemums.

But there are also many local, private initiatives to make the city greener. A group of gardening rebels are capable of planting the whole length of al. Jana Pawła II with sunflowers. The artist Teresa Murak plants flax, cress and poppies along tram lines. The Kwiatuchi group puts flower bombs into neglected flower beds. And our wonderful pensioners are turning the city into a garden, tending the patches of soil beneath their blocks or placing flowers on their balconies.

Greenery is also taking over industrial spaces. The old Norblin Factory in Wola, near the BioBazar, will host the "Miasto i Ogród" (City and Garden) project. This is a space in which you can relax, rent out your own garden space and learn how to work in it (ul. Żelazna 51/53, open until the end of September, Mon-Fri 12-19 and 10-18 on weekends).

zwiedź galerię pod mostem

visit a gallery under a bridge

Ta niezwykła plenerowa galeria zaczęła powstawać w lipcu 2009 r., w ramach festiwalu Street Art Doping. Urzędnicy zgodzili się, by artyści uliczni pokryli swoimi pracami filary pod mostem Łazienkowskim, bo wcześniej były one notorycznie zaklejane plakatami. Wyglądały jak zaniedbane słupy ogłoszeniowe. I ten eksperyment sprawdził się doskonale. Z roku na rok prac przybywało, a rondo Sedlaczka z dziełami m.in. Monstfura, 3fali i grupy Taki Myk wygląda znacznie lepiej.

Dojedziesz tu z centrum autobusem 107, a w sąsiedztwie znajdziesz m.in. prestiżowe warszawskie liceum im. Stefana Batorego (ul. Myśliwiecka 6), wydział wzornictwa przemysłowego warszawskiej Akademii Sztuk Pięknych (ul. Myśliwiecka 8) oraz nowy stadion Legii (ul. Łazienkowska 3).

This unusual open-air gallery was formed in July 2009 during the Street Art Doping Festival. City officials gave their permission for street artists to cover the pillars of the Łazienkowski Bridge with their work as, before that, they were covered with old posters and looked very untidy. And this experiment has worked. Since the time of the Szablon Jam (Stencil Jam), hardly any of these works has been painted over by graffiti artists or covered with posters. With works by Monstfur, 3fala and the Taki Myk group, Rondo Sedlaczka definitely looks better now.

You can take the 107 bus from the city center. Nearby, you'll find the prestigious Stefan Batory Lycée (ul. Myśliwiecka 6), the Industrial Design Faculty of the Academy of Fine Arts (ul. Świętojerska 5/7) and the new stadium of the Legia football club (ul. Łazienkowska 3).

rondo Sedlaczka

jedź na wycieczkę do parku kultury

W ciepłe letnie dni to dla warszawiaków namiastka wakacji. Pół godziny jazdy autobusem z centrum miasta i jesteś w innym świecie. W Powsinie w latach 50. XX w. kawał lasu zamieniono w Park Kultury. Są tu: basen, muszla koncertowa, boiska do siatkówki, stoły do gry w szachy, ścieżki rowerowe, korty tenisowe, knajpki, wypożyczalnie sprzętu sportowego, a nawet domki letniskowe, w których można przenocować. No i charakterystyczne kosze na śmieci w kształcie muchomorków.

To miejsce w uroczym, starym stylu, bo niewiele się tu od czasów PRL zmieniło. Park Kultury przypomina trochę ośrodki wczasów pracowniczych z tego okresu. Ale warszawiacy to kochają. Biorą koce, koszyki piknikowe i jadą do Powsina. Zaglądają tu nawet zimą, bo w jednym z domków można wypożyczyć narty biegowe i ruszyć w las.

W sąsiedztwie znajduje się również ogród botaniczny – kolejny powód, żeby wpaść do Powsina.

take a trip to a park of culture

On warm summer days, this provides the people of Warsaw with a taste of a vacation – a thirty minute bus ride from the city centre, and you're in a different world. In the 1950s, an area of forest in Powsin was converted into a Park of Culture. It includes a pool, concert amphitheater, basketball court, chess tables, bike paths, tennis courts, bars, sports equipment rental and even summer huts where one can stay over night. And, of course, there are the characteristic trash cans in the shape of toadstools.

This place possesses a charming retro style as not much has changed since the days of the Polish People's Republic. The Park of Culture is slightly reminiscent of workers' holiday centers during that period. But Varsovians love it. They take blankets and picnic hampers and come to Powsin. It's even open in the winter as one of the huts is a rental place for Nordic skis.

There is also a botanical garden in the neighbourhood, yet another reason to come to Powsin.

Q	Powsin
⚲	ul. Maślaków 1, z centrum dojazd autobusem 519
→	www.parkpowsin.pl
→	www.ogrod-powsin.pl

1.

2.

1. Ogród botaniczny
   Botanical garden
2. Fundacja Form i Kształtów, akcja „Grzybobranie"
   Grzybobranie project

przenocuj w domu dziewicy

Brzmi zachęcająco? Oprócz Domu Dziewicy do wyboru masz też m.in. Dzikość Serca, PRL i Saint Tropez. To nazwy pokoi w hostelu Oki Doki, który polecamy szczególnie, bo to jedno z najlepszych tanich miejsc noclegowych w Warszawie. Mieści się w dość ponurym budynku, ale lokalizację ma świetną – na zacisznym placu na tyłach ulicy Marszałkowskiej, dosłownie rzut beretem od Pałacu Kultury.

Poza tym niech cię nie zwiedzie ta szara fasada. W środku aż kipi od kolorów i oryginalnych pomysłów. To zasługa właścicieli Oki Doki – Łucji i Ernesta Mikołajczuków – którzy do współpracy w aranżacji wnętrz zaprosili artystów, projektantów mody, podróżników. Każdy z 30 pokoi możesz sobie przed przyjazdem obejrzeć w internecie i dobrać według własnych upodobań. W hostelu wypożyczysz też rower i skorzystasz z bezprzewodowego internetu.

W 2007 r. właściciele Oki Doki odebrali w Dublinie nagrodę Hoscara 2006 dla jednego z dziesięciu najlepszych hosteli na świecie. I idąc za ciosem, otworzyli przytulny hotelik artystyczny Castle Inn na pl. Zamkowym – bardziej luksusową wersję Oki Doki, ale z całkiem przystępnymi cenami.

sleep in a house of virgins

Does that sound tempting? Besides the house of virgins, you also have 'wild at heart', PRL and Saint Tropez to choose from. Those are the names of rooms at the Oki Doki hostel which we particularly recommend as it's one of the best and cheapest places to sleep in Warsaw. It's in a pretty banal building but in a great location – on a small square off of ul Marszałkowska and just blocks away from the Palace of Culture.

Don't be fooled by the grey exterior because the inside is bursting with color and original ideas. Owners Łucja and Ernest Mikołajczuk invited artists, fashion designers and travelers to design the interior for them. Each of the 30 rooms can be viewed on the internet before you arrive so you can pick the one that most appeals to your aesthetics. The hostel also rents out bikes and has wireless internet.

In 2007, the Oki Doki Hostel owners were awarded the Hoscar 2006 in Dublin for having one of the 10 best hostels in the world. And, following that up, they opened the cosy art hotel, Castle Inn, on pl. Zamkowy – a bit of an upscale version of Oki Doki, but with very reasonable prices.

🔍	hostel Oki Doki
📍	pl. Dąbrowskiego 3
→	www.okidoki.pl

zjedz ciasto w szalecie

No dobrze, żeby ci nie obrzydzić, a jednak cię zachęcić, doprecyzujemy – w dawnym szalecie. Ale poprzednią funkcję tego malowniczego domku w parku Skaryszewskim pamiętają już tylko najstarsi prażanie (no i geje, dla których był ekscytującym miejscem schadzek). Domowej roboty torty i ciasta są tu naprawdę wyśmienite. A w lecie lody. Kafejka jest malutka, ale w słoneczne dni wystawia na zewnątrz stoliki. Ciasta można tu też zamawiać na domowe imprezy w większych ilościach, telefonicznie.

Są tacy, którzy twierdzą, że to lokal przereklamowany, bo za mały, prząśnie urządzony, ciasta z Misianki można już kupić w całej Warszawie. To prawda. Ale w letnie dni Misianka nie ma sobie równych.

PS Nazwa kafejki pochodzi od imienia właścicielki Misi Zielińskiej, córki wybitnego tłumacza literatury amerykańskiej.

eat cake in a restroom

Ok, so as not to disgust you and more precisely - in a former public restroom. But, the former function of this little painted hut in Skarzyszewski park is remembered only by elderly locals. The homemade cakes are truly delicious. And they have ice cream in the summer. The café is tiny but there are tables outside on sunny days. The owners also take large orders for cakes to take away for parties.

There are those who think the café is overrated because it's small, poorly decorated and Misianka cakes can be purchased all over Warsaw. And while this is true, Misianka is a special summertime treat.

PS: The name of the café comes from the owner, Misia Zielińska, daughter of the renowned translator of American literature.

🔍	Misianka
📍	park Skaryszewski
→	www.misianka.pl

zachęć się do sztuki

get into art

To najlepsza państwowa galeria sztuki współczesnej w mieście. A może nawet w kraju. Mieści się w pięknym neobarokowym budynku z 1903 r. i zawsze można tu liczyć na dobrą wystawę. Na ogół odbywają się tu jednocześnie dwie, trzy spore ekspozycje, także ryzyko, że nie znajdziesz nic dla siebie, jest naprawdę znikome. Zachęta słynie m.in. z wystaw poświęconych sztuce najnowszej z konkretnych krajów lub obszarów kulturowych. Mogliśmy tu już oglądać m.in. dzieła Rosjan, Chińczyków, Afroamerykanów czy Brytyjczyków.

Sam budynek przeszedł niedawno gruntowną modernizację, mogą się już dostać do środka bez trudu osoby na wózkach i z wózkami, działa tu też knajpka Po Prostu Zachęta i dobrze zaopatrzona księgarnia artystyczna. W następnych latach zmieni się również plac przed Zachętą – parking ma zastąpić przyjazna przestrzeń publiczna. Zmiany we wnętrzu to zasługa m.in. jednej z najzdolniejszych architektek młodego pokolenia Aleksandry Wasilkowskiej.

Atutem Zachęty jest to, że jest czynna dość długo, do godz. 20 (oprócz poniedziałków). Dlatego jeśli podczas pobytu w Warszawie masz czas na wizytę tylko w jednym muzeum, wybierz właśnie Narodową Galerię.

It's the best state-owned contemporary art gallery in the city. And maybe even nationwide. Located in the beautiful neo-Baroque building from 1903, you can always count on there being a good exhibition. Usually, there are two or three exhibitions, so the risk that you won't find anything at all you like is minimal. Zachęta is well known for it's exhibitions featuring the latest art from a given country or cultural region such as works from Russia or China or focusing on Afro-American or British works.

The building itself has recently undergone a major overhaul – people in wheel chairs now have full access to the building, there is a small restaurant downstairs call Po Prostu Zachęta and a really good art bookstore. The coming years are to see big changes in the gallery's outdoor space too – the parking lot in front is to be turned into nice public space. The changes indoors are thanks to the work of one of the top architects of the young generation, Aleksandra Wasilkowska.

Something great about Zachęta is the fact that it is open until rather late – until 8 pm every day except Monday. So, if you only have to pick one museum to visit while in Warsaw, make it Zachęta!

🔍	**Zachęta – Narodowa Galeria Sztuki**
📍	**pl. Małachowskiego 3**
→	**www.zacheta.art.pl**

1. Wystawa Piotra Uklańskiego
   Piotr Uklański's exhibition
2. Wystawa Pauliny Ołowskiej
   Paulina Ołowska's exhibition

#ludziewarszawy
#thepeopleofwarsaw

kolektyw no muda

Projektanci Anna Ławrynowicz i Marcin Brzózka – twórcy pierwszego w Polsce placu zabaw dla dzieci z surowców wtórnych ReFUN. Założyciele kawiarni Szara Cegła na Saskiej Kępie promującej ekologiczny design i lokalne jedzenie. Po prawej: projekt instalacji na Podzamczu, przy Multimedialnym Parku Fontann.

Designers Anna Ławrynowicz and Marcin Brzózka - created ReFUN, Poland's first recycled playground. Owners of the Szara Cegła café in Saska Kępa promoting green design, local foods and recycled architecture. Next page: design for the installation at Podzamcze, by the Multimedia Fountain Park.

W Warszawie cenimy sobie miejsca naznaczone ideą, jakiej jesteśmy wierni na co dzień, dlatego naszych gości prowadzimy m.in. do Domu Braci Jabłkowskich na Brackiej 25.

Warto zajrzeć do tych „sześciu pięter luksusu" (no i na taras widokowy na dachu!). Praktycznie w każdy weekend odbywają się tu imprezy kulturalne – od festiwali książki dla dzieci, po warsztaty, targi mody i zdrowej żywności.

Z miejsc bardziej kameralnych regularnie trafiamy do Café Tygrys DIY na ul. Chmielnej 10a. To lokal „vege-vegan-gluten-free". Klimat rodem z naszych ukochanych miast – Belgradu i Berlina.

In Warsaw, we appreciate places marked by an idea we live by daily, so we take our guests to the Dom Braci Jabłkowskich at Bracka 25.

It's worth looking around the 'six floors of luxury' and the patio on the roof. There are cultural events there pretty much every weekend – from book fairs for kids to workshops, design and organic, local food fairs.

We often go to Café Tygrys DIY at Chmielna 10a. It's a vege-vegan-gluten-free place with an atmosphere you'd find in our favorite cities, Belgrade and Berlin.

→ kolektyw-nomuda.blogspot.com

zanurz się w wiśle

Nasza Wisła to fenomen na światową skalę. Mało jest metropolii, przez które przepływałaby tak dzika rzeka. Tylko jeden brzeg Wisły zamknięty jest betonowym nabrzeżem, drugi jest niemal całkiem naturalny. Wciąż żywa jest legenda o japońskich architektach, którzy odwiedzili kiedyś Warszawę i pytali, kto nam zaprojektował taką fenomenalną zieleń. A ona zrobiła się sama. Dlatego tak fascynujące są spacery po praskim brzegu Wisły, specjalnie wytyczoną tu ścieżką, między drzewami, krzakami, w towarzystwie dzikich ptaków. W każdym momencie można zboczyć na mniejsze lub większe piaszczyste plaże i na przykład rozpalić ognisko. Przed wojną warszawiacy nie tylko tłumnie tu plażowali, lecz także kąpali się w dość czystej rzece. Po drodze znajdziesz też opuszczone baseny i kluby wodniackie, które lata świetności mają już, niestety, za sobą.

Dziką Wisłę możesz podziwiać podczas pieszych wycieczek albo rejsów drewnianą łodzią z Przemkiem Paskiem z fundacji Ja Wisła. Przemek to nasz największy znawca i pasjonat Wisły – ekolog i animator kultury. Mamy nadzieję, że uda mu się stworzyć swoje wymarzone Muzeum Wisły – centrum edukacji, w którym dzieciaki od małego mogłyby uczyć się o historii rzeki i wiślanym ekosystemie.

dive into the vistula

Our Vistula is a world-class river – there are few metropolises that have such a wild river running through them. Only one shore of the Vistula is lined by cement boulevards and the other is rather natural and wild. There is a running legend about a Japanese architect that came to Warsaw on a trip and asked who designed such perfect nature. But, it's natural – and that's why makes walks on the Praga side of the Vistula so fascinating with it's footpaths between the trees and bushed and birds singing in the trees. You can take a rest on one of the beaches and light a fire. In pre-war Warsaw, people sunbathed on the beach in droves and even swam in the river. You will also notice some abandoned swimming pools and cabana clubs whose heydays are behind them.

The wild Vistula can be seen by foot, but also by boat on trips in small wooden boats with Przemek Pasek from the Ja Wisła foundation. Przemek has a lot of knowledge about and passion for the river and is an ecologist and cultural activist. We hope that he one day fulfills his dream to open the Vistula Museum educational center in which children can, from a young age, learn about the history and ecosystem of the Vistula.

→ **www.jawisla.pl**

Przemek Pasek z fundacji Ja Wisła
Przemek Pasek from the Ja Wisła foundation

urządź piknik w parku

W Warszawie nie ma zbyt wielu parków, w których można się swobodnie zachowywać. Nadeszła bowiem moda na budowanie ogrodzeń i mnożenie zakazów: siadania na trawie, jazdy rowerem i na rolkach, wprowadzania psów, słuchania muzyki. My się temu ostro sprzeciwiamy, bo w końcu parki są dla ludzi. Dlatego polecamy ci nasze ulubione miejsca, w których możesz swobodnie wypoczywać na trawie na kocyku, grać w kometkę lub frisbee, a nawet donieść sobie lody lub piwko z sąsiedniego baru.

Króluje park Skaryszewski na Pradze-Południe. To drugi po Łazienkach pod względem wielkości park Warszawy. Został założony w latach 1906-1922. Jest czasami liściasty, gdzie indziej pagórkowaty i bardziej leśny. Ze sporym Jeziorkiem Kamionkowskim, po którym możesz popływać kajakiem albo rowerem wodnym. Po całym parku rozsiane są piękne rzeźby z okresu międzywojennego, a w dawnym szalecie serwują pyszne ciasta. Zimą po tutejszych kanałkach świetnie jeździ się na łyżwach. Jest też malutka muszla koncertowa, w której w lecie odbywają się darmowe koncerty i pokazy filmowe.

Świetna na popas na trawie jest też Kępa Potocka. To co prawda zwykły wielki kawał trawnika, prawie bez drzew, ale panuje tu doskonały klimat.

Park założono w latach 60. XX w. na terenie niegdyś zalewanym przez Wisłę. Tu rozpędzisz się na rowerze, popływasz kajakiem i zjesz co nieco z grilla w kultowej knajpce U Araba.

Ale największą przestrzenią rekreacyjną w centrum miasta jest Pole Mokotowskie, tuż przy stacji metra. Tu w lecie działa plenerowe kino (Filmowastolica.pl), jest kilka pubów z piwem i jedzeniem, jest fontanna. Są psy, dzieci, wagarowicze, biegacze. I największe miejskie festyny. Słowem – pełen relaks, w dodatku z pięknym widokiem na centrum miasta z Pałacem Kultury.

Kulturalny piknik „Gazety Co Jest Grane" w Królikarni
Co Jest Grane newspaper's cultural picnic at Królikarnia

🔍	Pole Mokotowskie
📍	metro Pole Mokotowskie

🔍	Kępa Potocka
📍	ul. Gwiaździsta

🔍	park Skaryszewski
📍	rondo Waszyngtona

picnic in a park

There aren't all that many parks in Warsaw where you can do whatever you want. There has always been a tendency to impose rules like sitting on the grass, ride your bike and rollerblades through parks and walking your dogs or listening to music. We are very against this because parks are meant for people. As such, we recommend our favorite parks where you can relax on the grass on a blanket, play with a ball or frisbee and even have an ice cream or drink a beer from a neighboring bar.

Skaryszewski park in Praga-Południe tops the list. It's the second largest park in Warsaw after Łazienki. It was created in 1906-1922 and is in part deciduous and in other parts more forest-y. You can kayak or paddle boat on the big lake, Lake Kamionkowski. There are statues from the inter-war period sprinkled all over the park and an old cottage where you can get tasty cakes. People ice skate on the canals in the winter. There is a tiny little band shell with free concerts and film screenings in the summer.

Another great spot to sit on the grass is Kępa Potocka. It's really a big field of grass, nearly free of trees, but is really cosy. It was created in the 1960s on a former Vistula flood plain. You can bike and kayak here and eat food from the grill at the cult U Araba restaurant.

Warsaw's biggest recreational area in the city center is Pole Mokotowskie, right next to the underground station. There is open air cinema here in the summer (Filmowastolica.pl), a few bars with beer and food and a fountain. There are dogs, kids, hobos and runners. And a huge festival. In short – this is a great relaxation spot with a beautiful view of the city center and the Palace of Culture.

przejedź od pętli do pętli

Po Warszawie jeżdżą linie turystyczne. Ale my proponujemy alternatywę, bo sami lubimy wsiąść w obcym mieście do zwykłego autobusu i przejechać od pętli do pętli. To najlepszy sposób na szybkie zwiedzanie. Można zobaczyć dzięki temu zarówno atrakcje turystyczne, jak i zwykłe osiedla mieszkaniowe. W każdej chwili można też spontanicznie wysiąść i zrobić sobie nieplanowany spacer.

W Warszawie polecamy autobus 107 – najbardziej zakręconą linię w mieście. Przejedziesz nią obok śródmiejskich atrakcji i wkroczysz w świat PRL-owskich blokowisk na obrzeżach. Po 84 minutach masz miasto w pigułce. Wyrusz z pętli Esperanto na Muranowie (ul. Anielewicza koło cmentarza Żydowskiego). Po drodze miniesz pl. Bankowy z miejskim ratuszem i „błękitnym wieżowcem", który wyrósł w miejscu synagogi. Dalej Pałac Kultury i centrum, ul. Krucza z urzędami i licznymi knajpkami. Potem zaczynają się nowoczesne budynki ambasad przy Pięknej, z daleka widać Sejm na Wiejskiej, a ty zjeżdżasz krętą ul. Myśliwiecką do stadionu warszawskiej Legii i sportowej hali Torwar, w której organizowane są też duże koncerty. Autobus kluczy teraz po Mokotowie i znów wspina się na skarpę. Mija pierwsze duże centrum handlowe otwarte pod koniec lat 90. – Galerię Mokotów. Trasę kończy na Ursynowie, dzielnicy blokowisk z czasów PRL, całkiem dobrze zaprojektowanej i pełnej zieleni.

drive from one end to the other

There are tourist busses that run all through Warsaw. But, we propose an alternative because we really like getting onto any old bus in a foreign city and ride from one end to the other. It's the best way to quickly see a whole city. Plus, you get to see not only tourist attractions, but also housing communities. As well, you can always spontaneously jump off and go for an unplanned walk.

For Warsaw, we recommend line 107 – the curviest line in the city. You will pass by attractions downtown and enter the world of Communist era apartment blocks on the the outskirts. You get a pretty good overview of Warsaw in just 84 minutes. You leave from the Esperanto depot in Muranów (ul. Anielewicza near the Jewish Cemetery). On the way, you will pass pl. Bankowy with the city offices and shining skyscraper which was built on the site of a former synagogue. Next is the Palace of Culture and city center, ul. Krucza with it's government offices and numerous restaurants. After that, there are the modern embassies on Piękna, there is a view of the Sejm in the distance and you drive down Myśliwiecka to the Legia stadium (the Warsaw football team) and the sports complex, Hala Torwar, in which large concerts are also held. The bus heads toward the Mokotów district and, again, heads back up the hill. It passes the first major shopping mall opened at the end of the 90s, Galeria Mokotów. The route finishes in Ursynów, a neighborhood of apartment blocks from the Communist era that are actually well-designed and full of green space.

zobacz warszawę w sepii

Siadasz w półmroku na krzesełku przy wielkim drewnianym walcu, przytykasz oczy do specjalnych wizjerów i oglądasz przesuwające się powoli trójwymiarowe fotografie starej Warszawy. Ulice, domy, ludzi, których już nie ma. Jesteś w Fotoplastikonie – miejscu magicznym, w którym czas się zatrzymał. Urządzenie do projekcji slajdów działa tu od 1905 r. Fotoplastikon ma w swoich zbiorach ponad 3 tys. oryginalnych fotografii, od zdjęć dokumentujących otwarcie Kanału Sueskiego, poprzez wyprawy na Spitsbergen, po Warszawę na przełomie wieków.

Możesz tu obejrzeć nie tylko zdjęcia przedwojennej Warszawy, lecz także fotografie wybitnych współczesnych autorów, którzy przygotowują wystawy specjalnie z myślą o ekspozycji w Fotoplastikonie. W 2008 r. opiekę nad tym miejscem przejęło Muzeum Powstania Warszawskiego.

see warsaw in sepia tones

Sit down on a chair in a half-lit room behind a giant wooden cylinder, look into the special viewers and watch the slowly shifting three-dimensional photographs of old Warsaw. You'll see streets, houses and people that no longer exist. You're in Fotoplastikon, a magical place where time stands still. The slide projecting device has operated here since 1905. The Fotoplastikon holds a collection of over 3,000 original photographs from photos documenting the opening of the Suez Canal, to expeditions to Spitzbergen to Warsaw at the turn of the centuries.

You can see photos of a pre-war Warsaw, but also photographs by outstanding contemporary authors who prepare special exhibits for the Warsaw Fotoplastikon. Since 2008, the place has been operated by the Warsaw Rising Museum.

⚲	Al. Jerozolimskie 51
→	fotoplastikonwarszawski.pl

szukaj pięknych literek

To ostatnio nasze hobby. Wypatrujemy w witrynach sklepów i fotografujemy piękne literki, jeszcze z czasów PRL. Wydawały nam się oczywiste, bo widzieliśmy je na co dzień, wśród nich wyrastaliśmy. Ale teraz, gdy znikają zastępowane nową reklamową tandetą, doceniamy ich jakość. Neony z lat 60. i 70. „wypisane" pięknym odręcznym charakterem pisma, fonty w systemie informacyjnym Dworca Centralnego, cenowe promocje – również odręcznie zapisane – w sklepach sieci Społem.

Naszą pasję podziela wielu współczesnych projektantów. Wystarczy zerknąć na stronę internetową Stowarzyszenia Twórców Grafiki Użytkowej, żeby się o tym przekonać. Magda i Artur Frankowscy (Fontarte) na podstawie naklejek z witryny kawiarni Jaś i Małgosia stworzyli własny font Golonka, wydali też książkę „Typespotting Warszawa". Współpracujący z Muzeum Sztuki Nowoczesnej szwajcarski typograf Ludovic Balland, projektując identyfikację wizualną tej instytucji, także sięgnął do polskiej klasyki, do kroju pisma z lat 60. z tablic drogowych i kolejowych.

looking for beautiful letters

This is our latest hobby. We are scouting shop windows and photographing beautiful lettering from the days of the People's Republic. We used to take them for granted because we grew up among them and saw them every day. But now that they are disappearing and are being replaced with shoddy, contemporary advertising, we appreciate their quality – neon signs from the 1960s and 1970s in beautiful "handwriting", fonts in the Central Station information system and price discounts – also handwritten – in the Społem chain of grocery stores.

Our hobby is shared by many modern designers, as evidences by the website of the Association of Applied Graphic Designers. On the basis of the font in the window of the Jaś i Małgosia café, Magda and Artur Frankowski have created their own font called Pork Knuckle and they also published a book called Typespotting Warszawa. The Swiss typographer Ludowic Baland, who is designing a visual identity for the Museum of Modern Art, has also reached for Polish classic fonts in magazines from the 1960s and on road and railway signs.

ZEGARMISTRZ

Społem

WARSZAWA

Jubiler

KINO
Relax
KINO

wysiądź na stacji powiśle

Gdy odwiedzają nas znajomi z innych miast i krajów, Warszawa Powiśle jest jednym z absolutnie obowiązkowych przystanków wieczoru – to Warszawa w pigułce. Wiele z imprez, które się tu odbyły, przeszło już do miejskiej legendy.

Z założenia miał to być, jak mówili twórcy klubokawiarni Norbert Redkie i Bartek Kraciuk, „kiosk z wódką i kulturą". Jest czymś o wiele więcej.

70-metrowa klubokawiarnia mieści się w budynku dawnej kasy biletowej dworca PKP Powiśle z początku lat 60. autorstwa Arseniusza Romanowicza i Piotra Szymaniaka. Odnowieniem budynku zajęli się architekci z grupy projektowej Centrala, znawcy i miłośnicy modernistycznej architektury w Warszawie. Nie tylko zachowali oryginalny kształt i smaczki okrąglaka, ale podkreślili go jeszcze oświetleniem, co powoduje, że nocą ta bryła przypomina statek kosmiczny.

Bar mieści się wewnątrz, ale całe życie klubokawiarni toczy się na placyku wokół – w dzień na leżakach, w nocy na muzycznych imprezach.

Właściciele Warszawy Powiśle powołali do życia Grupę Warszawa – inicjatywę, która z powodzeniem łączy biznes z kulturą i sztuką. Prowadzą również klub Syreni Śpiew, angażują się w produkcję polskich filmów. W planach mają także stworzenie ciekawie zaprojektowanej rekreacyjnej przestrzeni obok Warszawy Powiśle, w sąsiedztwie malowniczych arkad mostu Poniatowskiego.

get off at powiśle

When our friends from other cities or countries come visit us, Warszawa Powiśle is an absolute nighttime must – it's Warsaw in a nutshell. Many of the parties here have become legendary.

At the beginning, according to the café-club's owners Norbert Redkie and Bartek Kraciuk, it was meant to be a "kiosk with vodka and culture." But it is more than that.

The 70-meter café is in a building that used to be the former ticket booth for the PKP Powiśle train station. It was designed in the beginning of the 1960s by Arseniusz Romanowicz and Piotr Szymaniak. Renovation of the building was done by young architects from the Central design group, lovers of modernist architecture in Warsaw. The architects not only maintained the buildings original round shape and elements of design, but they highlighted them with lighting, which makes the building look like a spaceship at night.

The bar is inside but all the action is outside on the square around it. During the day, it's littered with lounge chairs and, at night, it's filled with party music.

The owners of Warszawa Powiśle started Grupa Warszawa, an initiative that brings business together with culture and art. They also run another club, Syreni Śpiew, and produce Polish films. They also plan to create and design a recreational space just next door to Warszawa Powiśle in the neighboring arcades under Poniatowski Bridge.

🔍	Warszawa Powiśle
⚲	ul. Kruczkowskiego 3
→	www.warszawapowisle.pl

Ilustracja Marty Frej
Marta Frej illustration

zobacz film w dobrym kinie

Nie przepadamy za multipleksami. Bilety są tu zbyt drogie, a publiczność bardziej skoncentrowana na plotkach i jedzeniu niż na oglądaniu filmu. Polecamy więc nasze ulubione, bardziej kameralne kina.

Kinoteka w Pałacu Kultury ma co prawda aż siedem sal i wciąż sprzedaje się tu popcorn, ale tutejszy repertuar to idealna mieszanka kina komercyjnego i ambitnego. Dodatkowym atutem są pałacowe wnętrza – możesz tu obejrzeć i sfotografować ciekawe żyrandole, sztukaterie.

Przed popcornem i amerykańskimi superprodukcjami ustrzegło się za to nasze ulubione kino studyjne Muranów. Tu zobaczysz nieco ambitniejsze (co nie oznacza, że nudne) filmy z Polski, Europy i najdalszych zakątków świata sprowadzane przez firmę Gutek Film. Atutem tego kina jest bliskość stacji metra. Polecamy też kino Kultura na głównym warszawskim trakcie spacerowym, na Krakowskim Przedmieściu. Eleganckie, wygodne, z ambitnym repertuarem.

No i wreszcie hit – kino Iluzjon na Mokotowie prowadzone przez Filmotekę Narodową. W pięknym, zmodernizowanym niedawno budynku dawnego kina Stolica, z 1950 r. (projektu Mieczysława Pipreka), z elementami dekoracji wnętrz nawiązującymi do oryginalnego wystroju (np. tkaniną żakardową „Kolumny" autorstwa Zofii Matuszczyk-Cygańskiej związanej ze Spółdzielnią Artystów „Ład"), z bardzo dobrą kawiarnią, która w lecie wystawia na zewnątrz stoliki i leżaki. I wreszcie z ambitnym repertuarem – mieszanką klasyki, nowości i dokumentów. Często odbywają się tu również pokazy specjalne i dyskusje z filmowcami.

Kino Iluzjon

Q	Iluzjon
⚲	ul. Narbutta 50a
→	www.iluzjon.fn.org.pl

Q	Kinoteka
⚲	Pałac Kultury i Nauki, pl. Defilad 1
→	www.kinoteka.pl

Q	Muranów
⚲	ul. Andersa 1, metro Ratusz Arsenał
→	www.muranow.gutekfilm.com

Q	Kultura
⚲	ul. Krakowskie Przedmieście 21/23
→	www.kinokultura.pl

see a good movie

We are not a fan of big multiplexes - the tickets are too expensive and the audiences seem to be more focused on chatting and snacking than on the movie itself. As such, we recommend our favorite, more intimate cinemas.

Kinoteka in the Palace of Culture may have seven screening rooms and sell popcorn, but the repertoire is the perfect mix of commercial and ambitious, art house cinema. Plus, it is located in the Palace of Culture, so you can see and photograph the chandeliers and crown moldings.

The Muranów studio cinema has protected itself against American super productions and popcorn. You will see more ambitious (though not boring) films here from Poland, Europe and even farther corners of the world, all imported by Gutek Film. A bonus: this cinema is right next to an underground station. We also recommend Kultura Cinema on Warsaw's main walking route, ul. Krakowskie Przedmieście, with it's single, newly-remodeled screening room in a gorgeous old building. It is elegant and comfortable and features art house cinema.

And, of course, there's also Iluzjon Cinema in Mokotów, run by the National Film Archive (Filmoteka Narodowa). It is located in the lovely, recently renovated building that was formerly Stolica Cinema and designed in 1950 by Mieczysław Piperek. It's current design incorporates many of the original elements (such as the Kolumna jacquard curtains designed by Zofia Matuszczyk-Cygańska from the Ład Artist's Association) and a good café that also puts tables and chairs outside in the summer. It also features an ambitious repertoire – a mix of classics with new and documentary films. Iluzjon often hosts special screenings and discussions with filmmakers.

eksperymentuj z kopernikiem

Nasze interaktywne centrum popularyzujące naukę ma zaledwie kilka lat, a już zyskało miano jednego z najważniejszych miejsc, które obowiązkowo trzeba odwiedzić w Warszawie.

Ciekawa jest już sama architektura Kopernika, subtelnie wpisująca się w nadwiślański krajobraz. To pierwsza tak poważna realizacja młodych polskich architektów z pracowni RAr-2 Laboratorium Architektury Gilner + Kubec z Rudy Śląskiej.

Architekt Jan Kubec mówił w trakcie budowy, w 2010 r.: – Warszawa to trudne miasto, ale otwarte. Totalnie zburzone, niedoprojektowane, ale to może być właśnie największy atut, bo tu jest szansa na luz, oddech, eksperyment. Takie miasta mają przyszłość.

Centrum Nauki „Kopernik" to wielkie eksploratorium z interaktywnymi wystawami, w którym na własnej skórze można odczuć działanie praw fizyki. Ale takie miejsca znamy już ze świata. Nas cieszy najbardziej, że obecna jest tu również kultura. Artyści stworzyli specjalne instalacje, łączące aspekty sztuki i nauki, odbywa się tu też co roku multimedialny festiwal Przemiany.

Na randki polecamy planetarium Centrum Nauki „Kopernik", a w lecie – pikniki i plenerowe seanse kinowe w przylegającym do budynku Parku Odkrywców.

experiment with copernicus

This interactive center which popularizes science is only a few years old (it was opened in 2010) and has already become one of the places you've got to see in Warsaw. The Copernicus Center's architecture alone is interesting, subtly blending into the Vistula landscape. It is the first serious work for the RAr-2 Laboratorium Architektury Gilner + Kubec architectural studio from Ruda Śląska. Jan Kubec said, during construction: "Warsaw is a tough but open city. It's been totally destroyed and not well designed, but that may be it's biggest benefit as well because there is room for something casual, to take a breath and experiment. That kind of city has a future."

The Copernicus Center is a giant exploratorium with interactive exhibitions in which you can test the laws of physics with your own hands. These kinds of places already exist in other countries. We are most excited about the fact that there is also a lot of culture present here. Artists have created special installations that bring together art and science and the annual multimedia festival Przemiany (Transformation) takes place here. We recommend the Copernicus Center for a date and, in the summer especially, for picnics and outdoor cinema in the Discovery Park just next to the Center.

Q	**Centrum Nauki „Kopernik"**
⚲	**ul. Wybrzeże Kościuszkowskie 20**
→	**www.kopernik.org.pl**

nie jedź autobusem

Poruszanie się po Warszawie komunikacją miejską może być dla zagranicznych turystów rodzajem sportu ekstremalnego. A to nieczytelne mapy połączeń, a to ogrzewanie włączone w lecie w autobusie, a to kierowca nie ma biletów, nie mówiąc już o tym, że raczej nie ma co liczyć na jazdę punktualną, zgodnie z rozkładem. Dlatego polecamy raczej przemierzanie Warszawy na piechotę albo rowerem. A jeśli już musisz jechać komunikacją miejską, to nie autobusem, który utknie w korku, tylko tramwajem. W mieście, w którym prawie nie ma metra i tworzą się w związku z tym gigantyczne korki, to często jedyny sposób, by podróżować bez nerwów.

avoid the buses

Getting around Warsaw on public transportation as a tourist can be something of an extreme sport. Maps are unclear, the heating is often on in the summer in buses, the driver doesn't have any tickets to sell and that's not even mentioning the fact that buses or trams rarely arrive according to their timetables. We recommend seeing Warsaw by foot or bike. But, it you have to take public transport, try to avoid buses as they get stuck in traffic and hop a tram instead. In a city that barely has the one metro line, there is often massive traffic so trams are the best way to avoid having a nervous breakdown.

→ www.ztm.waw.pl

wyśpij się w kapsule

Wzorem japońskich hoteli kapsułowych dla biznesmenów, którzy zbyt długo zabalują na mieście, Przemek Grzywacz, Kasia Mąkosa i Konrad Mąkosa otworzyli taki hostel dla turystów bawiących w Warszawie. Pierwszy w Polsce, może nawet w Europie. Mieści się na Żoliborzu, blisko stacji metra Plac Wilsona.

Miejsca do odpoczynku podzielone są na dwumetrowe kapsuły (2 m długości, 90 cm szerokości i 90 cm wysokości). Noc kosztuje w nich 45 zł (12 euro).

Osiem kapsuł to tylko fragment większego ekologicznego hostelu. Również – jak na polskie warunki – pionierskiego: w Wilsonie ciepła woda i ogrzewanie są dzięki zainstalowanym na dachu bateriom słonecznym, funkcjonują też specjalne systemy oszczędzania wody, dokładnie selekcjonuje się odpady, a w holu głównym o oczyszczanie powietrza dba zielona ściana roślin pnących.

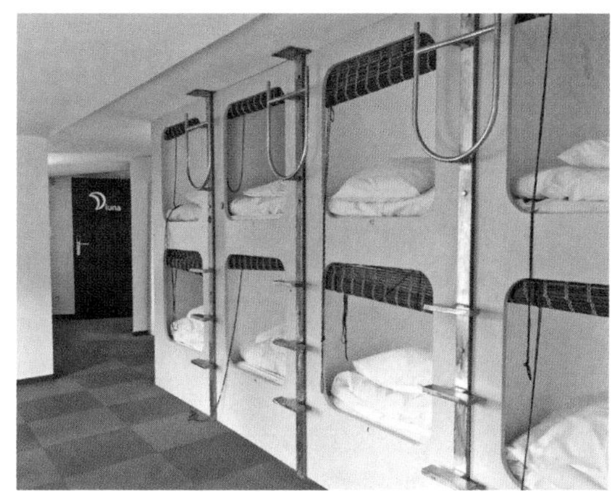

sleep in capsule

Inspired by Japan's capsule hotels for businessmen that stay out too long in the city, Przemek Grzywacz, Kasia Mąkosa and Konrad Mąkosa opened this hostel for tourists partying in Warsaw. It's the first of it's kind in Poland, if not all of Europe. It is in Żoliborz near the Plac Wilsona underground station.

The resting places are separated into two-meter capsules (2 meters long, 90 cm wide and 90 cm tall) and one night costs 45 zł (12 euro).

The eight capsules are only part of the eco-hostel. There are other pioneering (at least for Polish standards) elements: warm water and heat come from the solar panels on the roof, there is a special system for saving water, very strict recycling and, in the main hall, the air is cleaned by a plant wall.

Q	**Wilson Hostel**
⚲	**ul. Felińskiego 37**
→	**www.wilsonhostel.pl**

#ludziewarszawy
#thepeopleofwarsaw

patryk mogilnicki

Tworzy ilustracje do wysokonakładowych i niszowych pism, plakaty, komiksy, okładki płyt i książek. Jego portrety znalazły się w prestiżowym wydawnictwie „1000 Portrait Illustrations" (Quarry Books).

Illustrates for both high-volume and niche publications, posters, comics, CD covers and books. His portraits have been found in the prestige publication 1000 Portraits Illustration (Quarry Books).

Jestem istotą żyjącą filmami, więc cóż innego mógłbym polecić w Warszawie niż kino Iluzjon. Po renowacji na europejskim poziomie utrzymali znakomity program i niezwykle satysfakcjonujące przeglądy. Gdzie indziej na dużym ekranie zobaczymy „Ponure chwile" Mike'a Leigh czy „Nawet karły były kiedyś małe" Wernera Herzoga?

I live for film so I cannot recommend anything else in Warsaw besides the Illuzjon cinema. After being renovated to a European level, it still maintains an amazing repertoire and unusually thorough reviews. Where else can you see Mike Leigh's *Bleak Moments* or Werner Herzog's *Even Dwarfs Started Small*?

→ www.patrykmogilnicki.com

an ensemble dedicated to freely improvised large scale spontaneous music making

Ray Dickaty

Warsaw Improvisers Orchestra.

g 20.00 wstęp 10pln

13.10 | 03.11 | 01.12 POWIĘKSZENIE

odpocznij przy stoliku z widokiem

relax by a table with a view

To doskonałe miejsce na relaks w ciągu dnia, podczas przerwy w bieganiu po mieście. I choć podają tu kawę wyłącznie w papierowych kubkach, to jednak warto przymknąć na to oko. Z kafejki na drugim piętrze salonu Empik rozciąga się bowiem rewelacyjny widok na pl. Defilad, Pałac Kultury i całe ścisłe centrum miasta. Można zebrać tu gazety, książki, przewodniki po Warszawie i odpoczywać.

Jeśli planujesz wieczornego drinka z widokiem, to w barze Panorama na 40. piętrze hotelu Marriott. Lokal ten słynie z nieformalnych spotkań biznesmenów z politykami, więc mimochodem możesz stać się świadkiem rozmowy wagi państwowej. Ostrzegamy: nie jest tu najtaniej.

These are great places to relax during the day to take a break from running around the city. It's even worth ignoring the fact that coffee is served in paper cups. The café on the second floor of Empik provides you with a great view of pl. Defilad, the Palace of Culture and the city center. You can gather up magazines, books and guides to Warsaw from around the store and relax here reading.

If you want to plan an evening drink with a view, check out the Panorama club on the 40th floor of the Marriott Hotel. The place is famous for casual meetings between businessmen and politicians, so you could witness a conversation of national importance. But, be warned – it's not that cheap here.

🔍	**hotel Marriott**
📍	**Al. Jerozolimskie 65/67**

🔍	**Empik**
📍	**ul. Marszałkowska 116/122**

popłyń tramwajem wodnym

Z początkiem maja Wisłą zaczynają kursować promy i tramwaj wodny, w weekendy statkiem można dopłynąć aż do Serocka.

To prawdziwy hit! Niespiesznie suniesz Wisłą, łapiesz promienie słoneczne, podziwiasz dziką przyrodę na prawym i kamieniczki Starego Miasta na lewym brzegu rzeki. Integrujesz się z płynącymi wraz z tobą emerytami, zakąszając zabranym ze sobą prowiantem. Rozkład rejsów znajdziesz na stronie www.zegluga-stoleczna.pl.

W ramach przygotowań do tej wiślanej wycieczki musisz obejrzeć kultową komedię Marka Piwowskiego „Rejs" z 1970 r.

take a water tram

From the beginning of May, ferries and water trams begin to run and you can take a boat all the way to Serock on the weekends.

It's a really cool thing to do – slowly float down the Vistula, soaking up the sun, checking out the wild shores on the right bank and the lovely buildings of the Old Town on the left bank. You can get to know the retirees with their homemade sandwiches also on board with you.

Check out www.zegluga-stoleczna.pl for the schedule and watch the 1970s cult comedy by Marek Piwowski called *Rejs* to get prepared.

www.ztm.waw.pl

zdecyduj, który pomnik najbrzydszy
choose the ugliest monument

Szybko się zorientujesz, że w Warszawie panuje pomnikomania. W całej Polsce zresztą. Każdy wolny plac, skwer, rondo jest tu potencjalnym polem do popisu dla domorosłych rzeźbiarzy. Zawiązują się komitety pomnikowe i nieważne, czy jest w nich kilka, czy kilkaset osób – mogą zdziałać wiele. Bo jaka władza sprzeciwi się wystawieniu pomnika cenionego wieszcza czy narodowego bohatera?! I tak Warszawa zamienia się powoli w plenerową galerię rzeźby nieudanej. Bo dodać musimy, że nie ma w Polsce rzeźbiarzy, którzy byliby w stanie udźwignąć wizje komitetów pomnikowych. Ba, nie potrafią nawet proporcjonalnie wyrzeźbić ludzkiej figury, o koniu nie wspominając.

Oto kilka najbardziej spektakularnych pomnikowych porażek:

When in Warsaw, you will soon realize it is filled with monuments, just like the rest of Poland. Every undeveloped piece of land, square and roundabout is likely to become the victim of keen sculptors. People organize into 'monument committees', sometimes claiming 5, sometimes 500 members, and they can become quite powerful. Can you imagine local authorities having the courage to openly say that they do not want a monument to a great poet or a national hero in a particular place? That's how Warsaw is steadily turning into an open-air gallery of bad sculpture. The problem might be that Poland is short of sculptors talented enough to express what all the monument committees want. But, it's actually worse than that. Often, artists cannot even make a human figure in the right proportions and a figure of a horse is definitely too difficult for them.

Here are a handful of the most monumental failures:

WAGON Z KRZYŻAMI

Pomnik Poległym i Pomordowanym na Wschodzie to najbardziej makabryczny monument w Warszawie. Stos krzyży w wielkim towarowym wagonie symbolizuje Polaków wywiezionych w głąb ZSRR. Na ułożonych na nasypie podkładach umieszczono nazwy miejsc kaźni.

TRAIN CAR WITH CROSSES

The monument to those lost and murdered in the east is probably the most macabre monument in Poland. A pile of crosses in a large cargo car symbolize those Poles transported into the annals of the USSR. The names of those who died are inscribed around the base of the monument.

ul. Muranowska

SŁOWACKI Z MAŁĄ GŁÓWKĄ

Nasz narodowy romantyczny wieszcz dumnie pręży obnażony tors atlety zaplątany w olbrzymią „plastelinową" pelerynę. Stanął na miejscu rozebranego w 1989 r. pomnika Feliksa Dzierżyńskiego. Na zdecydowanie zbyt dużym cokole. No i ta nieproporcjonalnie malutka główka! Aż trudno uwierzyć, że autorem tej rzeźby jest Edward Wittig, twórca dobrego pomnika Lotnika (na skrzyżowaniu ul. Żwirki i Wigury i Wawelskiej).

POET SŁOWACKI WITH A TINY HEAD

Juliusz Słowacki, Poland's great romantic poet, proudly flexes his naked body of a weight-lifter in a cape that appears to be made of plasticine. The monument is located where a monument to Feliks Dzierżyński stood until it was demolished in 1989. Słowacki's plinth is way too big and his head is way too small. It is hard to believe that the figure was fashioned by Edward Wittig, the same artist who made the really good monument to Polish aviators (at the crossroads of al. Żwirki i Wigury and ul. Wawelska).

pl. Bankowy

KRÓL SOBIESKI Z RODZINĄ (I BUŁAWĄ)

Król Jan III Sobieski, żona i dwa pieski. Naiwna narracja, kiczowata, dosłowna forma wzorowana na wiejskich oleodrukach. Idylla w szczerym polu. I jakby tego było mało, w pobliżu wyrasta druga część pomnika – gigantyczna buława przypominająca trzepaczkę. Choć oficjalnie ma symbolizować hetmańską władzę.

KING SOBIESKI WITH FAMILY (AND A TRUNCHEON)

King John III Sobieski, his wife and two dogs as a naive, kitsch-like form mimicking folk chromolithographs idyllically set in the middle of nowhere. To make things worse, the second part of the monument stands nearby: a gigantic truncheon or, rather a tool resembling an egg-beater which is supposed to symbolize the hetman's power.

←
Buława w Wilanowie

DE GAULLE IDZIE POD PALMĘ

„Idzie pod Palmę czy na pączki od Bliklego?" – żartują warszawiacy. Rzeźba jest repliką figury de Gaulle'a z paryskich Pól Elizejskich. Prezydent, ukazany jeszcze jako oficer francuskiej armii, podąża dziarskim krokiem w stronę ronda swojego imienia i dalej na Nowy Świat, gdzie w latach 20. nie tylko zajadał się pączkami, ale nawet mieszkał. Odlana z brązu postać uchwycona jest w dziwacznej pozie, w dodatku wygląda, jakby była ulepiona z błota.

DE GAULLE WALKS UNDER A PALM TREE

'Is he walking to the palm tree, or to have a coffee and donut at Blikle's?' so goes the often-heard joke amongst Varsovians. The sculpture is a copy of de Gaulle's monument at the Champs Elysées. The former French President, dressed in an army uniform, seems to be in the middle of a forced march towards the eponymous roundabout and further on into ul. Nowy Świat, where he not only used to try the donuts but also lived for some time in the 1920s. The bronze figure was given a strange pose and it looks as if it were cast not in bronze but in mud.

🔍	Sobieski
📍	ul. Klimczoka, róg Przyczółkowej

🔍	Charles de Gaulle
📍	rondo de Gaulle'a

PRASCY GRAJKOWIE

Ten pomnik drażni nie tylko nieudaną formą. Po wysłaniu SMS-a pod wskazany numer uruchamia się w nim melodyjka podwórkowej warszawskiej piosenki, która słyszana pierwszy raz jeszcze bawi, ale po raz dziesiąty – już wkurza. To nowatorskie dzieło, zwane początkowo szumnie „pomnikiem warszawiaka", a ostatnio bardziej swojsko „praską kapelą podwórkową", wymyślił ordynariusz warszawsko-praski abp Sławoj Leszek Głódź. Pięć wychudzonych postaci o małych głowach, prawie identycznych twarzach i wielkich dłoniach z powyginanymi palcami straszy, zamiast cieszyć. Za taki pomnik warszawiaka dziękujemy.

THE FIDDLERS OF PRAGA

This monument will annoy you not only by its clumsy form, but when you send a text to a special telephone number, you will hear a Warsaw city folk tune which is bearable the first time, but when you hear it for the tenth time, it really gets on your nerves. This "innovative" piece of art was first called "monument for a Varsovian" but later on "the street band of Praga" prevailed. The idea of this monument was proposed by the Archbishop Ordinary of Warszawa-Praga, Sławoj Leszek Głódź. As a result, we have five skinny figures with too small heads, identical faces, and huge hands with crooked fingers which are scary rather than pleasant to observe. Varsovians are not so amused by the monument.

skwer u zbiegu ul. Floriańskiej i ks. Kłopotowskiego

zobacz koszyk w miejscu jarmarku

To był prawdziwy warszawski fenomen. Ogromny bazar, największy w Europie, prawie w samym centrum miasta. Od 1989 do 2007 r. kilka tysięcy handlarzy z całego świata szczelnie obstawiało swoimi budami koronę stadionu i jego okolice. A sprzedawane przez nich po hurtowych cenach towary: ubrania, pościel, dywany, meble, trafiały później do sklepów w całej Polsce. Na Jarmarku Europa (bo tak się ten bazar nazywał) oferowano też mniej legalne usługi – można tu było kupić broń, pirackie płyty lub złamać blokadę w telefonie komórkowym. Jedynym atutem tego targowiska była ta niezwykła jak na polskie warunki narodowościowa mieszanka: od Azjatów, przez Ukraińców, po Afrykanów. Tu można było posmakować egzotycznej kuchni, odwiedzić wietnamską świątynię, pogadać o problemach imigrantów. Teraz bazar już się zwinął, bo w miejscu zburzonego Stadionu Dziesięciolecia, z okazji piłkarskich rozgrywek Euro 2012, powstał tu Stadion Narodowy.

Projektanci z pracowni JSK Architekci Zbigniew Pszczulny i Mariusz Rutz tłumaczą: – Wybraliśmy ten rodzaj siatki, plecionki nawiązującej do bardzo starej tradycji budowania ścian osłonowych z drewna. Czy to się kojarzy z wierzbą, z koszem? Opinia publiczna tak zdecydowała. Początkowo trochę się burzyliśmy, ale w końcu pomyśleliśmy: »Dobrze, Chińczycy mają ptasie gniazdo, my mamy kosz«. Nie jest ważne, jak to jest nazywane, ważne, że zostaje w głowie, że jest rozpoznawalne.

Biało-czerwony kosz przytłoczył okolicę, wiele kontrowersji wzbudziło też okalające go masywne ogrodzenie. Dlatego Stadion stara się ocieplić wizerunek, organizując wydarzenia pod hasłem „Otwarty Narodowy". Śmiało przejdź więc płot i wejdź do środka, wokół stadionu można jeździć na rowerze i rolkach, na murawie odbywają się koncerty (m.in. Orange Warsaw Festival) i rozmaite imprezy sportowo-rekreacyjne (zimą działa tu największe w Warszawie lodowisko).

1. Orange Warsaw Festival
2. Stadion Dziesięciolecia
   Tenth Annivesary Stadium

🔍	Stadion Narodowy
📍	rondo Waszyngtona
→	www.stadionnarodowy.org.pl

see the basket at the former bazaar

This was a real Warsaw thing – the giant bazaar (the biggest in Europe) pretty much in the city center. From 1989-2007, there were several thousands sellers from around the world hawking their wares at booths squeezed onto the crown of the former National Stadium and all around it. They sold all sorts of goods from cloths to sheets to carpets to furniture that then found their way into shops all around Poland. The Jarmark Europa (European Bazaar), as it was called, also had many less-than-legal offerings - you could buy guns, pirate CDs and jailbroken phones there. One of the giant fair's most positive attributes was the diversity (for Polish standards) of it's sellers, including people from Asia, Ukraine, Africa and beyond. You could taste exotic foods, visit Vietnamese shrines and discuss the problems of immigrants with immigrants. The bazaar no longer exists as the old Stadionu Dziesięciolecia (Tenth Anniversary Stadium) was demolished and rebuilt as the National Stadium for the Euro 2012 football championships.

Zbigniew Pszczulny and Mariusz Rutz from the JSK Architectural firm say: "We chose this kind of basket with a weave that resembles the old tradition of weaving walls from wood. Does it remind you of a basket? Public opinion says so. At first we were a bit offended, but now we say, fine, the Chinese have their bird's nest and we have our basket. It doesn't matter what it's called, as long as it is memorable and recognizable."

The red and white basket has overwhelmed the area and it's massive fencing has stirred much controversy. Authorities are trying to give the Stadium a better image by organizing Open Stadium events. So, enter the gates, go inside, ride your bike or roller blades around the stadium. There are also massive concerts (including the Orange Warsaw Festival) held here and various sporting and recreational facilities inside (the largest ice rink in Warsaw is here in the winter).

spróbuj słodkich przysmaków

Polecamy ci kultowe polskie słodkości. Odwiedź koniecznie sklep fabryki Wedla ulokowany od 1894 r. w pięknej eklektycznej kamienicy zbudowanej przez producenta słodyczy Emila Wedla. Tu kupisz cukierki na wagę, malinowe pralinki w kształcie serca, ręcznie zdobione torciki wedlowskie (z kilku warstw wafli przetykanych i oblanych czekoladą) i ptasie mleczko (czekoladki ze śmietankową pianką w środku). Możesz tu też spokojnie zorganizować randkę. W kiczowatej troszkę, ale bardzo romantycznej przysklepowej kawiarence zamów koniecznie filiżankę czekolady na gorąco.

Świetną czekoladę serwuje też elegancka kawiarnia Bliklego na Nowym Świecie, w której poczujesz klimat przedwojennej Warszawy. A w ulokowanej tuż obok cukierni, która mieści się tu od 1869 r., kupisz słynne firmowe pączki z różanym nadzieniem.

Mistrzami słodkich przysmaków są też cukiernicy z firmy Lukullus, która działa w Warszawie od 1946 r. Słynie nie tylko z doskonałej jakości ciast, tortów i ciastek, lecz także ze świetnego gustu. Wnętrze cukierni na Saskiej Kępie zaprojektował jeden z najzdolniejszych architektów młodego pokolenia Marcin Kwietowicz, a na opakowaniach pojawiają się m.in. warszawskie kolaże artysty Jana Dziaczkowskiego.

try some sweets

We highly recommend cult Polish sweets. You have got to check out the Wedel factory shop that has, since 1894, been located in the gorgeous, eclectic building constructed by the candy manufacturer, Emil Wedel. You can buy candy by the kilo, raspberry pralines in the shape of a heart, handmade chocolate Wedel tarts (made of several layers of waffle covered in chocolate) and ptasie mleczko (chocolates with cream-flavored foam inside) here. You can also have a good date here - it's a bit kitschy, but the café and it's decadent hot chocolate and rather romantic.

You can also get delicious hot chocolate at the elegant Blikle café on Nowy Świat where you can also get a real feel of pre-war Warsaw. Just next door is the renowned bakery where, since 1869, you can buy the company's renowned donuts with rose filling.

Another master of all things sweet is the Lukullus bakery, which has been in existence since 1946. Known not only for it's amazing cakes, tarts and sweets, but also for it's great taste. The interior of the Saska Kępa bakery was designed by one of the young generation's most talented architects, Marcin Kwietowicz and the company's packaging features art works by, among other, the Warsaw collage artist Jan Dziaczkowski.

🔍	Wedel
⚲	ul. Szpitalna 8
→	www.wedelpijalnie.pl

🔍	Blikle
⚲	ul. Nowy Świat 35
→	www.blikle.pl

🔍	Lukullus
⚲	ul. Walecznych 29
→	www.cukiernialukullus.pl

1.

2.

3.

4.

1 i 4. Lukullus
2. Wedel
3. Kolaż Jana Dziaczkowskiego na opakowaniach cukierni Lukullus
Jan Dziaczkowski collage on Lukullus bakery's packaging

zrelaksuj się

To jedna z najpopularniejszych kameralnych kawiarni w Warszawie. Ciekawie zaprojektowana, w konwencji lekko retro (Moko Architects i Super Super), z najlepszą bodaj kawą w mieście.

To dziecko dwójki przyjaciół – Marka Sarby i Piotra Vanila Bujnowskiego, zapalonych rowerzystów i wegetarian. Na ścianach wiszą polskie plakaty z lat 50., 60., 70., z kolekcji sąsiada Piotra Dąbrowskiego, a za ścianą mieści się sklep z designem Reset.

Choć nie przepadamy za sieciówkami, to naprawdę nie mielibyśmy nic przeciw temu, żeby każda dzielnica naszego miasta miała jeden taki Relaks.

take a break and relax

This is one of the most popular, intimate cafés in Warsaw. The interesting, slightly retro design (Moko Architects and Super Super) is coupled with the best coffee in Warsaw. It is the brain child of two friends, Marek Sarba and Piotr Vanila Bujnowski, biking fanatics and vegetarians. The walls feature Polish posters from the 1950s, 60s and 70s from neighbor Piotr Dąbrowski's collection and the design shop Reset is right next door.

While we are not a fan of franchises, we would have nothing against each city in the district having it's very own Relaks.

🔍	Relaks
📍	ul. Puławska 48 (wejście od ul. Dąbrowskiego)

umów się pod rotundą

To jeden z najoryginalniejszych budynków w Warszawie i ulokowany w samym jej sercu, na skrzyżowaniu ulicy Marszałkowskiej i Alej Jerozolimskich. Dlatego wielu miejscowych umawia się ze znajomymi właśnie „pod Rotundą". Umów się i ty, choć najbliższe otoczenie niezbyt do tego zachęca.

Rotundę zbudowano jako element Ściany Wschodniej (Domy Centrum, trzy wieżowce, pasaż Wiecha) w 1966 r., według projektu Zbigniewa Karpińskiego. Obecna różni się nieco od tej pierwotnej, zniszczonej tragicznym wybuchem gazu w 1979 r. Zginęło wówczas 49 osób, ponad sto zostało rannych, a sam budynek uległ zniszczeniu w 70 proc.

Swoją siedzibę ma tu bank PKO BP, który na szczęście nie chce Rotundy burzyć, ale zamierza zmodernizować. Proces jest wręcz modelowy – właściciel przeprowadził konsultacje ze stowarzyszeniem architektów i z mieszkańcami, pytając, jakie funkcje, oprócz bankowych, powinny się w Rotundzie znaleźć. Ogłoszono międzynarodowy konkurs architektoniczny, który wygrała krakowska pracownia Bartłomieja Gowina i Krzysztofa Siuty. Architekci zaprojektowali również sąsiedni plac, na którym zaproponowali kino letnie z amfiteatralnym układem schodów (widowni).

rondo Dmowskiego

Wycinanki „Blok Wschodni", proj. studio Zupagrafika
East bloc cutouts, design: Zupagrafika studio

meet at rotunda

This is one of the most original buildings in Warsaw, located in the heart of the city, at the crossroads of ul. Marszałkowska and al. Jerozolimskie. Many locals set up meetings "pod Rotundą" or "at the Rotunda". Go ahead and do the same, though the surroundings may not seem too friendly.

Rotunda was built in 1966 as part of the Western Wall that is formed by the Domy Centrum (the shopping mall next door), the three apartment buildings behind and the Wiecha passage and designed by Zbigniew Karpiński. The current design barely differed from the original, which was destroyed in a tragic gas explosion in 1979 in which 49 people died and 100 were injured and the building was 70% destroyed.

PKO BP bank has it's headquarters here and, fortunately, they don't want to destroy the Rotunda but rather renovate it. It is a long process, however, and the owner is consulting an association of architects and locals, asking what function the building could serve besides a bank. An international architectural competition was organized and the Krakow-based studio of Bartłomiej Gowin and Krzysztof Siuta won. They have also designed the neighboring square that includes an outdoor cinema with an amphitheater and large stairs for the audience.

poczuj się jak w paryżu

Gdyby zorganizowano konkurs na najbardziej kuszący zapach w Warszawie, kawiarnia Vincent byłaby w ścisłej czołówce. Co ważne, obłędny zapach wypieków idzie w parze z ich smakiem. Dlatego właśnie od samego rana aż do wieczora kłębią się w niej klienci. Niektórzy biorą jedzenie na wynos, niektóre wypieki, jak np. pyszne bagietki, często kupowane są w hurtowych wręcz ilościach. Ci, którzy decydują się zostać, zwykle zastygają lekko zahipnotyzowani. Widać, że intensywnie zastanawiają się, co wybrać: niewinnie wyglądające briosze czy nęcące croissanty z malinami, czekoladą. A może zostawić je na deser i zacząć raczej od świeżej kanapki, quiche'a z łososiem lub tarty? Wybór jest tyleż trudny, co przyjemny, a jakikolwiek by był, kończy się zwycięstwem. Zwłaszcza jeśli zamówi się też kawę.

Jedynym minusem Vincenta (tego na Nowym Świecie) jest jego rozmiar. Zimą czy w niepogodę to naprawdę kompaktowe miejsce. Za to latem na zewnątrz wystawiany jest ogródek, taki w paryskim stylu, ze wszystkimi krzesełkami zwróconymi w stronę ulicy – jednej z najpiękniejszych w Warszawie.

get a taste of paris

If someone were to organize a contest for the most tempting smell in all of Warsaw, Vincent would be in the top three. What's even more important is that the delicious smelling baked goods actually do taste great too. That explains why the place is full from morning to night. Some clients take things like the baguettes – which are often purchased in mass quantities – to go while there take a seat and are hypnotized by the bakery's offerings from the innocent-looking brioches to the tempting croissants with raspberries or chocolate. Or maybe leave those for dessert and have a sandwich or salmon quiche? But, such hard choices are made easier as they always end in victory, especially if you also add a coffee to the order.

The only downside to Vincent is it's side. In the winter, the place is really compact. But, in the summer, the bakery puts out chairs and tables on the sidewalk all facing the street, just like in Paris.

🔍	Café Vincent
📍	ul. Nowy Świat 64
📍	ul. Chmielna 21

napij się kawy na ulicy widmo

Podziwiamy odwagę właścicieli, że zdecydowali się na otwarcie lokalu w tak mrocznym miejscu. Gdy zaczynali, ulica była całkowicie zrujnowana i opuszczona. Ale Próżna to miejsce wyjątkowe, jedyne w swoim rodzaju. Smutny symbol tego, co zostało po żydowskiej Warszawie. Przed wojną tętniąca życiem, z pięknymi, pełnymi cennych detali kamienicami (jeszcze z końca XIX w.), w czasie wojny znalazła się w granicach getta i od tego czasu pozostała nietknięta. Ruina w samym centrum miasta. Zabytkowa ruina, więc wyburzyć jej nie było można. Próżna ożywała jedynie raz do roku podczas żydowskiego festiwalu Warszawa Singera.

Ostatnio na szczęście zaczęła się zmieniać. Prywatny inwestor pieczołowicie odnowił kamienice po nieparzystej stronie ulicy i zamienił w biurowiec o nazwie Le Palais.

– Długo pracowaliśmy, żeby zbliżyć się do oryginału – mówi architekt Wojciech Popławski z warszawsko-wiedeńskiej pracowni OP Architekten, w której powstał projekt renowacji, przebudowy i rozbudowy kamienic.

Z dawnej Próżnej do dziś ocalały tylko cztery domy. W dziewiątce mieszkał niegdyś Zalman Nożyk, fundator pobliskiej synagogi. Kamienice po przeciwnej stronie ulicy – nr 12 i 14 – obecnie są własnością miasta. Wciąż się sypią. Kontrast jest uderzający.

🔍	Café Próżna
📍	ul. Próżna 12
→	www.caféprozna.pl

have coffee on a ghost street

We are surprised at the owner's courage to open a café on such a dark street – when they first opened, the street was completely in ruins and was abandoned. But, Próżna is a special place, one of the only one of it's kind – a sad symbol of what remains of Jewish Warsaw. Before the war, the street was teeming with life, filled with colorful, detailed buildings (from the end of the 19th century). But, during the war, it was on the border of the ghetto and barely remained intact and became a ruin in the city center. It is a historical ruin, so it cannot be destroyed. Próżna is revived once a year for the Jewish festival Warszawa Singera (Singer's Warsaw).

Recently, that has all started to change. A private investor beautifully renovated the building on the odd side of the street and turned it into the Le Palais office spaces. "We worked for a long time to make it resemble the original," says architect Wojciech Popławski from the Warsaw-Vienna firm OP Architekten who oversaw the renovation, reconstruction and rebuilding of the structure. Only four buildings of the old Próżna remain. Zalman Nożyk, founder of the nearby synagogue lived at number 10. Numbers 12 and 14 belong to the city of Warsaw and are still falling apart and the contrast is stunning.

#ludziewarszawy
#thepeopleofwarsaw

magdalena pankiewicz

Zajmuje się ilustracją, jej prace były publikowane m.in. w „Bluszczu", „Zwierciadle", „Charakterach", „Commons&Sense" czy „Milk X magazine".

An illustrator whose works have been published in, among others: Bluszcz, Zwierciadło, Charaktery, Commons&Sense and Milk X magazine.

Jeśli miałabym komuś polecić moje ulubione miejsce w Warszawie, to bez wahania wybrałabym Bibeloty Café, kawiarnię mieszczącą się w modernistycznej kamienicy, na jednej z najładniejszych uliczek Mokotowa – Willowej. Często wpadam tam w środku dnia, żeby odpocząć trochę od zgiełku miasta i przypomnieć sobie, że czas może płynąć trochę wolniej.

Mało kto wie, że na tyłach kawiarni kryje się tajemniczy ogród, z leżakami i hamakami rozwieszonymi między starymi gruszami. Można się tam poczuć zupełnie jak na wakacjach, a przy okazji zjeść najlepszą szarlotkę w mieście.

If I had to recommend my favorite place in Warsaw to someone, it would definitely be Bibeloty Café, a coffeehouse in a modernist building on one of Mokotów's most gorgeous streets, Willowa. I often drop by during the day to relax from the bustle of the city and remind myself that time can pass more slowly.

Few know that there is a secret garden behind the café with lounge chairs and hammocks hung between the old pear trees. You feel like you're on vacation here, plus you can get the best apple pie in the city.

→ www.magdalenapankiewicz.com

przejdź traktem królewskim (albo przejedź rowerem)

Jeśli spacer, to Traktem Królewskim. Po niedawnym remoncie to zdecydowanie najbardziej elegancki kawałek naszego miasta. Możesz tu poczuć smak XVIII- i XIX-wiecznej Warszawy, choć większość ulokowanych tu zabytkowych kamienic i pałaców bardzo ucierpiała w czasie wojny i niemal w całości została odbudowana.

Zacznij spacer przy Łazienkach (www.lazienki-krolewskie.pl). Zerknij w głąb XVIII-wiecznego królewskiego parku na pomnik Fryderyka Chopina, gdzie latem w niedziele odbywają się pianistyczne recitale. Po lewej mijasz rządowe budynki, włącznie z siedzibą premiera. Po prawej – Ogród Botaniczny UW i nieco w głębi Zamek Ujazdowski. Z góry zerknij na prowadzącą na Pragę-Południe, zbudowaną w latach 70. Trasę Łazienkowską.

Alejami Ujazdowskimi, mijając po prawej park Ujazdowski, dojdziesz do pl. Trzech Krzyży (znajdź je i policz – są trzy?). Dalej kieruj się w stronę Palmy. Przejdź obok dawnego Domu Partii i idź prosto na Nowy Świat, który w letnie weekendy zamykany jest dla ruchu i zamienia się w deptak. Masz jeszcze spory dystans na Starówkę, więc możesz wypożyczyć miejski rower.

Po drodze zobaczysz jeszcze: pomnik Kopernika, Uniwersytet Warszawski, Akademię Sztuk Pięknych, kościół Wizytek, Hotel Europejski (w remoncie), hotel Bristol z 1901 r. (na zdjęciu), Pałac Prezydencki, kościół św. Anny i wreszcie zamykający Trakt Królewski pl. Zamkowy z Zamkiem Królewskim i kolumną Zygmunta.

Decyzję, czy zapuszczać się na Stare Miasto, pozostawiamy już tobie. My nie przepadamy za tym miejscem, bo zbyt tłoczno tu od turystów. Lepiej zbierz resztę sił i wdrap się na wieżę kościoła św. Anny. Z tarasu widokowego jeszcze raz ogarniesz trasę, którą przeszedłeś, i całe malownicze, wzniesione z wojennych gruzów Stare Miasto.

od ul. Belwederskiej
do ul. Krakowskie Przedmieście

walk (or bike) the royal way

Take a walk down the Royal Way - recently renovated, it is definitely the most elegant part of Warsaw. Here you will feel the taste of 18th and 19th century Warsaw, though the majority of buildings here suffered a lot during the war and were largely reconstructed.

Start your walk in Łazienki Park (www.lazienki-krolewskie.pl). The royal park, which dates back to the 18th century, has a statue of Fryderyk Chopin where, in the summer, there are piano recitals twice every Sunday. Across from the park are various government buildings, including the Prime Minister's residence. On the right heading towards the Royal Castle, you will pass the University of Warsaw's botanical gardens and, situated a bit farther back, the Ujazdowski Castle. From above on Trasa Łazienkowska, built in the 1970s, you can look down towards Praga-Południe.

On al. Ujazdowski, after passing Ujazdowski Park, you will get to pl. Trzech Krzyży (count the three crosses). Head towards the palm tree, pass by the former Party House and go straight down Nowy Świat which, on the weekends in the summers, is closed to motor vehicle traffic and becomes a pedestrian zone. You still have a ways to go until the Old Town, so consider borrowing a Veturilo bike.

On the way, you will see the Copernicus monument, University of Warsaw, Academy of Fine Arts, the Europejski Hotel (being renovated), the Bristol Hotel from 1901, the Presidential Palace and, at the end of the Royal Way, pl. Zamkowy with the Royal Castle and Sigismund's Column.

The decision to go into the Old Town we leave up to you. We aren't huge fans of this place as it's teeming with tourists. It might be better to gather your strength and go up the viewing tower at St. Anne's Church. You can see the route you just walked from the top and the whole, picturesque view of the Old Town which was reconstructed from ruins after the war.

zobacz dobry spektakl

Zarezerwuj sobie jeden wieczór w Warszawie na wizytę w teatrze. Jest ich u nas mnóstwo, ale żeby zminimalizować ryzyko zawodu, polecamy ci te najlepsze.

TR Warszawa przy ul. Marszałkowskiej (dawny Teatr Rozmaitości) to scena stworzona przez naszych najzdolniejszych reżyserów teatralnych – Grzegorza Jarzynę i Krzysztofa Warlikowskiego – którzy do współpracy zaprosili świetnych aktorów, m.in. Andrzeja Chyrę, Magdalenę Cielecką, Maję Ostaszewską, Danutę Stenkę czy Stanisławę Celińską. I choć dziś częściej ich spektakle można oglądać na europejskich scenach niż na rodzimej warszawskiej, to jednak kilka razy w miesiącu któryś z ich głośnych tytułów wraca na afisz TR. Polecamy w ciemno.

Drogi Jarzyny i Warlikowskiego rozeszły się, ale nie ma co płakać – dzięki temu powstały dwie ciekawe sceny. Jarzyna został na Marszałkowskiej, a Warlikowski założył swój własny Nowy Teatr. Jego zespół ulokował się w sercu Starego Mokotowa, w poprzemysłowych halach na terenie dawnej bazy Miejskiego Przedsiębiorstwa Oczyszczania przy ul. Madalińskiego. Właśnie otrzymali dotację na modernizację siedziby, chcą tu stworzyć tętniące życiem centrum kultury. Już grają spektakle, organizują wystawy i spotkania, latem na podwórku działa też kawiarnia Sezonowa, zaprojektowana przez architektów z pracowni Projekt Praga.

Bardziej mieszczańskim w dobrym tego słowa znaczeniu teatrem jest Polonia – prywatna scena stworzona przez wybitną aktorkę Krystynę Jandę (znaną m.in. z ról w „Przesłuchaniu" Bugajskiego czy „Człowieku z marmuru" Wajdy). Janda zbudowała swój teatr w budynku dawnego kina Polonia przy ul. Marszałkowskiej i można śmiało powiedzieć, że włożony w to wysiłek i ryzyko finansowe się opłaciły. Dziś funkcjonują tu dwie sceny, a bilety sprzedają się świetnie. I co najważniejsze, w Polonii produkuje się mnóstwo nowych spektakli – od trudniejszych kobiecych monodramów („Ucho, gardło, nóż") po rozrywkowe hity („Boska!"). O sukcesie Polonii świadczy też to, że w 2010 r. teatr uruchomił swoją kolejną siedzibę – Och-teatr w dawnym kinie Ochota. Tą sceną opiekuje się córka Krystyny Jandy, aktorka Maria Seweryn.

Nowy Teatr, „Kabaret Warszawski"

see a good play

Reserve one evening in Warsaw for the theater. There are so many in the city and, in order to minimize risk, we recommend the best one.

TR Warszawa's stage, on ul. Marszałkowska (formerly Rozmaitości Theater), is overseen by some of the most talented directors – Grzegorz Jarzyna and Krzysztof Warlikowski, who work with some of Poland's best actors, including Andrzej Chyra, Magdalena Cielecka, Maja Ostaszewska, Danuta Stenka and Stanisława Celińska. While it's often easier to catch TR's best productions on the stages of Europe than in Warsaw, a few times a month TR stages one of their most renowned plays. We recommend it hands down.

While Jarzyna and Warlikowski parted ways, there's no use crying over it – actually, there are now two interesting stages in Warsaw. Jarzyna stayed on Marszałkowska and Warlikowski created his own Nowy Teatr (New Theater). His team found a spot in Mokotów in the factory halls of an old Municipal Treatment Plant on ul. Madalińskiego. They just received a grant for the renovation of the place and they want to create a lively cultural center. There are already shows there as well as exhibitions and meetings and the courtyard houses Sezonowa café in the summer, designed by Projekt Praga.

Polonia is a bit more of a bourgeois (in the good sense of the word) theater. It is a small theater created by renowned actress Krystyna Janda (known for her roles in Ryszard Bugajski's Interrogation or Wajda's Man of Marble). Janda built her own theater in the former Polonia cinema building on ul. Marszałkowska and you could say that the effort and financial risk has paid off. Today, it houses two stages and tickets sell very well. More importantly, Polonia produces many new shows, from difficult female monodramas (like Ear, Throat, Knife) to entertaining hits (Boska!). The fact that Polonia opened a second theater in 2012 – Och-Teatr in the former Ochota cinema – proves that they are doing well. Janda's daughter, Maria Seweryn, runs Och-Teatr.

TR Warszawa, „Druga kobieta"

🔍	**TR Warszawa**
⚲	**ul. Marszałkowska 8**
→	**www.trwarszawa.pl**

🔍	**Nowy Teatr**
⚲	**ul. Madalińskiego 10/16**
→	**www.nowyteatr.org**

🔍	**Teatr Polonia**
⚲	**ul. Marszałkowska 56**
→	**www.teatrpolonia.pl**

zwiedź muzeum w budowie

Jeśli wszystko pójdzie zgodnie z planem, już w 2020 r. Warszawa może mieć swoje Muzeum Sztuki Nowoczesnej. W dodatku w doskonałej lokalizacji, w samym centrum miasta, na pl. Defilad, tuż przy Pałacu Kultury. Trochę już z tego żartujemy, ale jest to raczej śmiech przez łzy. Bo inwestycja ma wyjątkowego pecha. Muzeum miało stanąć już w 2016 r., gotowy był projekt autorstwa szwajcarskiego architekta Christiana Kereza, a nad programem i kolekcją przyszłej instytucji od pięciu lat intensywnie pracował prężny zespół z dyrektorką Joanną Mytkowską na czele. Ale miasto niespodziewanie zerwało umowę z Kerezem, cofając cały proces o kilka lat. Znów mamy więc procedurę konkursową, która ma wyłonić projekt muzeum (i sąsiedniego budynku, do którego wprowadzi się teatr Grzegorza Jarzyny TR Warszawa). MSN dostało od miasta na pocieszenie tymczasową siedzibę w dawnym pawilonie meblowym Emilia – modernistycznym budynku z 1970 r. Organizuje tu wystawy, pokazy filmowe oraz dedykowany miastu festiwal Warszawa w Budowie (www.warszawawbudowie.pl).

Wstęp na wystawy jest wolny. Zajrzyj też koniecznie na stronę www.artmuseum.pl, gdzie muzeum sukcesywnie udostępnia bardzo ciekawe archiwa polskich artystów i architektów, m.in. Aliny Szapocznikow, Oskara Hansena czy pracowni Grzegorza Kowalskiego.

visit a museum under construction

If everything goes according to plan, Warsaw should have its own Modern Art Museum in 2020. As a bonus, it will be in a great location in the city center on pl. Defilad, just next to the Palace of Culture. This is a bit of a joke, but it's not actually funny because the investment seems to be cursed. The Museum was supposed to be built by 2016 and the final design, by Swiss architect Christian Kerez, was ready and a program and the future institution's collection had already been worked on for five years by a team led by director Joanna Mytkowska. But, the city unexpectedly broke it's contract with Kerez, delaying the process by a few years. Now, the whole project is going through a tender process to decide on the museum's design (and the design of the neighboring building that will house Grzegorz Jarzyna's TR Warszawa theater). As a good faith gesture, the city gave the Museum (MSN) a temporary location in the comer Emilia furniture store – a modern building form the 1970s. Here, MSN organizes exhibitions, film screenings (Kinomuzeum.pl) and events dedicated to the city as part of the Warsaw Under Construction festival (warszawawbudowie.pl).

Entrance to the Museum is free. Be sure to check out their website (www.artmuseum.pl), where MSN regularly posts really interesting archival material on Polish artists and architects such as, Alina Szapocznikow, Oskar Hansen and works from Grzegorz Kowalski's studio.

Q	**Muzeum Sztuki Nowoczesnej**
⚲	**ul. Pańska 3 i Emilii Plater 51**
→	**www.artmuseum.pl**

1. **Praca Krzysztofa Warpechowskiego**
   Krzysztof Warpechowski piece
2. **Praca Pauliny Ołowskiej**
   Paulina Ołowska piece
3. **Praca Pawła Althamera**
   Paweł Althamer piece

1.

2.

3.

zaprojektuj sobie buty

Fun in Design to strona internetowa i sklep stacjonarny, gdzie kupisz ręcznie robione buty. Możesz wybrać gotowe lub sam je zaprojektować. Do tego służy firmowy portal.

Funindesign.pl potrafi wciągnąć na całe dnie. Mamy osiem modeli butów damskich i trzy modele męskich – sandały, czółenka, sztyblety i trzewiki. Użytkownik wybiera rodzaj skóry, kolor, wysokość obcasa, kokardki, wiązania.

Warto wybrać się do sklepu, żeby przymierzyć istniejące już modele – rozmiarówka różni się od standardowej, np. typowe 38 w trzewikach z Fun in Design ma rozmiar 37. W butiku można też dotknąć próbek skór, poczuć, jaką mają fakturę, dopytać, jak będą się układały w upatrzonym modelu. To również dobry pomysł na prezent – zamiast gotowych butów – bon do sklepu. Dzięki niemu obdarowana osoba sama może poczuć się przez chwilę jak projektant.

design your own shoes

Fun in Design is a website and physical store where you can buy handmade shoes. You can pick ready-mades ones or design your own (hence, the website). Funindesign.pl can suck you in for hours. They have eight styles for women and three styles for men – from sandals to boots. You pick the kind of leather you want, the color, height of the heel and the lacing.

It's worth popping into the store to try on the various styles as their sizing is not very standard – a typical size 38 might actually be a 37 at Fun in Design. You can also touch the various leather samples and see their texture and color. These shoes are a great present – but maybe skip the shoes and get a gift certificate. Thanks to Fun in Design, you get to make someone feel like a shoe designer for a few minutes!

🔍	Fun in Design
⚲	ul. Zgoda 3
→	www.funindesign.pl

gotuj z książką

Księgarnia w kawiarni Melon to miejsce dla wielbicieli kuchni. Właścicielka, Laura Osęka, założyła ją z pasji kulinarnej. Z wielu poradników gotowała, więc może pomóc dobrać książkę do poziomu umiejętności, zainteresowań, ulubionych smaków kucharza. W Books for Cooks na Inżynierskiej oraz na internetowej stronie księgarni znajdziesz szeroki wybór publikacji, również o tradycyjnej kuchni polskiej. Właścicielka sprowadza też książki na zamówienie.

Inny świetny adres dla fanów książek kulinarnych to Bookoff przy ul. Żelaznej na Woli. Znajdziesz tam również nasze ulubione polskie magazyny o jedzeniu (i nie tylko): „Kukbuk", „Smak" i „Usta".

cook with books

The bookstore at Melon Café is heaven for those who love to cook. The owner, Laura Osęka, created the place out of her love for food. She has used many cookbooks and will gladly help you pick the right book based on her own experiences, interests and culinary taste. Books for Cooks on Inżynierska and it's accompanying web shop have a wide range of publications, including cookbooks on traditional Polish cuisine. The owner can also order books on a client's request.

Another place to get cookbooks is Bookoff on ul. Żelazna in Wola. You will also find our favorite Polish food magazines, Kukbuk, Smak and Usta, there.

Q	Books for Cooks
⚲	ul. Inżynierska 1
→	www.booksforcooks.pl

Q	Bookoff
⚲	ul. Żelazna 91
→	www.bookoff.pl

zobacz sztukę w parku

To prawdziwy fenomen. Z kilku względów: dlatego że na Bródno, na to oddalone od centrum blokowisko, ciągną teraz wycieczki z całego świata; ale też dlatego, że Park Rzeźby powstał tu z inicjatywy lokalnych urzędników, dumnych, że mieszka na Bródnie światowej sławy artysta Paweł Althamer. W 2000 r. Paweł przeprowadził wraz z sąsiadami ze swojego bloku przy ul. Krasnobrodzkiej akcję „Bródno 2000" polegającą na utworzeniu na elewacji z odpowiednio zapalanych i gaszonych świateł w mieszkaniach wielkiego napisu „2000". I od tego czasu wciąga sąsiadów w swoje artystyczne działania (np. w 2009 r. polecieli w złotych kosmicznych kombinezonach złotym samolotem do Brukseli, żeby uczcić 20-lecie wolnej Polski).

Powstawanie Parku Rzeźby w 2009 r. w parku Bródnowskim także koordynował Paweł Althamer. Zaprosił do współpracy kuratorów z Muzeum Sztuki Nowoczesnej, dzięki którym w parku stanęły instalacje m.in. Moniki Sosnowskiej, Olafura Eliassona i Rirkrita Tiravanii. Sam Althamer fragment parku zamienił w rajski ogród, w którym grupowe zdjęcie zrobili sobie mieszkańcy Bródna (dzieło zawisło w sąsiednim kościele). Co roku w Parku Rzeźby pojawiają się kolejne prace. W 2014 r. ma to być dzieło słynnego chińskiego artysty Ai Weiweia.

see art in a park

This is really cool for a few reasons – because Bródno is really only known for it's giant housing estates that draw visitors from around the world, but also because the Art Part was the initiative of local bureaucrats that are proud of the fact that the world-renowned artist Paweł Althamer lives in Bródno. In 2000, Paweł initiated the Bródno 2000 action together with neighbors from his apartment building ul. Krasnobrodzka, in which they lit up their apartments to form a large '2000' across the face of several buildings. Since then, he has been engaging his neighbors in his artistic activities (for example, in 2009, Althamer flew in a gold plane to Brussels with some neighbors in golden space suits to commemorate 20 years of a free Poland).

The Sculpture Park, also coordinated by Paweł Althamer, was opened in 2009 in Park Bródnowski. He invited curators from the Museum of Modern Art to take part and, thanks to them, pieces by, among others, Monika Sosnowska, Olafur Eliasson and Rirkrit Tiravanija were installed. Althamer himself turned part of the park into a garden of paradise and local Bródno residents took group pictures there and hung them in a local church. New pieces are added to the Sculpture Park every year. In 2014, a piece by renowned Chinese artist, Ai Weiwei, will be installed there.

🔍	Park Rzeźby
⚲	park Bródnowski
→	www.artmuseum.pl

1. *Raj* Pawła Althamera
   Paweł Althamer's *Paradise*
2. *Anioł Stróż* Romana Stańczaka
   Roman's Stańczak's Guardian Angel

1. *Toguna* Youssoufa Dary
   Youssouf Dara's *Toguna*
2. *Domek herbaciany* Rikrita Tiravaniji
   Rikrit Tiravanija's *Cottage tea*

3. *Krata* Moniki Sosnowskiej
   Monika Sosnowska's *Trellis*
4. Praca Katarzyny Przezwańskiej
   Katarzyna Przezwańska piece
5. Praca Jensa Haaninga
   Jens Haaning piece

4.

3.

5.

#ludziewarszawy
#thepeopleofwarsaw

jacek kołodziejski

Artysta fotograf związany z agencją Shootme. Swoje prace pokazywał m.in. na Festiwalu Fotografii w Arles i Miesiącu Fotografii w Bratysławie. Praca obok: „Pani z galerii", pochodzi z wystawy „Zimne, ciepłe i nieludzkie".

Artist and photographer with the Shootme agency. His work has been shown at the International Festival of Photography in Arles of the Month of Photography in Bratislava. Next page: Lady from the gallery, part of the Zimne, ciepłe i nieludzkie exhibition.

Polecam dwa adresy, które mogą się okazać bardzo pomocne, gdy zapragniesz wybrać się do parku Łazienkowskiego. Przy tylnym wyjściu zlokalizuj ul. Sulkiewicza. Jest to mała uliczka, na której znajdują się najlepsze w tym mieście francuskie bistro Mônsieur Léon (ul. Sulkiewicza 5). Pracuje tam Luk, który osobiście wszystkiego pilnuje, i ceny są bardzo dobre.

Jak już odzyskasz siły i nastanie wieczór, dokładnie 100 m dalej, na ul. Belwederskiej 44, znajdziesz miejsce absolutnie unikatowe o nazwie DZiK. W oryginalnych wnętrzach willi z lat 20. możesz trafić na prawdziwy dansing z muzyką na żywo. Tutaj imprezy odbywają się w piątki i soboty.

I recommend two places which could be really helpful if you want to go to Łazienki Park. The back entrance is located on ul. Sulkiewicza. It's a small street and the best Frensh bistro in the city is there – Bistro Monsieur Léon (ul. Sulkiewicza 5). Luk, who personally takes care of every detail, works there and the prices are very good.

If you're rested and up for a night out, 100 meters away at ul. Belwederska 44 is an absolutely unique place called DZiK. It's an original villa from the 1920s and you can find some real dancing to live music here. Parties are on Friday and Saturday nights.

→ www.jacekkolodziejski.com

kup album

buy an art book

Jeśli tak jak my jesteś maniakalnym miłośnikiem albumów o sztuce, architekturze i designie oraz macania dobrze zaprojektowanych papierowych magazynów, to musisz znać w Warszawie kilka adresów.

Polecamy ci szczególnie dwa miejsca: księgarnię Bookoff w tymczasowej siedzibie Muzeum Sztuki Nowoczesnej przy ul. Pańskiej (tu znajdziesz również albumy o polskiej sztuce) i Super Salon na Chmielnej. Ten ostatni mieści się w ciągu malutkich, klimatycznych pawilonów, a za sąsiadów ma m.in. pracownię rękawiczek i księgarnię dla dzieci Bullerbyn (to też świetne miejsce na książkowe zakupy). Zanim tam wpadniesz, zajrzyj na stronę www.supersalon.org, żeby zorientować się w asortymencie. Katalogi wystaw i albumy o sztuce znajdziesz też w muzealnych księgarniach: w Centrum Sztuki Współczesnej, Zachęcie i Muzeum Narodowym. A całkiem spory wybór książek o fotografii – w galerii Leica na Mysiej 3.

If you are as hugely obsessed with albums about art, architecture and design as we are or you love flipping through well-designed magazines on good paper, you have to get to know these addresses in Warsaw. We especially recommend two places: Bookoff bookstore by the temporary site of the Museum of Modern Art on ul. Pańska (you will also find big books on Polish art here) and Super Salon on Chmielna. The second is located in a series of small, niche pavilions next to a glove-maker and the Bullerbyn kids bookstore (also a great place to buy books). Before you drop by, check out www.supersalon.org to see what they have in stock.

You will find exhibition catalogues and coffee table books on art in the museum bookstores of the Center for Contemporary Art (CSW), Zachęta and National Museum. The Leica gallery at Mysia 3 also has a large collection of photography books.

🔍	Super Salon
⚲	ul. Chmielna 10
→	www.supersalon.org

🔍	Bookoff
⚲	ul. Pańska 3
→	www.bookoff.pl

🔍	CSW Zamek Ujazdowski
⚲	ul. Jazdów 2

🔍	galeria Zachęta
⚲	pl. Małachowskiego 3

1.

2.

3.

1. Bookoff w Muzeum Sztuki Nowoczesnej
2. Księgarnia w galerii Zachęta
3. Super Salon

leć na grochów

drop by grochów

Warto zajrzeć na Grochów, na prawą stronę Wisły, bo wiele zachowało się tu jeszcze z przedwojennego klimatu Warszawy. Wie to doskonale lokalny animator kultury Czarek Polak, który tę dzielnicę sobie wybrał. Tu zamieszkał i otworzył pierwszą klubokawiarnię z prawdziwego zdarzenia – Kicię Kocię. Mieści się ona w dawnej kotłowni i oprócz ciekawego industrialnego wnętrza ma też spory kawałek porośniętego trawą ogródka. Czarek z zawodu jest dziennikarzem, założył stowarzyszenie Leciem na Grochów, prowadził cykl spotkań z pisarzami „Literatura na peryferiach". Wciąż zaprasza ich do Kici Koci. Są tu też koncerty, targi winyli, lokalne garażówki czy cykliczne mistrzostwa Polski w piciu oranżady na czas.

Patronką klubokawiarni jest muza słynnego poety Mirona Białoszewskiego, pierwowzór tytułowej bohaterki jego „Kabaretu Kici Koci" – Halina Oberländer. Na ścianie lokalu znajdziesz mural z Mironem Białoszewskim, który mieszkał w okolicy i stworzył tu dzieło o znamiennym tytule „Chamowo".

It's worth visiting Grochów and the right side of the Vistula river since much of it has maintained Warsaw's pre-war atmosphere. The local cultural animator, Czarek Polak, who chose this district, is fully aware of this. He settled here and opened the area's first real café-bar – Kicia Kocia. It is located in a former boiler room and, in addition to an interesting industrial interior, it also has a big lawn with a garden. He is a journalist by profession and founded the Leciem na Grochów association, which organized a series of meetings with writers called Literatura na peryferiach (Literature on the peripheries). He still invites them to Kicia Kocia. He also hosts concerts, vinyl markets, local garage sales or the annual Polish championship in speed lemonade drinking.

Czarek chose Halina Oberländer, the famous poet Miron Białoszewski's muse, as the venue's patroness – she was a prototype for the title character of his Kabaret Kici Koci. On the wall of the place, you'll find a mural of Miron Białoszewski, who lived in the area and created a masterpiece with the revealing title Chamowo (roughly translated as 'Crudeness').

Czarek Polak – Kicia Kocia
←

🔍	Klubokawiarnia Kicia Kocia
📍	ul. Garibaldiego 5a

doceń metamorfozę centralnego

Jeszcze kilka lat temu przypominał bardziej śmierdzący moczem i kebabem szalet niż główny dworzec stolicy. A to przecież jedna z naszych największych architektonicznych perełek. Ten dach! Ta wielka przeszklona hala!

Arseniusz Romanowicz wyobraził go sobie jako wielką wiatę, metaforę schronienia. Centralny projektował przez kilkadziesiąt lat – zaczął przed wojną, skończył w 1975 r.
– To architektura rozrzutna, ale piękna. Jej burzenie byłoby barbarzyństwem – komentował varsavianista Jarosław Trybuś, gdy rozgorzała dyskusja: remontować czy zrównać z ziemią. Na szczęście kolejarze zdecydowali się na remont. Rewitalizację przeprowadziło Towarzystwo Projektowe – Jerzy Porębski i Grzegorz Niwiński. Zrobili, ile mogli, biorąc pod uwagę budżet na remont i fatalny stan budynku. Dworzec odczyszczono, unowocześniono, budki z kebabami zastąpiły eleganckie kawiarnie i sklepy, łatwiej się po nim w tym systemie podziemnych przejść poruszać.

Troszkę rdza wyziera spod tego pudru, ale warto było chociaż jeszcze na kilka lat zachować dworzec w takim kształcie.

appreciate the central station's metamorphosis

Only a few years back, it was filled with the odor of urine and kebabs and resembled something more like a big public restroom than the capital's main train station – at the same time, it has always been one of Warsaw's greatest architectural gems marked by its roof and the great glass hall.

Its designer, Arseniusz Romanowicz, imagined a huge carport, a metaphor of a shelter. The process of designing the Central Station, aka Centralny, took several decades – it began before the war and ended in 1975. Today's form reflects the design's most basic version. The large carport on concrete pillars is an immense roof which hangs like wings over the huge space. This architecture is extravagant, but beautiful. "Its demolition would be barbaric," commented a Warsaw historian, Jarosław Trybuś, when the discussion started as to whether or not to renovate or rebuild. Fortunately, the railroad company decided to refurbish the building. The revitalization works were carried out by the Towarzystwo Projektowe – Jerzy Porębski and Grzegorz Niwiński. They did all they could, considering the budget for the renovation and disastrous condition of the building. The whole complex was cleaned and modernized; kebab stalls were replaced by elegant cafés and shops, and now, in this form, it's once again possible to venture through its underground system of passages with ease.

A little rust lurks beneath the makeup, but it was worth doing to keep it in its current form for another couple of years.

🔍	Dworzec Centralny
📍	Al. Jerozolimskie 54

zanurz się w chaszcze

Kolejnym fenomenem Warszawy są połacie dzikich chaszczy w centrum miasta. Idealne dla miejskich odkrywców. Nie możemy się zdecydować, czy to dobrze, że je mamy, czy raczej powinniśmy się starać o rewitalizację takich terenów jak dawny kompleks sportowy Skra, tuż obok naszego największego miejskiego parku – Pola Mokotowskiego.

W latach 50. był jednym z najnowocześniejszych tego typu obiektów w Polsce. Stadion lekkoatletyczny z widownią na 35 tys. osób, zespół basenów, boiska do siatkówki, koszykówki, tor żużlowy, stadion treningowy, korty tenisowe dziś pochłania dzika przyroda. Jeszcze latem można tu pograć w paintball, zobaczyć rozgrywki rugby. Warszawiacy przychodzą poćwiczyć tai-chi czy kung-fu, pobiegać. Powstał tu skatepark pod dachem i klub Iskra.

Ale to ogromny teren, więcej można tu spotkać lisów, kun i wiewiórek, nie mówiąc już o bezdomnych, menelach i imprezujących w ruinach dzieciakach.

Artystka Anna Niesterowicz, która zrealizowała na Skrze swoją pracę wideo, wspomina: – Gdy zabrałam tu kuratorkę z Niemiec, była zachwycona, że mamy taką oazę wolności w środku miasta. Ja w ogóle tego nie widzę w ten sposób. Ja widzę tu śmierć – dobrej, modernistycznej powojennej architektury i idei sportu jako masowej, darmowej aktywności.

hide in the bushes

Another phenomenon in Warsaw are its wild thickets in the city center. Ideal for urban explorers, it's hard to decide whether it is a good thing that we have them, or whether we should be pushing for their revitalization. An example of a place like this is the former Skra sports complex, next to our largest urban park – Pole Mokotowskie.

In the 1950s, it was one of most modern of its kind in Poland. An athletic stadium with a 35,000 person capacity, a set of swimming pools, volleyball and basketball courts, a speedway, a training stadium and tennis courts. Today, all of this has been swallowed up by wildlife. During the summer, you can play paintball here or see a rugby game. People come here to practice tai-chi, kung fu and jog. Lately, an indoor skatepark was built here as well as the Iskra club.

Nonetheless the area is immense and dominated by foxes, squirrel and ferrets, not to mention the homeless, ordinary bums and teenagers that party in the ruins.

Artist Anna Niesterowicz, who shot one of her videos in this forgotten area, remarks, "When I took a curator from Germany here, she was thrilled that we have such an oasis of freedom in the middle of the city. I generally do not see it that way. I rather see it as the death of both, good, post-war modernist architecture and the concept of having sports as a mass, free activity."

🔍	Skra
📍	ul. Wawelska 5

SKRA
KEBAB
HALA SPORTOWA

postaw na konia

Możesz mówić, że to był fuks. Ale my wiemy swoje. Po uważnym przyjrzeniu się koniom przed gonitwą postawiliśmy pieniądze na tego, który nie tylko najgorzej się prezentował, ale i o mały włos nie fiknął kozła. Stawiając 6 zł, wygraliśmy 30 zł. Nigdy potem nie powtórzyliśmy tego kaskaderskiego finansowo wyczynu, ale Wyścigi zaczęliśmy odwiedzać już nie tylko przy okazji odbywających się tam koncertów (a grali tu m.in. The Rolling Stones, U2, Depeche Mode czy Daft Punk).

To jedno z najbardziej magicznych miejsc w Warszawie, wpisane do rejestru zabytków. Gdy tor wyścigów konnych powstał w 1939 r., na dwa miesiące przed wojną, był jednym z najnowocześniejszych obiektów tego typu w Europie. Dziś Wyścigi odżyły, znów są miejscem spotkań towarzyskich, tych na najwyższym szczeblu politycznym i showbiznesowym. Znów przyciągają graczy i obserwatorów, których za każdym razem, gdy bomba idzie w górę, przechodzą ciarki.

bet on a horse

You could say it's luck, but we have our ways... After checking the horse out top-to-bottom, we put money on the worst-looking one. We bet 6 zl and won 30. And while such luck hasn't befallen us since, we keep coming back to the races, but not only for races. Służewiec also hosts big concerts like The Rolling Stones, U2, Depeche Mode or Daft Punk.

It's one of the most magical places in Warsaw and is on the historical registry. When the horse races were opened in 1939, two months before the onset of WWII, it was one of the most modern places of it's kind in all of Europe. Today, the races are bouncing back and are not only a social activity but also a meeting spot for politicians or celebrities.

Q	Tor Służewiec
⚲	ul. Puławska 266
→	www.torsluzewiec.pl

pograj w gry

...ale takie oldskulowe, planszowe. Zresztą nie musimy cię pewnie na to namawiać, bo planszówki przeżywają ostatnio swój wielki renesans. Ich miłośnikami są również właściciele jednej z najlepszych knajpek w Warszawie – Solec 44. Aleksander Baron i Martin Wälli stworzyli tu wyjątkowe miejsce, w którym połączyli klimat restauracji i lokalnej świetlicy. Dobrze czują się tu zarówno młodzi, jak i seniorzy, w Solcu ogląda się mecze i wystawy, a menu zmienia się na tablicy codziennie. Warszawiacy chętnie organizują tu urodziny czy wesela, to również baza sąsiedzkiego festiwalu Powiślenia. Jeśli więc chcesz zwiedzić tę jedną z najciekawszych dzielnic Warszawy (w której znajdziesz między innymi Bibliotekę Uniwersytecką, Centrum Nauki „Kopernik", Muzeum Fryderyka Chopina i klubokawiarnie: Czuły Barbarzyńca, Warszawa Powiśle czy Kafka), warto zacząć swój spacer właśnie tutaj.

play some games

We have in mind the old school ones, like board games, if you remember them... Anyway, we probably don't have to convince you as board games are experiencing a cool little renaissance recently. It just so happens that the owners of one of the best spots in Warsaw – Solec 44 – also love board games. Alexander Baron and Martin Walli have created a unique vibe here. They combined a restaurant and social room atmosphere, forming a place where both young people and older people feel welcome. This is the place to watch football matches and see exhibits, plus the menu on the blackboard changes daily. Locals organize their birthdays and wedding here, it is also the central points for the neighborhood's festival called Powiślenia. So, if you want to explore this most interesting district, where you can find, places like the University of Warsaw Library, Copernicus Science Centre, Fryderyk Chopin Museum and café-clubs like Czuły Barbarzyńca, Warszawa Powiśle or Kafka, you should start your walk here.

🔍	Solec 44
⚲	ul. Solec 44
→	www.solec.waw.pl
→	www.powislenia.blogspot.com

zrób sobie wycieczkę za miasto

Koniecznie musisz się przejechać naszą podmiejską koleją, żeby zobaczyć budynki stacji kolei średnicowych zaprojektowane przez Arseniusza Romanowicza i Piotra Szymaniaka. Wsiądź na przykład na stacji Stadion – jednej z najpiękniejszych (znajdziesz ją w al. Zielenieckiej, na tyłach Stadionu Narodowego). Ta jest najstarsza, została otwarta 13 grudnia 1958 r. Pozostałe: Zawiszy (dziś Ochota), Śródmieście i Skarpa (dziś Powiśle), zaczęły działać jesienią 1963 r. Niedawno została gruntownie odnowiona, z okazji organizowanych przez Polskę wspólnie z Ukrainą mistrzostw Euro 2012.

Polecamy wycieczkę do malowniczego, choć niszczejącego, niestety, Otwocka, gdzie wciąż znaleźć można wiele przykładów tzw. świdermajerów, czyli pięknych drewnianych domów z przełomu XIX i XX w.

Swoją pracownię ma tu uznany artysta Mirosław Bałka, który wspólnie z fundacją Open Art Projects zaprasza światowej sławy artystów, tj. Larę Almarcegui, Charlotte Moth, Luca Tuymansa czy Tacitę Dean, by realizowali prace z uwzględnieniem lokalnego kontekstu.

Warto też zatrzymać się w Falenicy, gdzie podobnie jak w Otwocku sporo jest śladów żydowskiej kultury. A na kolejowej stacji działa jedyne w swoim rodzaju kino – Stacja Falenica. Siedzisz przy stoliku, zajadasz pyszne ciasto i oglądasz dobry film, słysząc szum pociągów w tle. Kawiarniane stoliki stoją również na peronie, możesz przy nich zaczekać na powrotny pociąg do Warszawy. Magiczne miejsce.

take a trip out of town

You definitely have to take a ride on our suburban trains to see the railway stations of Warsaw's cross-city line, designed by Arseniusz Romanowicz and Piotr Szymaniak. Get on a train over at the Stadium Station – its one of the most beautiful (you'll find it next to al. Zieleniecka, at the rear of the National Stadium). This is the oldest one, opened on 13 December 1958, the others: Zawisza (currently the Ochota Station), Downtown and Skarpa (now named Powiśle) began to operate in autumn 1963 and have been recently completely renovated for the occasion of the Euro 2012 which Poland co-hosted together with Ukraine.

We also recommend a trip out of town to the picturesque, though sadly disintegrating Otwock, where you can still find many examples of the 'Świdermajer's' – the beautiful wooden houses from the turn of the nineteenth and twentieth centuries.

Recognized artist Mirosław Bałka has his workshop here and, together with the Open Art Projects foundation, invites world-renowned artists such as Lara Almarcegui, Charlotte Moth, Luc Tuymans or Tacita Dean to work here on projects related to the local context.

It's also worth stopping over in Falenica, where, similarly to Otwock, there are a lot of traces of Jewish culture. Additionally the railway station hosts a unique cinema called Stacja Falenica, where you can sit at a table, have delicious cake, watch a good movie, while hearing the noise of trains passing by in the distance. There are also tables are out on the station's platform where you can wait for the train back to Warsaw. It's a special place.

→ www.otwockstudio.pl

→ www.stacjafalenica.pl

1. Stacja PKP Warszawa Powiśle
2. Stacja PKP Warszawa Stadion
3. Świdermajery w Otwocku

wytrop dobry street art

Jeśli chcesz dowiedzieć się czegoś o polskiej sztuce ulicznej i wyruszyć na wycieczkę po Warszawie śladami murali, szablonów, vlepek i tagów, udaj się najpierw do bazy – świetlicy V9 prowadzonej przez fundację Vlepvnet. Tam wszystkiego się dowiesz.

W 2013 r. Vlepvnet świętował swoje dziesięciolecie. Mają na koncie pierwszy w Polsce internetowy magazyn poświęcony sztuce ulicy, pierwszą dużą przekrojową wystawę artystów ulicznych („Laktacje Nieholenderskie", 2005), wydawany w formie PDF-a magazyn „Made in Street", telewizję streetartową i pierwszą na lokalnej scenie galerię sztuki ulicy (Viuro).

W V9 organizują warsztaty dla dzieci, spotkania i wystawy, pokazujące street art w szerszym kontekście współczesnej kultury.

be on the hunt for street art

If you want to learn about Polish street art and embark on a trip through Warsaw in the footsteps of murals, templates, stickers and tags, start off at Świetlica V9 (Lounge V9), which is run by the Vlepvnet Foundation. You'll get all the necessary information there.

In 2013, Vlepvnet celebrated its 10th anniversary. They created Poland's first online magazine dedicated to street art, the first major exhibition on street art and its creators (Laktacje Nieholenderskie, 2005), a virtual magazine called Made in Street, a street art TV channel and the local scene's first street art gallery (Viuro).

V9 organizes workshops for children, meetings and exhibitions, showing street art in the broader context of contemporary culture.

🔍	**V9**
📍	**ul. Hoża 9a**
→	**www.v9.bzzz.net**

1.

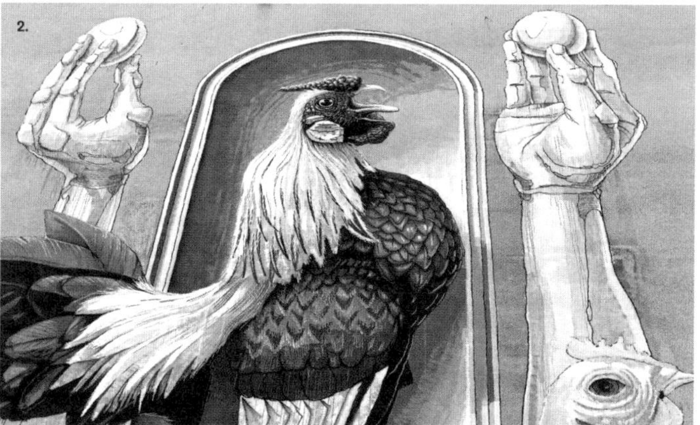

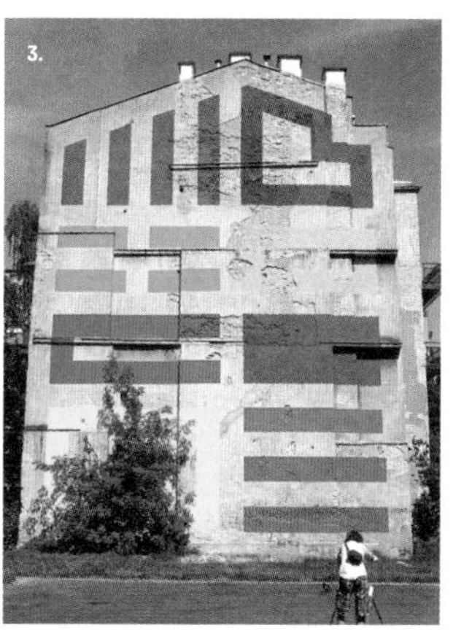

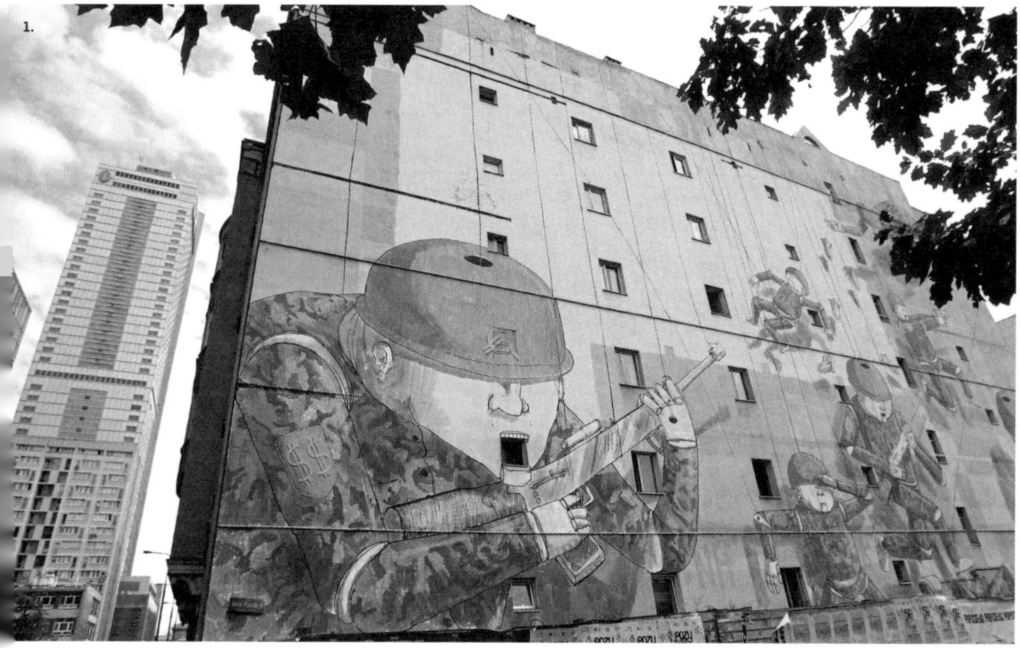

2.

3.

1. Blu, al. Jana Pawła II (między Sienną a Złotą)
2. Dome, ul. Racławicka 17
3. Eltono, ul. Złota 73

#ludziewarszawy
#thepeopleofwarsaw

joanna jurczak

Projektantka, rysowniczka, twórczyni animacji. Połowa duetu Czaszka (www.facebook.com/czaszka666), w zespole Test Prints.

Designer, illustrator, animator. Half of the Czaska duo (www.facebook.com/czaszka666), in the Test Prints team.

Bazar na Banacha to miejsce, które od zawsze jest dla mnie ważne i wyjątkowe. To instytucja, która skupia wiele osób i działalności: kwiaty sprzedawane 24 h, restauracja wietnamska naprzeciwko bazaru, kilka stoisk z używanymi ubraniami, zawsze miła pani sprzedająca książki, równie miła pani sprzedająca langosza, w zimie sprzedawcy choinek, kilku panów, którzy grają w warcaby, a w międzyczasie handlują starzyzną, zegarmistrz, który narzeka na tandetę zegarków i reperuje je z wielkim smutkiem. Bazar jest teraz w przebudowie, ale cały czas normalnie funkcjonuje.

The Banacha Bazaar is a really important and exceptional place for me. It's an institution which brings together so many people and activities: flowers sold 24/7, the Vietnamese place across from the bazaar, several stalls with used clothes, the really nice lady selling books, the Christmas tree sellers in the winter, the few older men playing checkers together and selling rubbish, the clockmaker who complains about junk watches and repairs them with great sadness. The bazaar is under construction but it is still always open.

→ www.joannajurczak.com

LANGOSZ
UBRANIA
KSIĄŻKI
HALA
Banacha
Van Binh
RESTAURACJA WIETNAMSKA

całuj się na ławce

W 2004 r. Fundacja Nowej Kultury „Bęc Zmiana" postawiła w parku Świętokrzyskim fikuśny miejski mebel – ławkę z pętelką, przez którą można rozmawiać, można się też całować. Zaprojektowali ją Przemek Kaczkowski i Jacek Piotrowski. Ławka stoi tam do dziś.

Bogna Świątkowska, szefowa Bęc Zmiany, wspomina: – Te dziesięć lat temu nie wiedziałam jeszcze, w jakim kierunku rozwinie się nasza fundacja. Nie zdawałam też sobie do końca sprawy, jaką siłę można budować, używając języka kultury. Po raz pierwszy zrozumiałam to, gdy postawiliśmy w zaniedbanym parku Świętokrzyskim przy Pałacu Kultury ławkę pętelkę. Zobaczyłam wtedy, że to działa. Że wprowadzenie drobnej zmiany, takie jednostkowe zdarzenia, które wydają się błahe, mogą rzeczywiście poruszać wyobraźnię ludzi. Dzięki temu dostrzegają różnicę między tym, w jakich okolicznościach mieszkają, a w jakich mogliby mieszkać. Coś ważnego wydarzyło się w Warszawie w ciągu tych ostatnich dziesięciu lat. Bardzo rozwinęło się myślenie o mieście jako o przestrzeni życiowej, w której nie tylko pracujemy czy mieszkamy, lecz także spędzamy czas i mamy prawo ją kształtować w taki sposób, żeby odpowiadała naszym potrzebom.

kiss on a bench

The Bęc Zmiana Foundation for New Culture installed a large piece of urban furnishings – a looped bench – in Świętokrzyski Park in 2004 on which you can sit, chat and kiss. It was designed by Przemek Kaczkowski and Jacek Piotrkowski.

Bogna Świątkowska, head of Bęz Zmiana, recalls, "Ten years ago, I still didn't know which direction our foundation would develop in. I wasn't all that aware how much strength there is in the language of culture. For the first time, I came to understand that when we put the looped bench into the neglected Świętokrzyski Park by the Palace of Culture. I then saw that it works. That little changes, little one-time happenings that seem banal can actually move people's imaginations. Thanks to that, they see the difference between where they do live and where they could live. Something important has happened in Warsaw in the past ten years. There has been a huge development in how one thinks of the city as a living space where we not only work and live, but also spend our time and have the right to shape it to best fit our needs."

Q	**park Świętokrzyski**
⚲	**obok Pałacu Kultury**

czytaj

Gdy statystyki czytelnictwa w Polsce coraz bardziej przyprawiają o strach, gdy lektura staje się zajęciem niszowym, są ludzie z pozytywistycznym zapałem i romantyczną wiarą w świat książek. W 2013 r. odbyła się pierwsza edycja Big Book Festivalu: kilka dni imprez, wykładów w różnych miejscach miasta, klubokawiarniach, prywatnych mieszkaniach, księgarniach, muzeach. Podczas spotkania w kawiarni w hotelu Bristol wspominano „literackie i artystyczne historie zaklęte w hotelowych wnętrzach". Na Dworcu Centralnym odbył się maraton czytania prozy Sławomira Mrożka, w którym udział wzięły m.in. aktorki Magdalena Cielecka i Iza Kuna.

Stworzony przez dwie zagorzałe czytelniczki Annę Król i Paulinę Wilk festiwal zakończył się sukcesem frekwencyjnym i artystycznym. Mimo że w ten sam czerwcowy weekend odbywały się w Ogrodzie Saskim Imieniny Jana Kochanowskiego – salon i kiermasz literacki pod gołym niebem z poważną reprezentacją wydawnictw, które przygotowały tymczasowe stoiska.

read

If statistics on reading in Poland are showing that it's becoming an increasingly niche activity, there are people who are inspiring the romantic return of books. The very first edition of the Big Book Festival was held in 2013, made up of several days of parties and lectures around the city, in cafés, private apartments, bookstores and museums. A meeting at the Bristol Hotel's café recalled the "charmed literary and artistic history of the hotel's interiors." There was a Sławomir Mrożek prose reading marathon at the Central Station in which actors Magdalena Cielecka and Iza Kuna, among others, took aprt.

Started by two long-time readers, Anna Król and Paulina Wilk, the festival was both an artistic and popular success. It was also on the same June weekend as the Jan Kochanowski Name Day part in Ogród Saski (Saxony Gardens) with a literary salon and open air book fair with a great representation of publishing houses in temporary stalls.

🔍	Big Book Festival
→	www.bigbookfestival.pl

🔍	Imieniny Jana Kochanowskiego
→	www.bn.org.pl

zaangażuj się

Mamy w Warszawie takie miejsca, które są czymś znacznie więcej niż zwykłymi klubokawiarniami. Nazywamy je umownie kawiarniami zaangażowanymi. Odbywają się tam debaty o mieście, urbanistyczne warsztaty, spotkania z politykami, socjologami, ludźmi kultury. W zasadzie niemal codziennie trafisz tam na jakieś wydarzenie.

Jeśli więc chcesz poczuć, co w warszawskiej trawie piszczy, a przy tym dobrze zjeść i napić się dobrej kawy, to polecamy: Państwomiasto (ul. Andersa 29), barStudio (Teatr Studio, Pałac Kultury i Nauki), Chłodną 25, Stację Muranów (ul. Andersa 13) i Klubokawiarnię Kicia Kocia (ul. Garibaldiego 5a).

get involved

We have places in Warsaw which are much more than mere club-café's. We tend to call them kawiarnie zaangażowane or 'engaging cafés'. They hold debates concerning the city, urban workshops, meetings with politicians, sociologists, people involved in culture and more. In a sense, you're bound to walk in on an event any day of the week.

So if you want to get a feel of where things are going in Warsaw and at the same time eat well and enjoy a good coffee, we recommend: Państwomiasto (ul. Gen. Andersa 29), barStudio (Studio Theatre, Palace of Culture and Science), Chłodna 25, Stacja Muranów (ul. Gen. Andersa 13) and Kicia Kocia (ul. Garibaldiego 5a).

Państwomiasto

Q	Państwomiasto
⚲	ul. Andersa 29
→	www.panstwomiasto.pl

→	www.stacjamuranow.art.pl

śledź powstawanie muzeum warszawy

Na Rynku Starego Miasta prawdziwa rewolucja. Wreszcie i warszawiacy będą tam mieli po co chodzić. Całą pierzeję rynku zajmowało tu Muzeum Historyczne Miasta Stołecznego Warszawy, do którego pies z kulawą nogą nie zaglądał. Na szczęście spod warstw kurzu postanowiła je wydobyć nowa dyrekcja tej instytucji, która zmieniła już nazwę na Muzeum Warszawy. Trwa tam właśnie generalny remont, który ze zrozumiałych względów jeszcze trochę potrwa. Ale nowe muzeum już prowadzi działalność, uświadamiając nam, jak bogate ma zbiory dotyczące historii Warszawy.

Warto zajrzeć do satelitarnych miejsc Muzeum Warszawy. W Centrum Interpretacji Zabytku, które mieści się w staromiejskich piwnicach przy ul. Brzozowej 11/13, znajdziesz wystawę o odbudowie Starówki, która trafiła na Listę Światowego Dziedzictwa UNESCO.

A w Muzeum Woli (ul. Srebrna 12) – ciekawe wystawy oraz warsztatową przestrzeń – MiastoKlocki – w której dzieci mogą budować miasto z ekologicznych klocków w kształcie budynków. W obu miejscach są też księgarnie z nowoczesnymi wydawnictwami Muzeum Warszawy – książkami i pamiątkami.

check out the museum of warsaw

The square of the Old Town is undergoing a real revolution. Finally, Varsovians will have a reason to go there. An entire side of the market square is occupied by the Historical Museum of the Capital City of Warsaw – usually the last place you would want to visit. Fortunately, the new management of this long forgotten institution decided to dig it out from underneath layers of dust and will soon change its name to the simpler Museum of Warsaw. Currently, it is undergoing major renovation, which, for obvious reasons, will take a while. Nonetheless the new museum is already active, making us realize how rich its collections on the history of Warsaw are.

You should definitely check out the satellite locations of the Museum of Warsaw. The Centrum Interpretacji Zabytku (the Interpretation Center of Historical Monuments), located in the basement of the Old Town's ul. Brzozowa 11/13, houses an exhibition on the restoration of the Old Town, which was accepted to the UNESCO heritage list.

Over at the Wola Museum (ul. Srebrna 12), there is an interesting exhibition and workshop area called MiastoKlocki in which children can build a city with organic blocks shaped like buildings. Both places have bookstores, with the Museum of Warsaw's current publications, books and souvenirs.

→ www.mhw.pl

posłuchaj bajki o dawnej bożnicy

Ten kwartał na Pradze-Północ ma bardzo ciekawą historię.

Okazały budynek przy Jagiellońskiej 28 wzniesiono z myślą o dzieciach. Ukończony w 1914 r., jak głosi zachowana tablica, mieścił przytułek i ochronkę, ale też szkołę dla 800 uczniów wyznania mojżeszowego. Fundatorem gmachu był zamożny kupiec i filantrop Michał Bergson, potomek słynnego Szmula Zbytkowera, właściciela gruntów na Pradze. Budynek zaprojektowali Henryk Stifelman i Stanisław Weiss. Ubrali go w kostium nawiązujący do architektury polskiego renesansu i zdobień dawnych synagog. W budynku istniała również bożnica. Dziś mieści się tu dziecięcy Teatr Baj.

Obok, na rogu Jagiellońskiej i Kłopotowskiego, stał jeden z symboli dawnej Pragi – okrągła synagoga z około 1840 r., najstarszy znany żydowski dom modlitwy w Warszawie. O jej zaprojektowanie społeczność starozakonna zwróciła się do wziętego architekta Józefa Lessela. Podczas ostatniej wojny budynek został tylko zdewastowany. W 1961 r. zburzono go na polecenie ówczesnych władz. Z gruzów usypano górkę saneczkową, a wokół urządzono plac zabaw dla dzieci.

listen to tales of a former synagogue

This part of Praga-Północ has a very interesting story. The building at ul. Jagiellońska 28 was built with kids in mind. Finished in 1914, according to a old plaque on the building, it provided shelter and was a nursery and school for 800 Jewish children. The building's founder was the Jewish merchant and philanthropist Michał Bergson, descendant of the well-known Shmuel Zbytkower, a large land owner in Praga. The building was designed by Henryk Stifelman and Stanisław Weiss and it was ornamented in architectural elements of the Polish renaissance and pieces of an old synagogue. The building also housed a temple. Currently, it's home to the children's theater Baj.

There used to be, next door, on the corner of Jagiellońska and Kłopotowskiego, one of the formers symbols of Praga, the round synagogue from around 1840, the oldest known Jewish temple in Warsaw. The building was devastated during the war, but fully demolished in 1961 at the decree of the authorities. A small sledding hill and playground were built out of it's remains.

ul. Jagiellońska 28

zjedz tatara w lotosie

Są jeszcze w Warszawie lokale, w których zachował się klimat Warszawy – jak by to ująć – czasów powojennych, komunistycznych. Oczywiście z polityką i systemem nie ma to nic wspólnego, bo czy w komunie, czy w kapitalizmie, Polak tak samo lubi dobrze zjeść, wypić i potańczyć.

Chodzi o to, że tam czas się zatrzymał. Dzięki temu wódeczka jest tania i podawane są do niej najlepsze śledziki. A wieczorami można sobie potańczyć na oldskulowym dansingu. Polecamy taką podróż w czasie w lokalach Mozaika (z przepięknym mozaikowym neonem) i Lotos. Na prawdziwych twardzieli czeka tam klasyczny tatar – surowe mięso wołowe z kiszonym ogórkiem, cebulką i jajkiem. Na zdrowie!

eat steak tartare in lotos

There are still places in Warsaw which have preserved a certain vibe and are most often associated with the post-war or communist period. We don't mean the political affiliation of the places, but a rather more down-to-earth fact that no matter whether it's communism or capitalism, Poles just like a proper meal, a good drink and an occasional dance.

We guess the point is that these places have stopped in time. Thanks to this, our beloved vodka is cheap and served with the best herring and, in the evenings, you can enjoy the most lovely old school dances. We recommend a trip back in time at: Mozaika (with a beautiful mosaic neon) and Lotos. Tough guys who want the full on experience are welcome to have the classic steak tartare - raw beef with pickles, onions and egg. Enjoy!

	Mozaika
	ul. Puławska 53
→	www.restauracjamozaika.pl

	Lotos
	ul. Belwederska 2
→	www.restauracjalotos.pl

zobacz, co w polskiej sztuce

Sasnal, Sosnowska, Althamer, Żmijewski, Libera, Bujnowski, Kuśmirowski, Grzeszykowska i Smaga, Ołowska – to nazwiska dobrze znane miłośnikom sztuki współczesnej i kolekcjonerom na całym świecie. Zainteresowanie polską sztuką za granicą nie maleje. A to zasługa instytucji, które zajmują się jej promocją. Wśród nich prym wiodą ulokowane w Warszawie Fundacja Galerii Foksal, Raster i Muzeum Sztuki Nowoczesnej.

Dlatego na dobre wystawy oraz po wiedzę i publikacje o polskiej sztuce współczesnej ruszaj koniecznie do siedziby FGF w modernistycznym pawilonie na tyłach Nowego Światu (z pięknym widokiem na Pałac Kultury), na Wspólną lub na Pańską.

Jeśli chcesz zapoznać się z dorobkiem i ofertą najlepszych warszawskich galerii, weź też udział w cyklicznej imprezie Warsaw Gallery Weekend.

see what's with polish art

Sasnal, Sosnowska, Althamer, Żmijewski, Libera, Bujnowski, Kuśmirowski, Grzeszykowska and Smaga, Ołowska – these are familiar names to lovers of modern art and collectors around the world.

Interest in Polish art is not diminishing, and that is thanks to institutions that work to promote it. Some such institutions are located in Warsaw, like the Foksal Gallery Foundation, Raster and Museum of Modern Art. So, for a good exhibition or to learn about or buy books about Polish art, check out the FGF headquarters in the modernist pavilions behind ul. Nowy Świat (with a lovely view of the Palace of Culture), on ul. Wspólna or on ul. Pańska.

If you want to see the best that Warsaw's galleries have to offer, make sure to attend the annual Warsaw Gallery Weekend.

Muzeum Sztuki Nowoczesnej
ul. Pańska 3
www.artmuseum.waw.pl

www.warsawgalleryweekend.pl

Raster
ul. Wspólna 63
www.raster.art.pl

Fundacja Galerii Foksal
ul. Górskiego 1a
www.fgf.com.pl

Właściciele galerii biorących udział w Warsaw Gallery Weekendzie
Gallery owners taking part in Warsaw Gallery Weekend

Fundacja Galerii Foksal

Wystawa Oskara Dawickiego w galerii Raster Oskar Dawicki exhibition in Raster Gallery

nabierz ochoty

Ochota to jedna z elegantszych dzielnic Warszawy, gdzie zachowało się jeszcze sporo przedwojennej architektury. W słoneczny dzień koniecznie musisz się powłóczyć po Kolonii Lubeckiego i Kolonii Staszica z pięknymi domami z początku XX w. Jak je znaleźć?

Polecamy zwiedzanie dzielnicy zacząć jak zwykle od lokalnych klubokawiarni, bo to prawdziwe centra kulturalne, w których śmiało możesz zapytać o drogę. Wysiądź więc z tramwaju na pl. Narutowicza (tu zerknij na piękną neonową Syrenkę Biblioteki Publicznej) i skieruj się ulicami Filtrową i Asnyka do kawiarenki Filtry (warszawiacy bardzo sobie chwalą tutejszą kawę). Idąc dalej ul. Filtrową, zerknij koniecznie w lewo na panoramę miasta rozciągającą się za obszernym, prawie niezabudowanym terenem Filtrów Warszawskich (zaprojektowanych pod koniec XIX w. przez brytyjskiego inżyniera Williama Lindleya).

A jeśli będziesz w Warszawie wiosną, to zajrzyj koniecznie na lokalne święto – piknik, organizowany przez stowarzyszenie Ochocianie w parku Wielkopolski. Spotkania z najciekawszymi lokalsami i szalone tańce gwarantowane.

get into ochota

Ochota (literally translated into english as 'desire') is one of Warsaw's most elegant districts in which lots of pre-war architecture has been preserved. You should take advantage of a sunny day to wander around the Kolonia Lubecka or Kolonia Staszica with their beautiful homes from the beginning of the 20th century. But, how does one find them?

We encourage you to visit the district as usual, starting at the local café as it is a real cultural center where you can ask questions about where to go without a problem. Get off the tram at pl. Narutowicza (check out the Public Library's beautiful mermaid neon) and head down ul. Filtrowa and Asynka to the Filtry café (Varsovians rave about the coffee here). Going further down ul. Filtrowa, take a look to the left at the city's panorama that stretches over the vast, nearly un-developed terrain of the Warsaw Water Filters, designed at the end of the 19th century by the British engineer William Lindley. And if you're in Warsaw in the spring, check out the local district party, a picnic organized by the Ochociania Association in the Wielkopolski park. You're guaranteed to run into the most interesting local residents and possibly dance like crazy.

Q	Filtry
⚲	ul. Niemcewicza 3
→	www.filtrycafé.pl

→ www.ochocianie.blox.pl

zjedz sushi w palmiarni

Izumi Sushi ma swoich wiernych fanów, zwłaszcza serwowane tu słynne już maki z pieczoną skórką łososia. Dlatego właśnie ta restauracja z głównym lokalem na pl. Zbawiciela zdobyła tytuł Knajpy Roku przyznawany przez „Gazetę Co Jest Grane". Idąc za ciosem, Izumi otworzyło filię w niezwykle oryginalnym miejscu – starej palmiarni w sąsiedztwie Pola Mokotowskiego. To część nowego osiedla zaprojektowanego przez pracownię JEMS Architekci. Dlatego sushi zajadasz tu w otoczeniu ogromnych egzotycznych drzew i nowoczesnej architektury. Bardzo oryginalna i smaczna mieszanka.

eat sushi in a jungle

Izumi Sushi has it's loyal fans who really love the maki with baked salmon skin. That's just one of the reasons that the restaurant's original location on pl. Zbawiciela won *Gazeta Co Jest Grane*'s Eatery of the Year. Along those lines, Izumi opened up another location in a really original place – in an old Palm House near Pole Mokotowski. It's part of a new development designed by the JEMS Architects. You will be able to eat sushi surrounded by exotic trees and modern architecture, making for a tasty, original mix.

Q	**Izumi Sushi**
⚲	**ul. Biały Kamień 4**
→	**www.izumisushi.eu**

pobaw się z dzieckiem

have fun with your kid

Z dzieckiem nie chodzi się dziś na plac zabaw, chodzi się do klubokawiarni. My jesteśmy starej daty, ciągnie nas bardziej na trzepak niż na latte. Ale na szczęście są w Warszawie miejsca, które łączą i jedno, i drugie, dając się dzieciom wyszaleć, a rodzicom spotkać i pogadać.

Idealna jest Kalimba na Żoliborzu – sklep z autorskimi zabawkami połączony z kawiarenką Kofifi, placem zabaw i sąsiednim parkiem (ul. Mierosławskiego 19). Więcej miejsca wewnątrz na dziecięce imprezy, ale też duże podwórko ma Kolonia na Ochocie (róg Łęczyńskiej i bł. Ładysława z Gielniowa). Od razu widać, że to dzielnice sprzyjające życiu rodzinnemu.

Bez podwórek i trzepaków, za to z dobrym gustem i ciekawymi zajęciami dla maluchów, są też: Figa z Makiem na Saskiej Kępie (ul. Walecznych 64) i Pompon na Woli (ul. Młynarska 13).

No ale niezawodne, dla dzieci w różnym wieku, jest Centrum Nauki „Kopernik" (Wybrzeże Kościuszkowskie 20). Wycieczka rowerem nad Wisłą do Kopernika, zwiedzanie i zabawa na wystawie oraz seans w planetarium to chyba najlepsze, co możemy polecić.

In this day and age, you don't really take kids to a playground, you just bring them along to a café. To tell you the truth, we are a still a bit old school when it come to this, in this sense that the 'hood seems a bit closer to the heart than a latte. Fortunately, there are places in Warsaw which combine both, giving kids a place to run around in and their parents a place to meet and talk.

An ideal example is Kalimba in Żoliborz – a toy shop with is own products, combined with the small Kofifi café, a playground and an adjacent park (ul. Mierosławskiego 19).

The Kolonia café, located in the Ochota district (corner of ul. Łęczyńska and ul. Bł. Ładysława z Gielniowa) and it has more indoor space for kids and a bigger backyard. Even at first glance, it's clear that both neighborhoods foster a family-oriented lifestyle.

Maybe less authentic, but also with interesting activities for children and good style are: Figa z Makiem in Saska Kępa (ul. Walecznych 64) and Pompon in Wola (ul. Młynarska 13).

Of course, the most obvious option for children of all ages is the Copernicus Science Centre (Wybrzeże Kościuszkowskie 20). A bike trip along the Vistula River to the Copernicus Center, followed by the fun and games at its exhibitions and then a show at the planetarium is probably the best activity we can recommend for families in Warsaw.

→	www.kalimba.pl
→	www.kolonia-ochota.pl
→	www.figazmakiem.edu.pl
→	www.pomponart.pl
→	www.kopernik.org.pl

1. Pompon
2. Grafika Dawida Ryskiego Dawid Ryski design
3. MiastoKlocki w Muzeum Woli

#ludziewarszawy
#thepeopleofwarsaw

beata konarska

Malarka. Wspólnie z Pawłem Konarskim tworzy kolektyw Konarska-Konarski (są autorami m.in. instalacji „Pegazy" na pl. Krasińskich) i prowadzi concept store Pies czy Suka. Praca obok pochodzi z projektu „Wystawa malarstwa".

Painter. Has the Konarska-Konarski collective with Paweł Konarski (they created the Pegasus installation on pl. Krasiński) and they run the Pies czy Suka concept store. Next page: work from the Wystawa malarstwa project.

Przyjezdnym polecam przejść się nad Wisłą mostem Poniatowskiego – ma swój niepowtarzalny klimat, jest stosunkowo krótki i łączy miasto w samym centrum.

Idąc, czuje się moc rzeki, można obserwować jej nieokiełznany bieg lub przejeżdżające pociągi na moście średnicowym. Jak się ma szczęście, to można zobaczyć pociąg cały pomalowany przez streetartowców. Również nocą widok ten robi wrażenie, w szczególności, kiedy pociągi jadą z przeciwległych stron i mijając się, przecinają czerń Wisły.

Zimą można obserwować kry płynące po rzece, które przy ostrym mrozie tworzą kosmiczne wzory.

I recommend visitors walk across the Vistula River on Poniatowski Bridge – it's got a special atmosphere and is rather short and connects to the city right in the center.

Walking there, you can feel the strength of the river and you can see the rampant shores and trains trundling by on the Średnicowy Bridge. If you're lucky, you'll see a train painted over by street artists. The view at night is also impressive, especially when two trains coming from opposite directions pass each other over the darkness of the Vistula.

In the winter, you can see ice floes floating down the river, creating amazing patterns when it's really frozen.

→ www.facebook.com/konarska.konarski.art

odkryj żydowską warszawę

discover jewish warsaw

Synagogi, teatry, gazety, własny Pen Club, do którego należał m.in. Isaac Bashevis Singer, a nawet klub piłkarski Maccabi Warszawa. Przedwojenną Warszawę zamieszkiwało około 350 tys. Żydów (co stanowiło około 30 proc. wszystkich mieszkańców). Po wojnie zostało ich niecałe 20 tys. Wielu zmuszonych zostało też do emigracji w 1968 r. Dziś po przedwojennej kulturze warszawskich Żydów zostały zaledwie tropy. Ale na szczęście rozwija się coraz prężniej młoda żydowska kultura. No i mamy nowe Muzeum Historii Żydów Polskich.

Możesz więc ruszyć śladami pamięci, którymi spacerują po Warszawie wycieczki młodzieży z Izraela: zobaczyć pomnik Bohaterów Getta na ul. Zamenhofa, Umschlagplatz na rogu Stawek i Dzikiej, kopiec Anielewicza, ul. Próżną. Możesz prześledzić granice wojennego getta (w ponad 20 punktach Śródmieścia i Woli zaznaczono przebieg linii muru).

Synagogues, theaters, newspapers, it's own PEN Club which belonged to, among other, Isaac Bashevis Singer, and even the Maccabi Warszawa football club. Pre-war Warsaw was home to over 350,000 Jews (which made up about 30 percent of the population). After WWII, there were only about 20,000 left and most were forced to emigrate in 1968. There are very few traces of Warsaw's pre-war Jewish culture left. But, there is a developing trend for Jewish culture in Poland. Plus, we have the newly opened Museum of the History of Polish Jews.

You can take a memorial walk around Warsaw as do the many trips of kids from Israel to see the Heroes of the Ghetto monument on ul. Zamenhofa, the Uschlagplatz on the corner of Stawki and Dzika and the Anielewicz bunker or ul. Prózna. You can trace the walls of the wartime ghetto (there are 20 points in the Śródmieście and Wola districts that mark where the wall once stood).

ZWIEDŹ SYNAGOGĘ

Przed II wojną światową istniało w Warszawie blisko 400 żydowskich domów modlitwy, najbardziej znane to te na Pradze i na Tłomackiem. Synagoga Nożyków była jedną z pięciu największych. Jako jedyna ocalała i pełni wciąż swoje religijne funkcje. Zbudowana w latach 1898-1902 przez Zalmana i Rywkę Nożyków. Neoromański zabytek cudem przetrwał wojnę. Synagogę otwarto po renowacji w 1951 r., ale 17 lat później znów ją zamknięto. Poważny remont budynku udało się przeprowadzić w latach 1977-1983. Od tamtej pory odbywają się tu nabożeństwa i imprezy przybliżające kulturę żydowską.

VISIT A SYNAGOGUE

There were nearly 400 places of worship in Warsaw before World War II, the most known of which were in Praga and ul. Tłomackie. The Nożyków Synagogue was one of the five largest and the only one to survive and still fulfills it's religious purpose. Built in 1898-1902 by Zalman and Rywka Nożyk. By some miracle, the neo-roman structure survived the war. It was reopened after renovation in 1951, but closed again 17 years later. A serious renovation was carried out in 1977-1983 and it has since been the site of religious ceremony, exhibitions, concerts and events to do with Jewish culture.

ZJEDZ KOSZERNIE W TEL AWIWIE

Tu koszerne jedzenie posiada certyfikat naczelnego rabina Polski. Kawiarnię otworzyła Malka Kafka, współautorka książki „Przysmaki żydowskie". W karcie można znaleźć m.in. humus, pasztidę, czyli izraelski omlet z warzywami, czy babaganusz, czyli pastę z bakłażana serwowaną z pieczywem. To prawdziwie kosmopolityczne miejsce, które przyciąga gości z rozmaitych kręgów kulturowych.

EAT KOSHER IN TEL AVIV

Food here has received a kosher certificate of authenticity from the chief Polish rabbi. The café was opened by Malka Kafka, co-author of the book Jewish Tastes. You will find hummus, pashtida – an Israeli vegetable omlette, and babaganoush, an eggplant dip serves with bread, on the menu. It's a really cosmopolitan place that brings together people of all cultural backgrounds.

Q	Tel-Aviv Café i Deli
⚲	ul. Poznańska 11
→	www.tel-aviv.pl

Q	synagoga Nożyków
⚲	ul. Twarda 6
→	warszawa.jewish.org.pl

ZOBACZ GROBY CADYKÓW

Groby rabinów i cadyków, wielkich przemysłowców i polityków, ludzi kultury i nauki, słowem – ślad po Warszawie, której już nie ma, znajdziesz na dwóch największych żydowskich nekropoliach na Woli i na Bródnie.

Cmentarz przy ul. Okopowej jest jednym z największych w Warszawie, ma powierzchnię około 33,5 ha. Powstał 200 lat temu, wtedy jeszcze poza granicami Warszawy. Podczas II wojny światowej znalazł się w obrębie getta. Tu zwożono zmarłych tam Żydów i grzebano w masowym grobie (dziś upamiętnia to ustawiony w tym miejscu kamienny krąg według projektu Hanny Szmalenberg i Władysława Klamerusa). Cmentarz cudem uniknął zniszczeń. Dopiero po wojnie zarósł drzewami i krzakami, a bandy złodziei zdewastowały wiele pomników, które dziś są sukcesywnie odnawiane. Najpiękniejsze zabytkowe nagrobki znajdziesz przy głównej alei i w kwaterze XX. Spoczywają tu m.in. Ludwik Zamenhof, lekarz, twórca języka esperanto; Julian Stryjkowski, pisarz, autor m.in. „Austerii" czy „Głosów w ciemności"; Solomon Zejnwił Rapoport (Szymon Anski), pisarz, dramaturg i publicysta, znawca folkloru, autor jednego z najpopularniejszych dzieł w jidysz, czyli „Dybuka".

Ciekawostką są nieczęsto spotykane, zakazane wręcz w judaizmie nagrobki przedstawiające postacie ludzkie.

SEE THE TZADDIKIM'S GRAVES

The tombs of the tzaddikim and rabbis, great industrialists and politicians, cultural figures and scientists – in other words, traces of a Warsaw which no longer exists – can be found at two of the largest Jewish cemeteries in Wola and Bródno. The cemetery by ul. Okopowa is one of the largest in Warsaw, measuring about 33.5 hectares. It was created over 200 years ago, then outside the Warsaw city limits. During WWII, it was within the ghetto walls. Jews that died in the ghetto were taken there and buried in mass graves (which are commemorated today by a large round stone monument designed by Hanna Szmalenberg and Władysław Klamerus). The cemetery somehow survived and was not destroyed. It was overgrown with trees and bushes after the war and bands of thieves destroyed many of the tombstones and graves which are today being successively renovated. The prettiest graves can be found by the main alley and in the XX quarter. Among those buried here are: Ludwik Zamenhof, a doctor and creator of Esperanto; Ester Rachel Kamińska, an actress and founder of Warsaw's Jewish Theater; Julian Stryjkowski, writer and author of, among other books, Austeria and Voices in the Dark; Salomon Zeinwel Rapaport (Szymon Anski), writer, playwright and publicist, scholar of folklore and author of some of the most popular Yiddish tales, including Dybbuk. This is not very well-known as Judaism forbids depicting human form on gravestones.

🔍	cmentarz Żydowski
📍	ul. Okopowa 49/51
→	www.kirkuty.xip.pl

Muzeum Historii Żydów Polskich

←
Tędy przebiegał w czasie II wojny światowej mur getta
Where the ghetto wall was during WWII

Q	Muzeum Historii Żydów Polskich
⚲	ul. Anielewicza 6
→	www.jewishmuseum.org.pl

ZWIEDŹ NOWE MUZEUM

To jeden z najciekawszych nowych budynków w Warszawie, którego autorami są fińscy architekci – Rainer Mahlamäki i Ilmari Lahdelma. Prosta pudełkowata bryła gmachu z betonu i szkła przecięta jest w środku holem w formie szczeliny ze ścianami, które falują niczym wody Morza Czerwonego rozstępujące się przed Żydami uciekającymi z Egiptu do Ziemi Obiecanej. Ekspozycja nie jest jeszcze gotowa, ale muzeum już działa. Można zwiedzać budynek (to wyjątkowa okazja, by podziwiać samą architekturę), odbywają się tam wystawy czasowe, koncerty, spotkania, warsztaty dla dzieci.

Muzeum chce być nowoczesnym, multimedialnym centrum edukacji i kultury. Poznamy tam dzieje narodu żydowskiego i jego kulturę tworzoną na ziemiach polskich przez blisko tysiąc lat. Otwarcie stałej ekspozycji planowane jest na jesień 2014 r.

SEE A NEW MUSEUM

This is one of the most interesting new buildings in Warsaw, designed by Finnish architects Rainer Mahlamaki and Ilmari Lahdelma. The simple, boxy building made from concrete and glass is veritably cut in half by a hole with wavy walls meant to resemble the parting of the Red Sea during the Jewish exodus from Egypt to the Promised Land. The permanent exhibition is not yet ready, but the museum is open. You can visit the building (it's a good time to check out the architecture) or go to a temporary exhibition, concert, play or workshop for kids.

The museum wants to be a modern multimedia center for education and culture. We will be able to learn about the Jewish nation and culture fostered for nearly a thousand years on Polish land. The permanent exhibition is set to open in the fall of 2014.

zabaw się na zbawicielu

Prawdopodobnie najgorętsze, nie zawsze w dobrym tego słowa znaczeniu, miejsce w Warszawie. Plac był bohaterem głośnego filmu Krzysztofa Krauzego, tu ekipa jednej z telewizji poszukiwała mitycznych już prawie hipsterów, tu działa jeden z najlepszych klubów w mieście, czyli Plan B, a w Charlotte wygrzewają się w słońcu celebryci i pretendenci do bycia kimś w miarę rozpoznawalnym.

Niedawno przeniósł się tu Klub Komediowy z programem bogatym w stand-up i burleskę, od lat działa kawiarnia Karma, z pierwszą w Warszawie kawą wypalaną na miejscu. Tu również można zjeść jedno z najlepszych sushi w mieście w restauracji Izumi Sushi, zajrzeć za róg do Teatru Współczesnego na ul. Mokotowskiej 13 czy wypić pyszną kawę w Ministerstwie Kawy (ul. Marszałkowska 27/35).

Tu w końcu co jakiś czas płonie i odradza się Tęcza, instalacja artystyczna Julity Wójcik, symbol tolerancji i otwartości, wyzwalająca potężne pokłady skrajnych emocji, których już nigdy nie da się okiełznać.

Na malowniczym pl. Zbawiciela czas płynie inaczej. Tu popołudnia bywają bardzo leniwe, a noce płynnie i niekiedy zaskakująco przechodzą w poranki.

hang out at zbawiciela

This is the hottest – though not always in the best sense of the terms – place in Warsaw. The square was the star of the renowned, eponymous Krzysztof Krauze film, more than one television team has tried to define a true 'hipster' here and it is home to one of the best clubs in Warsaw (Plan B) and to Charlotte, where celebs and wannabes soak up the sun and limelight.

Recently, Klub Komediowy, with it's stand up comedy and burlesque shows, moved on the square. Karma, the first coffee house in Warsaw that roasts it's own beans, has been located here for years. Izumi Sushi on pl. Zbawiciela has the city's best sushi. And around the corner is the Teatr Współczesny (Contemporary Theater) at ul. Mokotowska 13 and there's another good coffee place just nearby – Ministerstwo Kawy – on ul. Marszałkowska 27/35.

Once in a while, the Tęcza (Rainbow) is burned down and rebuilt – it is an art installation by Julita Wójcik meant to symbolize tolerance and openness and actually seems to create an eruption of extreme emotions and activity which are difficult to contain.

Time flows differently on pl. Zbawiciela – a lazy afternoon can turn into a party evening which sometimes turn into pleasant sunrises.

pl. Zbawiciela

1. Ogródek Charlotte i Planu B
   Charlotte and Plan B's patios
2. Michał Borkiewicz „Borek" – Plan B

znajdź swojego hamburgera

Kiedyś królowały kebaby, potem nastąpił amok sushi, a gdzieś po drodze do łask próbowały powrócić zapiekanki. Teraz na pierwszym miejscu listy przebojów są hamburgery, a ilość wariacji i sposobów ich podawania jest naprawdę imponująca. Popularność tego amerykańskiego dania musiała zaniepokoić jedną z wielkich sieciówek, która postanowiła walczyć z konkurencją możliwością dostawy hamburgerów do domu.

I tak jak z kebabami czy zapiekankami, każdy ma swój ulubiony lokal. My polecamy hamburgery w Bobby Burgerze, Burger Barze i Warburgerze. A dla tych, którzy nie jedzą mięsa – halloumi burgery w Beirucie albo dania wegańskie w Krowarzywach.

A dzięki temu, że coraz popularniejsze w Warszawie stają się food trucki, niektóre hamburgerownie są mobilne. Można na nie trafić w sezonie letnim nad Wisłą oraz wszędzie tam, gdzie zbiera się spory, i bardzo prawdopodobnie głodny, tłum.

find the burger for you

Kebabs used to be king, then the sushi craze set in and somewhere along the way, zapiekanki tried to make a comeback. But, right now, hamburgers top the list of trendy foods and the number of variations and ways that they are served is truly impressive. The popularity of the American dish must even pose a threat to one of the big fast food companies which has just started home delivery of hamburgers.

As with kebabs or zapiekanki, everyone has their favorite restaurant. We recommend Bobby Burger, Burger Bar and WarBurger. And for those who don't eat meat, try the halloumi burger at Beirut or the vegan meals at Krowarzywa.

And, as food trucks are more and more popular in Warsaw, some of the hamburgers are ven on wheels. You can find them along the Vistula river during the summer or wherever a hungry crowd might gather.

🔍	Krowarzywa
⚲	ul. Hoża 42

🔍	Burger Bar
⚲	ul. Puławska 74/80

🔍	Warburger
⚲	róg Puławskiej i Dąbrowskiego
→	www.warburger.pl

🔍	Bobby Burger
⚲	m.in. ul. Żurawia 32/34
→	www.bobbyburger.pl

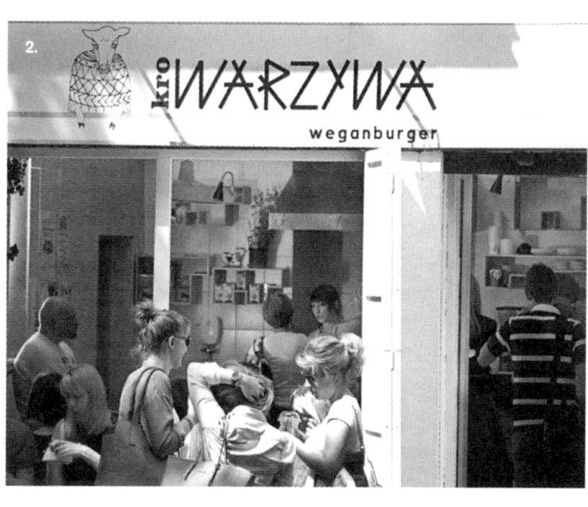

1. Warburger
2. Krowarzywa
3 i 4. Bobby Burger

#ludziewarszawy
#thepeopleofwarsaw

malwina konopacka

Ilustratorka, graficzka, projektantka, autorka kalendarza „Ponad 80 okazji do świętowania".

Illustrator, graphic artist, designer, author of the Over 80 occasions to celebrate Calendar.

Tyle wiesz, ile zjesz! Na zielonym Żoliborzu także. Polecam rundę po nowych miejscach (zahaczając o Targ Śniadaniowy, DOM) oraz żeby odpocząć – kawiarnię Mały Format przy ul. Mickiewicza 16. Bardzo lokalnie, po sąsiedzku, w kapciach, w kamuflażu – bez makijażu, prosto z joggingu, w drodze tam lub z powrotem. Na luzie, wśród kolekcji vintage-mebli, świetna kawa, ciasta domowej roboty, eko-wege-zupa. Modnie i wygodnie. Rewelacyjne miejsce, żeby przysiąść i popracować. Bardzo, bardzo slowfoodowo, czyli luz-blues. Bo zawsze muzyczka w tle.

You know as much as you eat! In the green district of Żoliborz that's the rule. I recommend making a round to all the new places (checking out the Breakfast Market and DOM) and the Mały Format café at ul. Mickiewicza 16 to relax. It's very local, neighborly and you can go there in slippers, without makeup, straight from a run or going on one. It's very casual, filled with vintage furniture, has good coffee and handmade cakes and organic vegetarian soup. It's trendy and comfortable. A great place to come and work. It's got a very slow food and loose blues atmosphere and there's always music in the background.

→ www.malwinakonopacka.com

Kawa
w kamuflażu
— bez
makijażu —
Malwina Konopacka
2014

celebruj winyl

Artefakt przeszłości, jeszcze kilka lat temu nieco zapomniany, teraz wraca na całym świecie do łask. Winyle kupują już nie tylko kolekcjonerzy i didżeje, lecz także zwykli fani.

By uczcić popularność sklepów sprzedających płyty, kilka lat temu zorganizowano małe lokalne święto w San Francisco. Dziś Record Store Day to wydarzenie o zasięgu międzynarodowym, odbywa się też w Warszawie.

Od 2012 r. w każdą trzecią sobotę kwietnia na podwórku kamienicy Jabłkowskich, na ul. Chmielnej 21, przez cały dzień można buszować wśród stoisk doskonałych polskich oficyn wydawniczych: hiphopowego Asfaltu, alternatywnego Lado ABC, elektronicznego U Know Me Records. Warszawska edycja Record Store Day dostała w 2011 r. Wdechę od czytelników – kulturalną nagrodę „Gazety Co Jest Grane" w kategorii wydarzenie roku.

Ale winyle można oczywiście kupować przez cały rok. W poszukiwaniu płyt koniecznie trzeba zajrzeć do sklepów Side One i Muzant. Staranny i pierwszorzędny wybór winyli można też znaleźć w sklepie Hey Joe (ul. Złota 8), klubokawiarni Nie Zawsze Musi Być Chaos (ul. Marszałkowska 19) czy w klubie Pardon, To Tu (pl. Grzybowski 12).

celebrate vinyl!

An artifact of the past that, only a few years ago, anyone barely remembered but are now becoming cool all around the world... Vinyl records are being bought up by DJs and collectors, but also by regular music fans. Record Store Day, a local 'holiday' started a few years ago in San Francisco to recognize the popularity of records stores, has now become popular around and globe and we even have one in Warsaw.

Every third Saturday in April since 2012 has transformed the courtyard of the Jabłkowski Buidling at ul. Chmielna 21 into a fair with the best Poland's indie labels have to offer, including albums from the hip hop label Asfalt, indie label Lado ABC, the electronic U Know Me Records and more. Warsaw's edition of Record Store Day won a people's choice award at the 2011 *Gazeta Co Jest Grane* cultural award show, Wdechy.

Obviously, you can buy vinyls year-round and the best spots to do so are Side One and Muzant. A painstaking, first-rate selection of vinyls can also be found at Hey Joe (ul. Złota 8), the Nie Zawsze Musi Być Chaos café (ul. Marszałkowska 19) or at the club, Pardon, To Tu (pl. Grzybowski 12).

Side One
ul. Chmielna 21
www.sideone.pl

Muzant
ul. Warecka 4/6
www.muzant.pl

2.

1. Side One
2. Nie Zawsze Musi Być Chaos

nie przepraszaj, posłuchaj

Miejsca z taką muzyką nigdy nie mają łatwo. Z dala od komercji, tego, co powszechnie modne, stawiają na muzykę prawdziwą. Kiedyś w Jazzgocie, później w Powiększeniu, teraz Pardon, To Tu można usłyszeć pierwszorzędną alternatywę, jazz, muzykę improwizowaną, poszukującą (i odnajdującą), tradycyjną, korzenną. Koncerty odbywają się w kameralnych warunkach, wykonawcę od zasłuchanej publiczności dzielą centymetry. Gdy nominowaliśmy Pardon, To Tu do nagrody kulturalnej „Gazety Co Jest Grane", czyli Wdechy, w kategorii miejsce roku, pisaliśmy, że „to klub prowadzony z szacunku do muzyki i z szacunku do ludzi, którzy kochają muzykę. Miejsce, które współtworzy fascynującą ścieżkę dźwiękową Warszawy, tę nieoczywistą, czasem niełatwą w odbiorze, wymagającą, ale zawsze ponadczasową". Zdanie podtrzymujemy. Tym bardziej że klub to nie tylko koncerty, lecz także bar, księgarnia oraz sklep płytowy.

don't make excuses, just listen

Places with this kind of music never have it easy. They stay away from anything commercial and rather focus on 'real' music. Previously at Jazzgot, later at Powiększenie and now at Pardon, To Tu – that's where you can find top tier alternative, jazz and improvised or folk and roots. The concerts are very intimate, with the artists sitting just centimeters away from their audience. When we nominated Pardon, To Tu as Place of the Year for the *Gazeta Co Jest Grane* cultural awards - the Wdechy - we wrote that "this is a club run with respect for music and respect for people who love music. It's a place that is co-creating the fascinating soundtrack of Warsaw with the less obvious, sometimes tough to listen to, demanding but always timeless sounds." We still stand behind this, especially as the club has not only concerts but also is a bar, bookstore and record shop.

🔍	Pardon, To Tu
⚲	pl. Grzybowski 12/16
→	www.pardontotu.blogspot.com

zostań maratończykiem

Bieganie, sportowe i rekreacyjne, osiągnęło rozmiar małej epidemii. Tak naprawdę biega każdy lub każdy zna kogoś, kto biega. I w sumie dobrze, bo sport to zdrowie, a ruch na świeżym powietrzu jest zawsze lepszy niż leniwa drzemka na kanapie.

W odpowiedzi na modę wiele sklepów sportowych przekształciło się w arsenały odpowiedniego sprzętu, od butów po ciuchy i akcesoria biegaczom niezbędne. Regularnie też odbywają się zawody. Najznamienitszy z nich to startujący pod koniec września Maraton Warszawski, impreza, której historia sięga końca lat 70.

Biega się nie tylko z powodów sportowych, lecz także religijnych (dla Jana Pawła II), patriotycznych (Bieg Niepodległości), edukacyjnych, są osobne zawody wyłącznie dla kobiet. I wygląda na to, że to dopiero początek, że podobnych imprez będzie przybywać.

W 2013 r. aż trzy warszawskie biegi przekroczyły granicę 10 tys. uczestników. W imprezie Biegnij Warszawo wzięło udział prawie 12 tys. ludzi.

run a marathon

Running, sports and recreation are becoming epidemic here. Almost everyone runs or knows someone who runs. And that's really good because it's healthy and getting outside is in fresh air is always better than a lazy nap on a couch. In response to the trend, sports stores are transforming and supplying the right equipment, from shoes and clothes to runners most-needed accessories.

There are, as well, more and more races - the most prestigious of which is the Warsaw Marathon at the end of September. It has been held since the 1970s.

Running is also a religious thing (the John Paul II race) patriotic thing (Indepdence Race), education and even especially for women. It looks as though this is just the beginning as more and more races are cropping up.

In 2013, at least three Warsaw races had over 10,000 participants and the Biegnij Warszawo event had nearly 12,000 runners take part.

→ pzumaratonwarszawski.com
→ www.biegnijwarszawo.pl

zabaw dłużej na oleandrów

Uliczkę Oleandrów można przejść w dwie minuty. Gdy jednak zatrzymasz się na niej w każdym ciekawym miejscu, spacer może przeciągnąć się do kilku godzin.

Już na samym rogu, na ul. Polnej 22 znajduje się Okienko, lokal, w którym można kupić pyszne frytki belgijskie, które zaspokoją głód albo irracjonalną z punktu widzenia diety zachciankę, by coś przekąsić.

Kawałek dalej mieści się kolejne miejsce, małe z nazwy i przestrzeni, sporе z punktu widzenia oferty. W Małym Piwie znaleźć można około stu rodzajów piwa, często takich, których nie ma w innych sklepach czy barach.

Naprzeciwko mamy butik vintage Safripsti, a obok świetną galerię sztuki współczesnej m2.

A na końcu uliczki zadomowiła się klubokawiarnia Nie Zawsze Musi Być Chaos, gdzie można nie tylko zjeść, lecz także upolować trudno dostępną płytę, np. limitowaną edycję płyty zespołu Nemezis z Pawłem Mykietynem. Warto też śledzić facebookową stronę klubokawiarni, bo regularnie organizowane są tu spotkania i wystawy, w tym „Zawsze musi być okładka" poświęcona, jak sama nazwa mówi, okładkom płytowym.

hang out on oleandrów

You can walk through the little ul. Oleandrów in about two minutes. But if you stop at each cool place on the short street, it could take you a few hours.

Already at the corner on ul. Polna 22, you'll find Okienko, a spot where you can get really tasty Belgian fries that will ease your hunger pangs or satisfy a snack craving.

Just a bit farther on, you'll find another place small in name and space, but big in terms of offerings. You will find about 100 different types of beer at Małe Piwo (Small Beer) – often kinds you won't find in other shops or bars.

On the other side of the street is the vintage boutique Safripsti with the modern m2 art gallery next door.

And at the end of the street you'll find the Nie Zawsze Musi Być Chaos café-club where you can not only eat, but also dig up hard-to-find vinyls like the limited 30 copy run of the band Nemezis with Paweł Mykietyn. It's worth following the club on Facebook as they often have meetings and exhibitions.

Małe Piwo
ul. Oleandrów 4

Safripsti
ul. Oleandrów 3

Nie Zawsze Musi Być Chaos
ul. Marszałkowska 19, wejście od Oleandrów

1. Okienko
2. Małe Piwo
3. Nie Zawsze Musi Być Chaos

nie bój się dzika

Ta sama ekipa prowadzi jedną z najpopularniejszych knajp w Warszawie, czyli Regenerację na ul. Puławskiej 61, gdzie warto zajrzeć na pyszne wegetariańskie przysmaki pani Pusi.

Niedawno otworzyli dom kultury w zabytkowej przedwojennej willi zaprojektowanej przez Józefa Czajkowskiego, twórcę pawilonu polskiego na wystawie paryskiej w 1925 r.

DZiK to w skrócie Dom Zabawy i Kultury, budynek pełen magicznych zakamarków, z salą konferencyjną i uroczym, wielkim jak na centrum miasta ogrodem.

Willa jest jednym z najbardziej roztańczonych miejsc nie tylko na Mokotowie, lecz także w całym mieście, w środy odbywają się tu milongi, w niedzielę Swingowe Potańcówki. Można wpaść też na fajfy i dansingi z muzyką na żywo. Do tego dochodzą koncerty, kabarety, burleski.

W Dziku mieści się też sklep odzieżowy Flawless oraz pracownie artystyczne i projektowe. To w końcu doskonały przystanek na picie i jedzenie dla tych, którzy jak strzała mkną na rowerach w dół stromą Belwederską, lub tych, którzy mozolnie pną się w górę.

do not fear dzik

The owners also run one of the most popular restaurants in Warsaw – Regeneracja at ul. Puławska 61 where it's really worth stopping in for Pusia's great vegetarian food.

Recently, they opened a cultural center in an old, pre-war villa designed by Józef Czajkowski, creator of the Polish pavilion at the 1925 Paris expo.

DZiK, short for Dom Zabawy i Kultury, is a building full of magical little corners, with a conference room and large, beautiful garden in the city center.

The villa is one of the most dance-able places not only in Mokotów but also in the whole city. On Wednesdays, it's Tango Milongi (Tango night) and on Sunday's, it's host to Swingowe Potańcówki (Swing Night). You can also drop in for jam sessions and live music. Plus, there is a full program of concerts, cabaret and burlesque.

DZiK is also home to the clothing store Flawless and artist and design studios. It's finally also become a great pitstop for a drink or snack for those walking or biking down Belwederska.

🔍	DZiK
📍	ul. Belwederska 44

pobaw się na placu

To zdecydowanie jedno z naszych ulubionych miejsc, na które co roku czekamy z lekką obawą, czy powróci, czy uda się je po raz kolejny otworzyć. W sercu Agrykoli twórcy Planu B i BarKi otworzyli plenerowy klub. Podczas pierwszego sezonu, w 2008 r., na Placu Zabaw można było oglądać transmisję Euro oraz posłuchać doskonałej muzyki w ramach alternatywnego cyklu Lado w Mieście. Ten klimat pozostał do dziś.

Wciąż odbywają się tu imprezy i koncerty, które – gdy grają takie sławy jak Molesta – przyciągają potężne tłumy. A i kibicowskim życiem niekiedy też tętni Plac Zabaw – położony blisko Legii, jest miejscem spotkań przed- i pomeczowych, zwłaszcza gdy pobliski pub Źródełko przeżywa oblężenie.

Regularnie, jeśli dopisuje pogoda, na Placu Zabaw odbywają się targi kulinarne, pikniki i pokazy filmowe.

play at the playground

This is decidedly one of our favorite spots that we wait for all year with bated breath that it may not return for another season. The owners of Plan B and BarKa opened a open-air club in the heart of Agrykola. During it's first season, in 2008, you could watch Euro football matches on television at Plac Zabaw or listen to great alternative concerts as part of the Lado w Mieście concert series. And that vibe has stuck around until today.

There are still many parties and concerts of popular artists like Molesta that draw huge crowds. And it sometimes gets a crowd of football fans from the nearby Legia stadium, especially if the neighboring pub Źródełko is too full.

If the weather is good, Plac Zabaw regularly hosts food fairs, picnics and film screenings.

Q	**Plac Zabaw**
⚲	**Agrykola, ul. Myśliwiecka 9**
→	**www.planbe.pl**

poczytaj przy kawie

Wymieniamy tu tylko kawiarenki, w których książki są w zdecydowanej przewadze, a nie wszystkie kawiarniane miejsca, w których można poczytać, bo tych jest oczywiście znacznie więcej. Warszawski pionier w tej dziedzinie to Czuły Barbarzyńca na Powiślu – przytulna kawiarnioksięgarnia z nowoczesnym wystrojem, przepastnymi fotelami i przede wszystkim dużym wyborem ambitnej literatury. Znajdziesz tu też książki o Warszawie, notesy Moleskine i stołeczne pamiątki. Gospodarze na pewno pomogą ci też zaplanować wycieczkę po okolicy.

Bliżej centrum, kilka kroków od Palmy, znajduje się jedno z naszych ulubionych takich miejsc – Wrzenie Świata. To kawiarnia prowadzona przez znakomitych reporterów, poświęcona literaturze faktu. Na półkach przeważają więc reportaże i książki podróżnicze, odbywają się tu również spotkania z okazji literackich premier. Wielkim atutem tego miejsca jest to, że owych mistrzów reportażu – z gospodarzami Mariuszem Szczygłem i Wojciechem Tochmanem na czele – można tu niemal codziennie spotkać.

Dobre połączenie kawy i książek, a w zasadzie albumów o sztuce, designie i architekturze, znajdziesz też w tymczasowej siedzibie Muzeum Sztuki Nowoczesnej.

1.

2.

Q	Czuły Barbarzyńca
⚲	ul. Dobra 31
→	www.czulybarbarzynca.pl

read a book, enjoy a coffee

This is rather a list of cafés in which books play the leading role and not a list of cafés where one can come and read because there are many more of them.

A pioneer on the Warsaw scene of café-bookstores is Czuły Barbarzyńca in the Powiśle district, a cozy coffeehouse and bookstore with a modern design, squishy armchairs and, most importantly, a large selection of ambitious literature. You will find books about Warsaw, Moleskin notebooks and souvenirs. As well, the owners will help you plan out a nice walk around the district.

A bit nearer the center and a few steps away from the Palm Tree is another one of our favorite places, Wrzenie Świata. It's a café run by excellent journalists dedicated to factual literature. There are mainly reportage and travel books on the shelves and the place is also host to meetings and book launches. A big plus of the place is that the excellent reporters and owners, Mariusz Szczygieł and Wojciech Tochman, are there almost daily.

The Museum of Modern Art is also home to a great bookstore and café featuring mainly art, design and architecture books and albums.

🔍	Wrzenie Świata
📍	ul. Gałczyńskiego 7
→	www.instytutr.pl

🔍	Muzeum Sztuki Nowoczesnej
📍	ul. Pańska 3
→	www.bookoff.pl

1. Wrzenie Świata
2. Mariusz Szczygieł, Wrzenie Świata

baw się w gejowskiej stolicy polski

Warszawa jest nie tylko administracyjną, lecz także gejowską stolicą Polski. Żadne miasto w naszym kraju nie jest tak gay-friendly jak nasze, choć do Berlina i Barcelony nam jeszcze (bardzo) daleko. Od zachodnich stolic Warszawę odróżnia to, że nie ma gejowskiej dzielnicy. Na próżno szukać u nas Le Marais czy Boystown, homomiejscówki rozsiane są po całym mieście.

Ćmy barowe najlepiej odnajdą się w Lodi Dodi (ul. Wilcza 23), niewielkim barze sąsiadującym przez ścianę z komisariatem policji (bezpieczeństwo gwarantowane!). Można tam sączyć piwko i podśpiewywać przeboje Zdzisławy Sośnickiej albo Marii Koterbskiej, bo w Lodi Dodi kochają peerelowskie diwy. Zwolennicy poruszania łydką na parkiecie powinni ruszyć wprost do jednej z branżowych dyskotek: Toro (ul. Marszałkowska 3/5), Galerii (pl. Mirowski 1), Glamu (ul. Żurawia 22), Mekki (ul. Chłodna 35/37) czy Le Garage (ul. Burakowska 12). Większość z tych miejsc jest wypełniona po brzegi w weekendy, wtedy najczęściej można podziwiać na klubowych scenach nasze stołeczne drag queens.

W weekendy bardzo tęczowe stają się też takie miejsca jak Ramona (ul. Widok 22), Meta Disco (ul. Parkingowa 5) czy klub Luzztro zwany popularnie Lustrami (Al. Jerozolimskie 6) – tam imprezy kończą się nieraz koło południa następnego dnia. Podobnie jest na odbywających się w różnych miejscach Warszawy imprezach COXY, informacji o tym, gdzie będzie najbliższy melanż, trzeba szukać na Facebooku.

Wielbiciele opalania zakrytych zwykle części ciała powinni się natomiast wybrać na Błota (z Wału Miedzeszyńskiego trzeba skręcić w ul. Sitowie), czyli jedyną w Warszawie plażę naturystów, która ma także swoją gejowską sekcję. Można na niej zażywać wawerskiego słońca, mocząc nogi w Wiśle.

Jest też w stolicy kilka mrocznych adresów, ale ich trzeba szukać na własną rękę. Wszyscy natomiast spotykają się na dorocznej Paradzie Równości, która odbywa się co roku w czerwcu. A po niej kolorowy tłum, w rytm przebojów Madonny, wędruje na pl. Zbawiciela. Tam od jakiegoś czasu stoi Tęcza. Jak śpiewała Judy Garland: „Somwhere over the rainbow...”.

Parada Równości Pride Parade

have fun in the gay capital of poland

Warsaw is not only the administrative but also the gay capital of Poland. There are few cities in the country as gay-friendly as Warsaw, though it's no Berlin or Barcelona (yet). Warsaw is different from western countries in the sense that there is no gay district. There's no Le Marais or Boystown – gay-friendly places are all over the city.

Barflies will be happiest at Lodi Dodi (ul. Wilcza 23), a small bar next to a police station (Safety guaranteed!). You can sip on a beer or sing old Polish hits as the Lodi Dodi crew loves Communist divas. Get your dance on at: Toro (ul. Marszałkowska 3/5), Galeria (pl. Mirowski 1), Glam (ul. Żurawia 22), Mekkia (ul. Chłodna 35/37) or Le Garage (ul. Burakowska 12). The majority of these places are full on the weekend and you might even be able to catch a few of the capital city's drag queens.

On weekends, places like Ramona (ul. Widok 22), Meta Disco (ul. Parkingowa 5) or the club Luzztro (Al. Jerozolimskie 6) become really colorful on weekends – that last one is open until the afternoon the next day. Apparently there are also COXY parties happening in different places in Warsaw, but you've got to check Facebook to get the details.

Those who love to tan the normally hidden parts of their body should head to Błota (from Wał Międzeszyński turn down ul. Sitowie), one of Warsaw's nude beaches which aslo has a gay section. You can soak up the Wawer sun while soaking your feet in the Vistula.

There are also a few darker spots in Warsaw, but you have to find them yourself. However, everyone loves to come out for the annual Pride Parade (Parada Równości) in June. And, as usual, most of the colorful crowd, dancing to the beats of Madonna's hits, end up on pl. Zbawiciela where the Tęcza (Rainbow) is... As Judy Garland sang: "Somewhere, over the rainbow..."

pokibicuj

Piłka nożna – jedna z największych i najtrudniejszych miłości, niekiedy niewdzięczna, czasem podlegająca ostracyzmowi społecznemu, wykluczeniu. Dostarczająca emocji zupełnie nieznanych niekibicom, wykraczających poza ich możliwości poznawcze. I nie mówimy tu w żadnym wypadku o reprezentacji narodowej, do której nie żywimy jakoś specjalnie szacunku, ale o stołecznych klubach. Bo Warszawa to Legia i Polonia.

Teraz to przede wszystkim Legia, dziś jedyny klub ze stolicy w ekstraklasie, mistrz sezonu 2012/2013, drużyna od lat zajmująca pierwsze miejsca w tabeli, dziesięciokrotny mistrz Polski, klub, z którym związani byli najwybitniejsi piłkarze i trenerzy w historii Polski – Kazimierz Deyna, Lucjan Brychczy czy Kazimierz Górski.

W 2016 r. Legia obchodzić będzie stulecie istnienia (oby z kolejnym tytułem). I to na jednym z najnowocześniejszych stadionów w Polsce, z gorącą atmosferą na trybunach (przy ul. Łazienkowskiej 3).

O pięć lat starsza Polonia w wyniku perturbacji finansowych gra teraz w czwartej lidze, ale pnie się do góry i być może za kilka lat znów mierzyć się będzie z Legią w elektryzujących nas kibicowsko i piłkarsko derbach Warszawy.

→ www.legia.com
→ www.polonia.waw.pl

become a fan

Football – one of the most important and difficult lovers. It sometimes stimulates too much emotions for the non-football fan and they don't get it. But, we're not referring to Poland's national team here, who we don't really have that much loyalty towards. Rather, we are talking about Warsaw's two club teams – Legia and Polonia. First of all, there's Legia – the only club in the capital that is in the premier league, the 2012/1013 league champions and the team which has, for years, ranked number one, is the several-time champion of Poland and is a club who has been tied to some of the most illustrious players and coaches in Poland's history, Kazimierz Deyna, Lucjan Brychczy or Kazimierz Górski.

In 2016, the team (whose headquarters is not at ul. Łazienkowska 3) will celebrate 100 years of it's existence (hopefully, with another title). All in one of the most modern stadiums in Poland that is known for it's explosive atmosphere in the stands.

For the last 5 years, the older club, Polonia, has witnessed financial turbulence and now plays in the fourth league. But, things are looking up and, hopefully, in a few years, it will ignite fans and footballers alike playing against Legia in the capital.

zgub się w pawilonach

Na pewno jest jakiś matematyczny wzór na geometryczny rozwój lokali na tyłach Nowego Światu.

Jeszcze kilka lat temu nieliczne bary dzieliły sąsiedztwo z małymi warsztatami i sklepikami, by w końcu stać się oazą dla wieczornych wędrowców imprezowych. Porucznik Borewicz powiedział kiedyś, że prawdziwi wędrowcy to tacy, którzy wyruszają, by nigdy nie powrócić. I jest coś w tych słowach, co pasuje do Pawilonów, labiryntu między Foksal, Smolną i Nowym Światem.

Wystarczy przejść przez bramę, by z turystycznego szlaku, ulicy sklepów, butików i restauracji znaleźć się w zupełnie innym świecie, pełnym małych, kompaktowych barów – niektórych z wymyślnymi nazwami, Pewex, Lenistwo, Klaps, innych bez nazw.

Niepowtarzalne w nastroju, odmienne od lokali w innych rejonach miasta, znalazły się w 2013 r. na liście 99 najciekawszych barów według strony www.spottedbylocals.com.

lose yourself in the pavilions

There is definitely some kind of mathematical algorithm to explain the geometric growth of the pavilions behind Nowy Świat.

Just a few years ago, very few bars shared the area with small shops and artisans. But now, the pavilions in that labyrinth between Foksal, Smolna and Nowy Świat are an oasis for the late-night party-goer.

Just walking through the passage on Nowy Świat is enough to leave the touristic restaurants, shops and boutiques behind and you find yourself in a different world of small, compact bars, some of which have made up names like Pewex, Lenistwo, Klaps and others that don't even have a name.

Completely original and unique as compared to other bars around the city, the pavilions found themselves on the Spottedbylocals.com's list of 99 most interesting bars of 2013.

→	ul. Nowy Świat 22/28
⚲	www.facebook.com/pawilony

nie jedz mięsa

Jest coraz lepiej. Z roku na rok przybywa w Polsce wegetarian i wegan (według różnych szacunków jest ich już około 7 proc.). Przybywa też miejsc w Warszawie, gdzie można spokojnie i bezmięsnie zjeść coś pysznego.

Są miejsca z tradycją, jak np. Biosfeera na Mokotowie czy Bar Vega w Śródmieściu. Vega to prawdziwa instytucja – lokal, który od lat przyciąga niesłychanie mieszane towarzystwo, nie tylko wegetarian, lecz także biznesmenów, emerytów, hipsterów, tych wszystkich, którzy szukają zdrowej i smacznej odmiany od mięsnej diety (po głównym daniu zostaw trochę miejsca na desery, np. na marchewkowy piernik czy berfi kokosowe).

Niedaleko Vegi, w pawilonach na Jana Pawła, znajduje się też Loving Hut, nieduży barek specjalizujący się w orientalnej kuchni wegańskiej, w wegańskim „mięsie" zrobionym z białka pszennego, soi i kombinacji przypraw.

Pyszne jedzenie można też znaleźć w ścisłym centrum, gdzie tylko 20 numerów dzieli od siebie Krowarzywa na Hożej 42 i W Gruncie Rzeczy na Hożej 62. Do pierwszego lokalu powinni zajrzeć ci wszyscy, którzy kochają hamburgery, ale nie jedzą mięsa, do drugiego ci, którzy lubią kuchnię prostą, ale z polotem i wyobraźnią.

Już na samą myśl o kaszy jaglanej z brązową soczewicą, szpinakiem i bazylią, podawanej z pieczenią seitanową w sosie musztardowym, robimy się głodni.

Wegańskie przysmaki doskonale sprawdzają się nie tylko na obiad, lecz także deser – warto zajrzeć do specjalizujących się w ciastach kawiarni, znanego i uznanego Relaksu na Mokotowie czy nowo otwartej Mysy w Śródmieściu.

Ci, którzy chcą być na bieżąco, ale też dowiedzieć się więcej o weganizmie (np. o odbywającym się co roku Tygodniu Wegetarianizmu), powinni zajrzeć na stronę www.empatia.pl.

Kraken

🔍	Loving Hut
📍	al. Jana Pawła II 41a/8
→	www.lovinghut.waw.pl

🔍	Mysa
📍	ul. Wilcza 60

🔍	Relaks
📍	ul. Puławska 48

🔍	W Gruncie Rzeczy
📍	ul. Hoża 62

don't eat meat

It's getting easier to be a vegetarian in Poland – every year there increasing numbers of vegans and vegetarians (roughly 7 percent of the population). There are also more and more places in Warsaw where you can eat something tasty and without meat.

There are places like Biosfere in Mokotów or Bar Vega in Śródmieście. Vega is a real institution – it's a place with a very diverse clientele of not only vegetarians but also businessmen, retirees, hipsters and anyone who is looking for something healthy and is a change of pace from a meat-base diet (leave a bit of space for dessert as the carrot cake or coconut berfi is delicious).

There's also Loving Hut not far from Vega in the pavilions on al. Jana Pawła II, a small bar specializing in oriental vegan cuisine. You can also find tasty food right in the city center at Krowarzywa (ul. Hoża 42) or W Gruncie Rzeczy (ul. Hoża 62), both on the same street. Anyone who loves burgers but doesn't eat meat should check out the first option while anyone who loves very simple yet imaginative cuisine should go to the second. We get hungry just thinking about the buckwheat with brown lentils, spinach and basil served with baked seitan in a mustard sauce.

There is also more and more vegan dessert options in Warsaw for those with a sweet tooth – check out the tried and true Relaks café in Mokotów and the newly-opened Mysa in Śródmieście.

🔍	Biosfeera
📍	al. Niepodległości 80
→	www.biosfeera.com

🔍	Bar Vega
📍	al. Jana Pawła II 36c
→	www.vega-warszawa.pl

🔍	Krowarzywa
📍	ul. Hoża 42

tańcz do upadłego

Mapa warszawskiej kultury klubowej regularnie się zmienia, może nie w tempie rewolucyjnym, ale co chwilę otwierają się i zamykają kolejne lokale. Gdy ukazał się nasz poprzedni przewodnik „Zrób to w Warszawie!", prężnie działały m.in. Kamieniołomy, M25. Dziś pozostały po nich wspomnienia. Pojawiły się za to nowe. Oto więc krótka lista miejsc, gdzie można pierwszorzędnie przetracić noc.

Warto śledzić, co dzieje się w klubie 1500m2 na Solcu. W industrialnej przestrzeni po drukarni kartograficznej występują największe sławy didżejskie współczesnej elektroniki, tej delikatnej, eterycznej, popularnej, undergroundowej.

Silnych wrażeń dostarcza też wizyta w Nowej Jerozolimie. Ciarki może wywołać samo miejsce, czyli kamienica, w której mieścił się kiedyś szpital dziecięcy. Ciarki też wywołuje niekiedy muzyka, współczesna, pochodząca z różnych zakątków świata elektronika, ale ta z mroczniejszym, gęstym jak smoła sznytem.

Nowoczesne techno i elektronika wybrzmiewają też na Starówce, na Brzozowej 37. Z kolei ci, którzy szukają hip-hopu, powinni zaglądać do 55 na Żurawiej.

Nowoczesna elektronika rozbrzmiewa też w Basenie na ul. Konopnickiej. Tam z kolei goszczą nie tyle didżeje, ile całe zespoły, przedstawiciele popu XXI w., nieznającego ograniczeń gatunkowych, stylistycznych, często łączący brzmienia akustyczne z syntetycznymi.

Szukających drum'n'bassów odsyłamy do Centralnego Domu Qultury, tam gości polska czołówka ciężkich połamanych basów, ale można też trafić na doskonałe reggae, techno, brzmienia folkowe czy punk rock.

A zakończyć wieczór (albo jeśli ktoś chce rozpocząć już nowy dzień) można w Luzztrach, klubie, który w weekendy otwiera się o północy, by gościć tanecznych maratończyków do wczesnych godzin popołudniowych.

dance 'til you drop

Warsaw's cultural and clubbing map is constantly changing – maybe it's not always a revolution, but there are constantly new places opening and closing. When our last *Do It in Warsaw!* Guide came out, Kamieniołomy and M25 were still some of the coolest spots and they are now fondly remembered. But, there are now new places on the map, so here's a short list of places to go to dance the night away.

It's always worth checking out what's going on at 1500m2 on Solec. The industrial space that was once a maps printer hosts some of the most well-known DJs in modern electronica (from the more delicate, etherical to popular or underground).

Nowa Jerozolima is also an interesting pace. The whole place could give you goosebumps as it's an abandoned children's hospital. The music will also sometimes give you goosebumps – it's usually more on the darker, fatter end of the electronic spectrum.

You will also find new techno and electronic music on the Old Town at Brozowa 37. And hip hop lovers should check out 55 on Żurawia.

You will also find contemporary electronic music at Basen on ul. Konopnicka. Basen's not only host to DJs but also bands representing 21st century pop from all genres.

If you're looking for drum'n'bass, head to Centralny Dom Qultury where you're sure to find the cream of the crop in terms of Polish deep bass DJs, but there's also a lot of reggae, techno and folk or punk music to be found.

And to finish your night off with a bang (or if you want to welcome the new day with a bang), go to Luzztro, a club that opens at midnight on weekends and closes in the early afternoon.

1. Basen
2. 1500m2
3. Koncert Oh Land w Basenie

🔍	1500m2
📍	ul. Solec 18
→	www.1500m2.com

🔍	Nowa Jerozolima
📍	Al. Jerozolimskie 57

🔍	Basen
📍	ul. Konopnickiej 6
→	www.artbasen.pl

🔍	Brzozowa
📍	ul. Brzozowa 37

🔍	55
📍	ul. Żurawia 32/34

🔍	CDQ
📍	ul. Burakowska 12
→	www.cdq.pl

🔍	Luzztro
📍	Al. Jerozolimskie 6

#ludziewarszawy
#thepeopleofwarsaw

kwiatuchi

Duet artystyczny specjalizujący się w działaniach w przestrzeni publicznej – ogrodniczych, graficznych, efemerycznych. Prowadzą Kwiaciarnię Grafiki. Ilustracja obok pochodzi z planowanego na jesień 2014 r. zinu „Ascetyczny Wektor Warszawski".

Artistic duo specializing in actions in public space - garden-related, graphic or ephemeral. They run the Kwiaciarnia Grafiki. Next page: illustration from the zine Ascetyczny Wektor Warszawski (planned for fall 2014).

Żoliborski brzeg Wisły pozostaje nadal dziki, co pozwala kwitnąć tam dość osobliwym aktywnościom miejskim – w okolicach mostu Grota w wysokiej trawie od lat opalają się nudyści, tuż nieopodal graffciarze urządzili sobie jeden z największych bombparków. Mijając most w miesiącach letnich, kiedy Wisła osiąga dno, można dostać się na najbardziej malowniczą łachę, która powita nas drobnym piaskiem rozciągającym się po horyzont. Jest tu dziko i odludnie, o mieście przypominają nam tylko sterczące z drugiej strony kominy Żerania.

The Żoliborz side of the Vistula is still wild, which means that some pretty unusual urban activities happen there: nudists sunbathe in the tall grasses near Grota Bridge and graffiti artists have created one of the biggest 'art parks' nearby. Just past the bridge, in the summer months, when the Vistula is at it's lowest, you can walk onto these really picturesque sandbars. It's wild and solitary and we are reminded that we are in the city only by the tall chimneys at Żeran on the other side of the river.

→ www.kwiatuchi.org

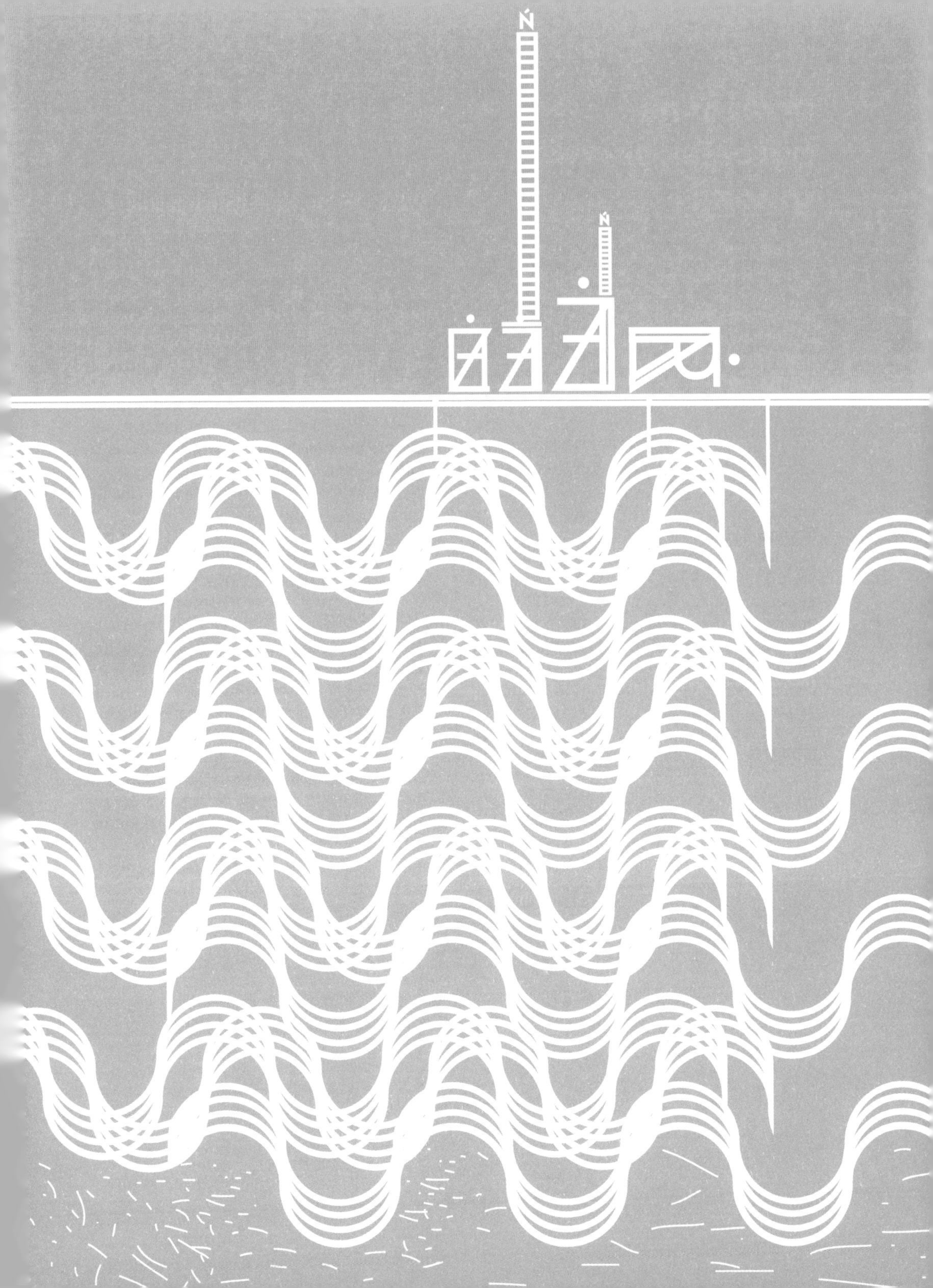

uważaj na porcelanowego gibona

To nasz polski fenomen. Nigdzie indziej nie widzieliśmy tak pięknie zaprojektowanych, nowoczesnych porcelanowych figurek. U nas w latach 50. i 60. tworzyli je najlepsi artyści projektanci specjalizujący się w porcelanie, m.in. Lubomir Tomaszewski, Hanna Orthwein, Henryk Jędrasik, Mieczysław Naruszewicz.

Jedną z najcenniejszych w Polsce kolekcji takich figurek, wyprodukowanych dziś według dawnych wzorów przez Fabrykę Porcelany AS Ćmielów, posiada Instytut Wzornictwa Przemysłowego. I od niedawna pokazuje na stałej ekspozycji, zaprojektowanej przez Niemywska Grynasz Studio.

Kolekcja znajduje się w Sali Designerów (Małpiarni) – budynku, w którym ponad 50 lat temu mieścił się Zakład Ceramiki i Szkła IWP – jego pracownie i piece, gdzie powstawały prototypy figurek. Można ją oglądać po wcześniejszym umówieniu wizyty telefonicznie: 22 860 00 82, lub mailowo: katarzyna_figura@iwp.com.pl.

Nie jest to może najbardziej dostępna wystawa, ale to już taka nasza smutna specyfika. Bardzo cenne zbiory polskiego wzornictwa z lat przed- i powojennych posiada też Muzeum Narodowe w Warszawie, ale nie ma ich gdzie eksponować. Przygotowana przez kuratorki muzeum w 2011 r. wystawa „Chcemy być nowocześni. Polski design 1955-1968" pokazała bogactwo tej kolekcji i cieszyła się ogromnym zainteresowaniem publiczności. Czekamy więc z niecierpliwością na nasze Muzeum Designu.

watch for the porcelain figurine

This is a Polish phenomenon – nowhere else have we ever seen such beautiful, modernly designed porcelain figurines. In the 1950s and 60s, some of the best artists - designers, specializing in porcelain – created here, including Lubomir Tomaszewski, Hanna Orthwein, Henryk Jędrasik and Mieczysław Naruszewicz.

The Institute of Industrial Design owns one of Polands most valuable collections of such figures, produced using old forms, by the AS Ćmielów porcelain factory. It has been recently displayed on a permanent exhibition, assembled by the Niemywska Grynasz Studio.

The collection is located in the Hall of Designers (Małpiarni) in the building which, more than 50 years ago, housed the IWP's Department of Ceramics and Glass. With its workshops and furnaces, it was a place where prototypes figures were created. All this can be seen during the appointment-only visits (by phone : 22 860 00 82, or e-mail: katarzyna_figura@iwp.com.pl).

It's not the most accessible exhibition, but that's just its sad quirk. The National Museum in Warsaw owns very valuable collections of Polish design from the years before and after the war, but they have no place to exhibit them. The 2011 exhibition 'We want to be modern. Polish Design 1955-1968' showed the richness of this collection and attracted great interest from the public. So, we eagerly await our own Design Museum.

Q	Instytut Wzornictwa Przemysłowego
⚲	ul. Świętojerska 5/7
→	www.iwp.com.pl

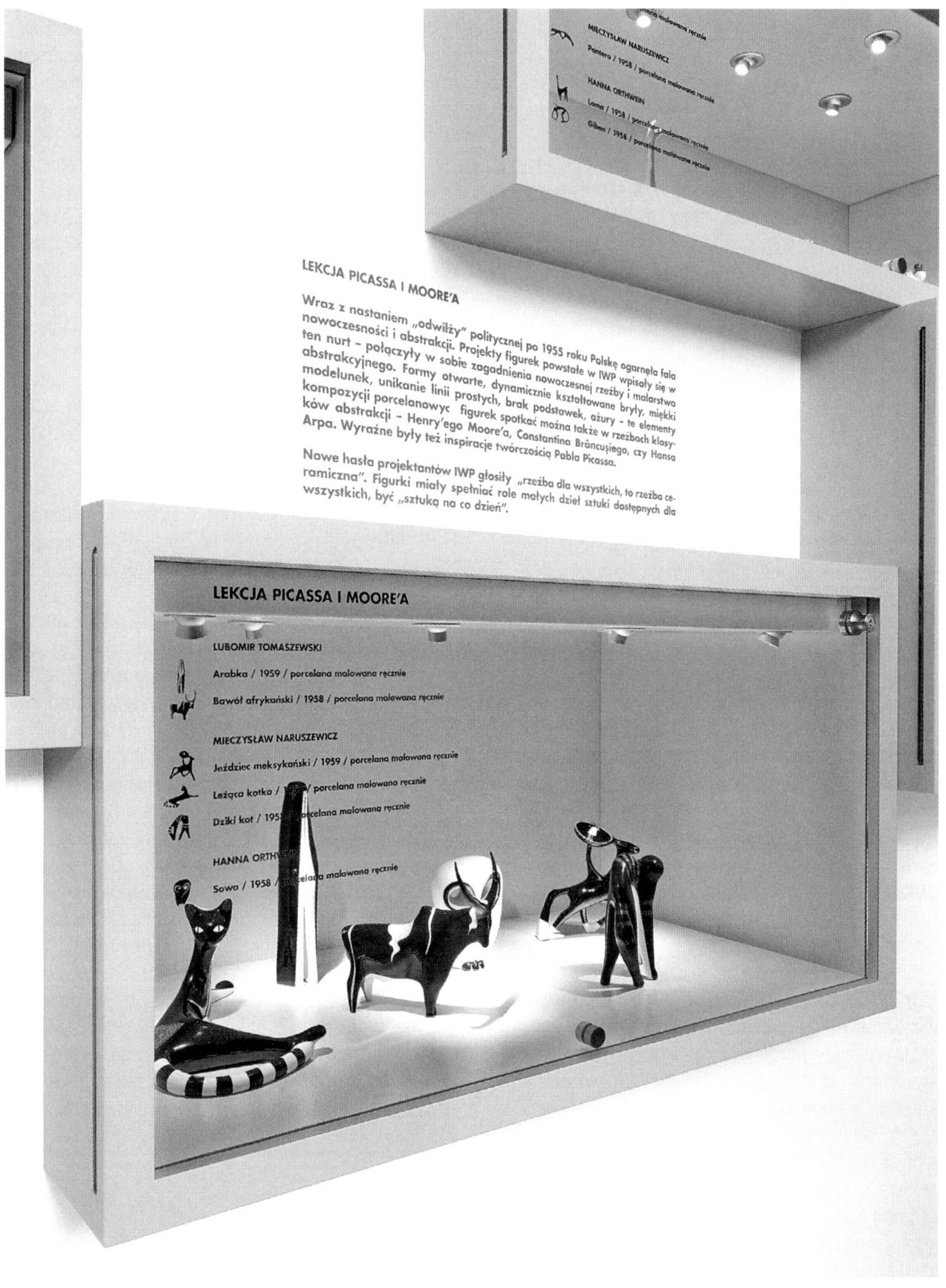
LEKCJA PICASSA I MOORE'A
Wraz z nastaniem „odwilży" politycznej po 1955 roku Polskę ogarnęła fala nowoczesności i abstrakcji. Projekty figurek powstałe w IWP wpisały się w ten nurt – połączyły w sobie zagadnienia nowoczesnej rzeźby i malarstwa abstrakcyjnego. Formy otwarte, dynamicznie kształtowane bryły, miękki modelunek, unikanie linii prostych, brak podstawek, ażury – te elementy kompozycji porcelanowyc figurek spotkać można także w rzeźbach klasyków abstrakcji – Henry'ego Moore'a, Constantina Brâncuşiego, czy Hansa Arpa. Wyraźne były też inspiracje twórczością Pabla Picassa.
Nowe hasła projektantów IWP głosiły „rzeźba dla wszystkich, to rzeźba ceramiczna". Figurki miały spełniać role małych dzieł sztuki dostępnych dla wszystkich, być „sztuką na co dzień".
LEKCJA PICASSA I MOORE'A
LUBOMIR TOMASZEWSKI
Arabka / 1959 / porcelana malowana ręcznie
Bawół afrykański / 1958 / porcelana malowana ręcznie
MIECZYSŁAW NARUSZEWICZ
Jeździec meksykański / 1959 / porcelana malowana ręcznie
Leżąca kotka /
porcelana malowana ręcznie
Dziki kot / 195
celana malowana ręcznie
HANNA ORTH
Sowa / 1958 /
malowana ręcznie
MIECZYSŁAW NARUSZEWICZ
HANNA ORTHWEIN

poznaj poznańską oś

Ulica Poznańska. Jeszcze do niedawna w cieniu wielkiej Marszałkowskiej. Dziś to ona jest bardziej wielkomiejska w swoim kulinarnym rozhasaniu, w swoim nocnym życiu towarzyskim i uczuciowym. Te półtora kilometra to cały trakt mikroświatów, tętniących życiem miejsc, z których każde ma inny klimat, nastrój, różni się muzyką i kulinariami.

Nasze ulubione to sąsiadujące przez ulicę Tel-Aviv (s. 243) oraz Beirut i Kraken.

Kraken to śródziemnomorska wyspa otoczona morzem rumu i pysznego piwa. Lekko marynistyczna w wystroju, ale na szczęście daleka od szantowego sznytu knajpa serwuje doskonałe krewetki, ośmiorniczki, zupę rybną czy klasyczną amerykańską kanapkę philly cheese steak. A gdy dopisze szczęście, można trafić w Krakenie na kameralny koncert – występowali tu m.in. Kamp! czy dziewięcioosobowa orkiestra dęta Hypnotic Brass Ensemble.

Tuż obok (nie trzeba nawet wychodzić na zewnątrz, bo lokale są połączone) mieści się Beirut, magiczne miejsce, królestwo humusu i muzyki. Na ścianach wiszą okładki płyt jazzowych, alternatywnych (niektóre, jak NoMenasNo czy Beirut, z autografami), plakaty muzyczne i filmowe. W Beirucie często występują didżeje, profesjonalni i samozwańczy, polscy i zagraniczni (skądkolwiek by byli, zawsze grają doskonałą muzykę).

Idąc w dół Poznańską, koniecznie też trzeba zajrzeć do Poloneza. Ten niewielki bar jest jak układanka złożona z dziesiątek różnych elementów. Wita gości czarno-biały film wyświetlany na jednej ze ścian, druga pokryta jest starymi lustrami (pozostałość po mieszczącym się tu kiedyś sklepie z antykami), ścianę kolejnej sali zdobi instalacja jednego z łódzkich artystów. Ale prawdziwe skarby kryją się za barem, pyszne regionalne nalewki i piwa, czy koktajle z kapusty, jałowca, pomidorów, winogron, ziela angielskiego i jarmużu.

Poznańska jest w ciągłym ruchu, jest jak natura, która nie znosi próżni. Gdy zamyka się jeden lokal, zaraz otwiera się kolejny. Gdy zniknęły Jazzarium i hinduski Ganesh na rogu Poznańskiej i Wilczej, w ich miejscu otworzyły się bar Jedna Trzecia z kilkudziesięcioma gatunkami belgijskiego piwa oraz śródziemnomorska restauracja Dwie Trzecie. Na tym samym skrzyżowaniu działają też prężnie Leniviec i Tortilla Factory. Pierwszy to kawiarnia z bardzo dobrą kawą i pysznymi śniadaniami (np. indonezyjski omlet z bananem i cynamonem, świeżym ananasem oraz do tego chai latte). Wieczorami natomiast Leniviec zamienia się w koktajlbar.

Tortilla Factory z kolei to jedna z najstarszych restauracji w Warszawie serwujących teksańsko-meksykańskie jedzenie. Chętnie odwiedzana przez expatów przyciąga też gości transmisjami sportowych wydarzeń. A ci, którzy złapią smaka na światową kuchnię, ale opartą wyłącznie na lokalnych składnikach, powinni zajrzeć do Kaskrutu.

To nie koniec atrakcji. Wystarczy odbić od Poznańskiej w jedną z bocznych ulic, by natrafić na kolejne jedyne w swoim rodzaju lokale. Na Wilczej warto zajrzeć do popularnego lokalu Znajomi Znajomych, czyli – jak piszą właściciele – „klubokawiarni stworzonej przez Znajomych dla Znajomych i dla przyszłych Znajomych". Na sporej przestrzeni z ogródkiem na dziedzińcu można nie tylko się napić czy zjeść, lecz także np. obejrzeć seans w ramach cyklu „Oko Proroka" prezentującego kino psychodeliczne, klasy B, nieznane horrory, thrillery, filmy drogi i akcji. Kawałek dalej swój miniraj odnajdą mięsożercy. Na Hożej 62 działa MeatLove, bar, w którym można zjeść kanapkę z pulled porkiem, czyli długo pieczoną łopatką wieprzową, i popić ją np. drinkiem z posmakiem bekonu na bazie whisky czy spróbować picle back. To strzał whisky ze strzałem soku z kiszonych ogórków.

🔍	Beirut
📍	ul. Poznańska 12

🔍	Tel-Aviv
📍	ul. Poznańska 11
→	www.fooddesigners.pl/tel-aviv

🔍	Kaskrut
📍	ul. Poznańska 5
→	www.kaskrut.com

🔍	Kraken
📍	ul. Poznańska 12

1. Beirut
2. Polonez

1 i 2. MeatLove
3. Tel-Aviv Café

the poznańska axis

Poznańska Street. Until recently, it was in the shade of the large Marszałkowska avenue, today it is more cosmopolitan in it's culinary offerings, social and night life. This kilometer and a half track is a mini-world full of lively places, each of which have their own atmosphere and style and all feature different music and cuisine.

Our favorites are Tel-Aviv (page 243) and Beirut and Kraken just across the street.

Kraken is a Mediterranean peninsula in a sea of rum and good beer. The slightly marine style (fortunately not close to sailor-ly) bar serves great shrimp, octopus, fish soup and a classic American Philly cheese steak sandwich. And, if you're lucky, you can stumble upon a tiny concert by, for example, Kamp! or the nine-person Hypnotic Brass Ensemble.

Just next door (and you don't even have to go outside as the bars are connected) is Beirut – a magical place and a kingdom of hummus and music. There are jazz and indie vinyls (some autographed like NoMeansNo or Beirut), posters and film covers on the walls. Beirut often hosts DJs (professional or amateur) from Poland and abroad (it doesn't matter where they're from as they always play good music).

Continuing down Poznańska, you have got to stop at Polonez. This small bar is like a ten-piece puzzle. Guests are welcomed by a black and white film on one wall and old mirrors on another (left over from the former antique shop that was once here) and the walls in another room are covered by an installation by an artist from Łódź. But, the real treasures are to be found behind the bar where there are regional liqueres and beers which are really hard to find or cocktails made from cabbage, juniper, tomatoes, grapes, herbs and kale.

Poznańska is constantly in motion – like nature, it is not static. When one place closes, another takes its place. When Jazzarium and the Indian Ganesh on the corner of Poznańska and Wilcza closed, the bar Jedna Trzecia with dozens of Belgian beers opened as did the Mediterranean restaurant Dwie Trzecie. That crossroads also is home to the successful Leniviec and Tortilla Factory. The first is a café with great coffee and good breakfast options (like an Indonesian omlette with banana, cinnamon, and fresh pineapple, served with a Chai latte). In the evenings, Leniviec transforms into a cocktail bar.

Tortilla Factory is one of the oldest restaurants in Warsaw serving Tex-Mex. It's often filled with ex-pats and people wanting to watch sports. And those who like global cuisine based on local ingredients should check out Kaskrut.

That's not the end of Poznańska's attractions. Meander off onto a side street and you'll find more restaurants and bars. The popular Znajomi Znajomych is located on Wilcza and is a "café-club opened by friends for existing friends and future friends." It's a big spot with a garden in the courtyard where you can not only eat and drink but also watch a movie as part of the Oko Proroka film series of psychadelic, B-list, unknown horror, thriller, expensive and action films.

Just a bit farther on is a meat-lovers paradise. The bar MeatLove is located at Hoża 62 – a place where you can eat pulled pork sandwiches and wash it down with a bacon-flavored drink (with a whiskey base) or try a pickleback – a shot of whiskey followed by a shot of pickle brine.

🔍	**MeatLove**
⚲	**ul. Hoża 62**
→	**www.meatlove.pl**

🔍	**Znajomi Znajomych**
⚲	**ul. Wilcza 58a**
→	**www.znajomiznajomych.waw.pl**

🔍	**Polonez**
⚲	**ul. Poznańska 24**

🔍	**Leniviec**
⚲	**ul. Poznańska 7**
→	**www.leniviec.pl**

#ludziewarszawy
#thepeopleofwarsaw

marta frejda i michał gratkowski

Prowadzą pracownię MFRMGR. Właściciele baru z zapiekankami Serwus Zapiekanki. Zaprojektowali m.in. wnętrza knajpek: MOMU, Stółdzielnia i Tuk Tuk. Obok – projekt centrum nurkowania i indoor skydivingu w silosach na Żeraniu.

They run the MFRMGR design studio. They also own the zapiekanki bar called Serwus Zapiekanki. They have designed the interior of Warsaw bars like MOMU, Stółdzielnia and tuk tuk. Next page: plans for the diving and indoor skydiving centre in silos at Żeran

Uwielbiamy Warszawę za jej nieoczywistość. Gdy mamy wolną chwilkę, to lubimy szwendać się po dziwnych miejskich zakamarkach. Za oczywistymi fasadami budynków kryją się nieodkryte światy. Możemy na przykład zaproponować grę, podczas której forsujemy bramy podwórek i odkrywamy ich tajemnice. To naprawdę wciąga. Polecamy Śródmieście, Ochotę i Pragę. Ciekawym miejscem jest też opuszczona przestrzeń po niedziałających basenach na Skrze, przy Polu Mokotowskim – taki tajemniczy, dziki ogród. Na kawę chodzimy do Relaksu, a posiłki jemy w Serwusie lub Tuk Tuku.

We love Warsaw for it's lack of obviousness. When we have a free moment, we like to wander into the strange corners of the city. You can find a whole different world behind the facade of a building. We recommend a game in which you force open seemingly shut courtyard gates and discover their secrets. It's really addictive. We recommend the Śródmieście, Ochota and Praga districts. Skra, near Pole Mokotowskie, is a really interesting place – an abandoned space with an empty pool – it's like a secret, abandoned garden. We go to Relaks for coffee and we eat at Serwus or tuk tuk.

→ www.mokoarchitects.pl

zostań kawiarnianym ogrodnikiem

Jest kilka symptomów nadejścia sezonu wiosenno-letniego. A jeden z nich to rozkwit kawiarnianych ogródków. Mamy więc ogródki na dzień dobry, dobry wieczór i dobranoc. Są takie z widokiem na tętniące życiem miasto, wystawiające nas na widok publiczny, są też takie, które służą jako azyl.

Pod względem widoku trudno pobić ogródek Qchni Artystycznej w Zamku Ujazdowskim. Wystarczy wygodnie się rozsiąść, zamówić coś do jedzenia (Qchnia od lat jest w czołówce warszawskich restauracji) i oddać się podziwianiu Agrykoli, nowego stadionu Legii.

Miejscem zdecydowanie bardziej ruchliwym, mniej kontemplacyjnym jest pl. Zbawiciela. W sąsiadujących ze sobą Planie B i Charlotte spotykają się dwa odmienne światy. W podcieniach kamienicy, ale też na chodniku, w każdy piękny dzień i wieczór zbierają się poważne tłumy, by spędzić chwilę, a niekiedy i całą noc, na jednym z najbardziej urokliwych placów w Warszawie.

Nie najgorszym widokiem może pochwalić się też Resort. Z niewielkich rozmiarów ogródka (ale za to z leżakami) można wpatrywać się w Teatr Wielki i pl. Teatralny. Chcąc uciec od szumu ulicy, warto zajrzeć do Mielżyńskiego na Burakowskiej – jednej z najpopularniejszych winiarni w Warszawie. Latem, trzymając w ręku kieliszek doskonałego wina (z Europy albo Nowego Świata), z ogródka zobaczymy nie tylko piękną starą fabrykę koronek, lecz także oświetloną kopułę kościoła św. Boromeusza na Powązkach.

Uroczo, bardziej zielono, parkowo wręcz, jest w ogródku Na Lato na Powiślu (s. 42). Piknikowo – w Kafce na Powiślu, która na sąsiedni zielony skwer wystawia mnóstwo leżaków. Można rozłożyć obok własne koce i poleniuchować albo pograć w badmintona czy frisbee. Kafka przyjazna jest też zwierzętom.

1.

2.

1. Resort
2. Qchnia Artystyczna
3. Kafka

Q	Qchnia Artystyczna
⚲	Zamek Ujazdowski, ul. Jazdów 2
→	www.qchnia.pl

Q	Plan B
⚲	pl. Zbawiciela
→	www.planbe.pl

Q	Resort
⚲	ul. Bielańska 1

Charlotte
pl. Zbawiciela
www.bistrocharlotte.com

Kafka
ul. Oboźna 3
www.kawiarnia-kafka.pl

Mielżyński
ul. Burakowska 5/7
www.mielzynski.pl

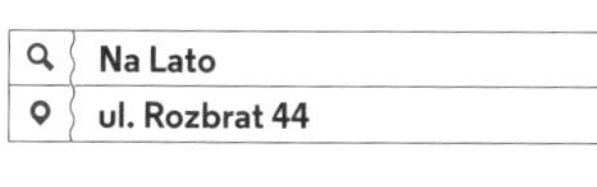

Na Lato
ul. Rozbrat 44

3.

become a café gardener

There are a few signs that signify the beginning of spring and summer in Warsaw and one of them is the blossoming of the café gardens around the city. Not only are they practical, but they often completely change the character of a place.

As such, we have gardens for morning, noon and night. Some have views of the teeming life of the city and others are much more of a quiet oasis. In terms of an incredible view, it's nearly impossible to bear Qchnia Artystyczna in Zamek Ujazdowski (Ujazdowski Castle). Just take a seat, order some food (it's been ranked among one of the best restaurants in Warsaw for years) and take a look around at Agrykola and the new Legia stadium. A decidedly more lively and less contemplative place is pl. Zbawiciela. Neighbors Plan B and Charlotte offer two completely different worlds. Crowds gather under the arches but also on the sidewalk both day and night as soon as the weather is nice enough in order to spend their time on one of the most charming squares in Warsaw.

Resort also has a cool view. The National Theater and pl. Teatralny are very visible from it's small garden. And, if you want to get away from the buzz of the streets, check out Mielżyński's on ul. Burakowska, it's one of the most popular wine bars in Warsaw. In the summer, with a great glass of wine (from both Europe and the new world) in hand, the views from the garden include not only the old factory it's located in, but also the lit-up dome of the St. Boromeusz Church at the near-by Powązki Cemetary.

A lovely, more verdant and park-like garden on Powiśle is at Na Lato. Known for it's delicious pizza and many lounge chairs, the restaurant is located in the building that, before the war, was the School of Journalism and, after the war, was home to the PZPR and SLD parties. Fortunately, none of the old communist ghosts are left.

A few years ago when we organized a competition of Warsaw cafés with the best gardens, readers of the local newspaper *Gazeta Stołeczna* chose Kafka. Located between the Royal Way and Powiśle, every year, the café puts out lounge chairs and badminton on the green grass next door. The place is filled not only with students, but also bicyclists, tourists and whole families. And while there are those who prefer to sit lazily on the grass on a blanket drinking coffee and reading one of the café's many books, there are also those who prefer to play a game of badminton or frisbee. Kafka is also pet-friendly.

śnij o muzycznej warszawie

„Jestem tu, gdzie jest moje serce, gdzie ludzi tłum na każdym koncercie, w mieście WWA uczę się życia, tu gra ta muzyka i jest nie do zabicia". Tak na swoim debiutanckim albumie „Numer jeden wróg publiczny" rapują członkowie hiphopowego kolektywu JWP.

Z piosenek o Warszawie można by ułożyć całą płytotekę, a z tekstów – fascynujący przewodnik. Warszawa w piosenkach jest piękna i brzydka, światowa i prowincjonalna, niezwyciężona i pokonana, modna i zawsze krok w tyle, otwarta i brutalna, kolorowa i pozamykana w szarościach, w końcu sentymentalna i romantyczna oraz cyniczna i wulgarna.

A w każdej piosence kryje się co najmniej ziarno prawdy – w szlagierach Mieczysława Fogga, „Śnie o Warszawie" Czesława Niemena i „Warsaw" Davida Bowiego, rock and rollu Partii, reggae Vavamuffin, opowieściach stołecznych raperów: Molesty, Sokoła, Eldo, Hemp Gru, folkowych czarach Pauli i Karola, osobistych zapasach z metropolią Marii Peszek.

Poprosiliśmy naszych przyjaciół, by wybrali pięć swoich ulubionych współczesnych zespołów i artystów z Warszawy. Sprawdźcie koniecznie propozycje kolektywu didżejskiego Warsaw City Rockers, barda Warszawy i wokalisty Vavamuffin – Pablopavo, dziennikarza muzycznego, współautora książki „Beaty, rymy, życie" Andrzeja Cały, muzyka i kompozytora Macio Morettiego oraz didżeja, współzałożyciela kolektywu S1 Rafała Grobla.

dream about a musical warsaw

"I am here where my heart lies, where there are crowds at every concert and where the city WWA teaches you life – where music plays and cannot die" – so goes the rough translation of rap lyrics on the JWP hip hop collective's debut album Numer jeden wróg publiczny (Public enemy number 1).

You could put together a whole album of songs about Warsaw. Songs describe the city as beautiful and ugly, global and provincial, invincible and defeated, trendy and behind the times, open and brutal, colorful and grey, sentimental and romantic or cynical and vulgar. Each of these songs hold a grain of truth in them from Mieczysław Fogg's tunes to Czesław Niemen's *Sen o Warszawie* to David Bowie's Warsaw to Partia's rock'n'roll to Vavamuffin's reggae through to the rap tracks from Warsaw-based rappers like Molesta, Sokół, Eldo, Hemp Gru, and to the folk pop of Paula & Karol to Maria Peszek's personal tales of the metropolis.

We asked some friends to pick their top five songs by artists from Warsaw about Warsaw. Make sure to check out what the local DJ collective Warsaw City Rockers, the Warsaw bard and vocalist of Vavamuffin, Pablopavo, music journalist and co-author of the book Bity, Rymy, Życie Andrzej Cała, musician and composer Macio Moretti and DJ and founder of the S1 Warsaw collective, Rafał Grobel recommend.

Warsaw City Rockers: Black Coffee, Komety, The Saturday Tea, The Stubs, Government Flu.
Pablopavo: Earl Jacob, Komety, The Bartenders, Elvis Deluxe, Sokół.
Andrzej Cała: Pablopavo, Pjus, Komety, Molesta, Eldo.
Rafał Grobel: Ever Moving, Jacek Sienkiewicz, Ptaki, The Phantom, Twardowski.
Macio Moretti: Karol Suka aka Escape From Warsaw, Marcin Masecki, Bartek Kalinka, Jacek Sienkiewicz, Antigama.

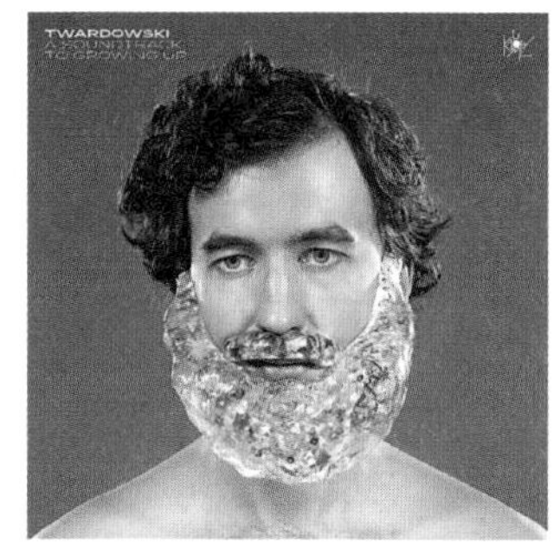
TWARDOWSKI
A SOUNDTRACK
TO GROWING UP

12
MITCH & MITCH
CATCHY TUNES (WE WISH WE HAD COMPOSED)

MŁYNARSKI
PLAYS
MŁYNARSKI

PUS
TKI
SAF
ARI

marcin masecki
scarlatti

Paula & Karol
Goodnight Warsaw EP

10
10 PIOSENEK
PABLOPAVO I LUDZIKI

Polskie Nagrania
N 0416
niemen

KOMETY
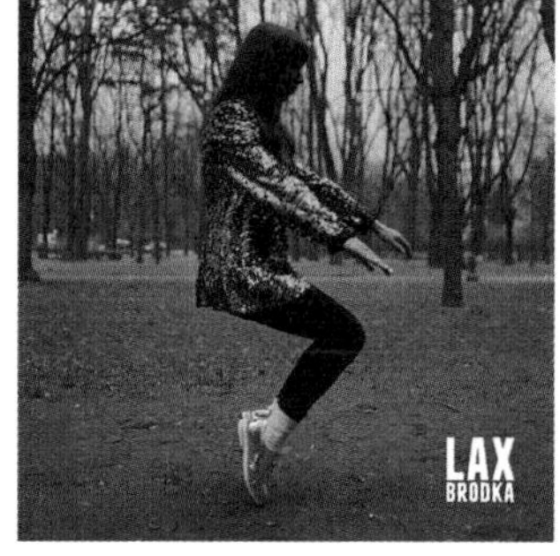
LAX
BRODKA

THE STUBS
SECOND
SUICIDE
RNR

pamiętaj o najważniejszym posiłku

Śniadania zawładnęły wyobraźnią i smakiem warszawiaków. Wiele knajp, które jeszcze do niedawna otwierały się w południe, teraz dodało śniadania do swojej karty. Dziś pytaniem jest więc, które z licznych miejsc wybrać, a nie czy można wybrać się gdziekolwiek. I takie dylematy lubimy.

Zacznijmy od rzeczy najważniejszej – kawy. Od lat jednym z naszych ulubionych miejsc jest Relaks na Mokotowie, kawiarnia przyjazna wegetarianom i weganom oraz rowerzystom.

Na pyszną kawę i całe śniadanie, m.in. bajgle, domowe wypieki, koniecznie trzeba zajrzeć do My'o'My na Szpitalnej. Przytulny lokal z niedużym pięterkiem poszerza się latem o ogródek, a niekiedy wędruje po Warszawie, założycielki My'o'My organizują bowiem popularne Urban Markety.

Jeśli znajdziesz się akurat porankiem na Powiślu, to zajrzyj na szakszukę i świeżo wypiekane pieczywo do Kameralnego Kompleksu Gastronomicznego, czyli SAM-u, na ul. Lipowej. A w weekend na zmieniający się z tygodnia na tydzień, zależnie od sezonu, brunch do sto900.

Niedzielne odpoczywanie po imprezowym weekendzie proponujemy na śniadaniu w barzeStudio, w jednym z najbardziej spektakularnych ogródków – na pl. Defilad. Tu poczujesz, że jesteś w samym sercu miasta. Zadowoleni z menu będą szczególnie wegetarianie.

Wróćmy jeszcze na chwilę na Mokotów, bo mamy wrażenie, że ta dzielnica ukochała sobie dobre śniadaniowe kawiarnie. Na Puławskiej działa Bułkę przez Bibułkę, gdzie warto skosztować kanapki z omletem. Trzeba też zajrzeć na Wiśniową, do Porannej, gdzie czas płynie powoli. Wygrzewając się w słonecznym ogródku, można dopłynąć do obiadu, przygotowanego tu przez sąsiadów w ramach Mokotowskiego Festiwalu Zupy, a nawet do zmroku, by oddać się tańcom przy szlagierach granych przez Warszawskie Combo Taneczne.

Żoliborzanie, na szczęście dla nich, by zjeść pyszne, nieśpieszne śniadanie, nie muszą mknąć na Mokotów czy na Powiśle. Mają sobotni Targ Śniadaniowy i przytulną kawiarnię Fawory, tak samo otwartą na nowe pomysły kulinarne, jak na sztukę młodych artystów i muzyków.

1. My'o'My
2. sto900
3. Bułkę przez Bibułkę

2.

3.

remember the most important meal of the day

The most important meal of the day – and, recently, the most trendy – is breakfast. Varsovians have started to develop a real taste for breakfast. More and more restaurants which used to open at noon have added breakfast to the menu. The question is now: which of these places do we go to? And that's the kind of dilemma we like to have.

Let's start with the most important thing: coffee. One of our favorite places for years has been Relaks in Mokotów, a coffee house that is friendly for vegetarians, vegans and bikers.

For a good coffee and full breakfast of bagels and home-made baked goods, check out My'o'My on Szpitalna. The cosy place also has a small garden in the summer months and the owners of My'o'My also organize the extremely popular, semi-regular Urban Market.

If you happen to be in Powiśle in the mornings, check out the Kameralny Kompleks Gastronomiczny SAM on ul. Lipowa for shakshuka and fresh breads. And on weekends, check out sto900 for a constantly changing seasonal brunch (and not only) menu.

We also recommend a relaxing Sunday breakfast after a night of partying at barStudio, one of the cooler cafés with a garden on pl. Defilad. You will feel like you are, literally, in the heart of the city. Vegetarians will be especially happy with the menu.

Let's get back to Mokotów for a second because it seems like that district has fallen in love with good breakfast cafés. Bułka przez Bibułkę on Puławska has great omlette sandwiches. Poranna on Wiśniowa is also worth checking out – you can sit in the sun all morning, warming up for lunch as part of Mokotów's Soup Festival or wait for a nighttime dance with the Warszawski Combo Taneczne.

There is hope for those living in Żoliborz and they don't have to trek all the way to Mokotów or Powiśle. The Saturday Targ Śniadaniowy (Breakfast Fair) and Fawory café are both filled with new culinary ideas and teeming with young artists and musicians.

My'o'My
ul. Szpitalna 8
www.myomy.pl

Bułkę przez Bibułkę
ul. Puławska 24
www.bulkeprzezbibulke.pl

Poranna
ul. Wiśniowa 46

sto900
ul. Solec 18

zwiedzaj na rowerze

Tak, marzy nam się, żeby Warszawa kochała rowery, tak jak kochają je Berlin czy Kopenhaga. I jesteśmy świadkami tej rodzącej się miłości. Jeszcze nie do końca spełnionej, ale gorętszej niż kilka lat temu, gdy pisaliśmy nasz poprzedni przewodnik.

Wciąż jest jeszcze zbyt wiele miejsc, gdzie rowerzyści muszą wybierać wąski chodnik pełny pieszych lub zatłoczoną ulicę pełną samochodów. Ale dość narzekania.

W mieście sprawnie działa system Veturilo, dzięki któremu za niewielkie pieniądze można w jednej z ponad 170 stacji wypożyczyć jeden z ponad dwóch i pół tysiąca rowerów. Przez dwa lata funkcjonowania miejskie rowery wypożyczano dwa i pół miliona razy.

Ale to niejedyna zmiana na lepsze. Przybywa też ścieżek rowerowych. Jedna z nich, leśna, niewybetonowana, biegnie prawym brzegiem Wisły, przy zoo, Stadionie Narodowym, klubie Temat Rzeka. To jedna z najbardziej uroczych tras miejskich w Polsce, a pewnie i całej Europie.

Veturilo to oczywiście niejedyna wypożyczalnia rowerów w Warszawie. Ci, którzy szukają bardziej spersonalizowanej oferty, powinni zajrzeć do którejś z prywatnych wypożyczalni, np. Warsaw By Bike, która oferuje również wycieczki z przewodnikami. Podobnych ofert jest więcej, rowery można wypożyczyć również w hostelach, np. Oki Doki. A jeśli chcesz kupić pięknie odnowionego stylowego „mieszczucha", koniecznie wybierz się do sklepu Bajki Jak z Bajki w al. Waszyngtona.

Choć jest dobrze, to nie jest jeszcze idealnie. By tak było, w każdy ostatni piątek miesiąca o godz. 18 spod kolumny Zygmunta na pl. Zamkowym, niezależnie od pogody, wyrusza Masa Krytyczna. To jedna z największych w Europie imprez rowerowych, której celem jest zwrócenie uwagi władz na to, ilu rowerzystów codziennie porusza się po mieście.

see warsaw by bike

We dream of the day Warsaw will be as bike-friendly as Berlin or Copenhagen. And we are witnesses to a growing love for bikes. Still not completely there yet, but it is better than it was just a few years ago when we wrote our previous guidebook.

There are still many places where bicyclists have to choose between narrow sidewalk full of people or a road full of car traffic. But, that's enough complaining.

The Veturilo system works well in the city – you can rent one of over 2,500 bikes from over 170 bike stations around Warsaw. It's been working for two years and the system has been used over 2.5 million times.

But, that's not the only change for the better. There are also more bike paths, one of which runs unpaved through a forest along the Vistula by the Zoo, National Stadium and Temat Rzeka. It's one of the loveliest urban bike paths in Poland and probably in all of Europe.

Veturilo is, of course, only one of the bike rental options in Warsaw. For those seeking a more personlized option, check out the private rental spots like Warsaw By Bike, which also offers guided bike tours of the city. There are many similar offers and some hostels even offer bike rentals, like Oki Doki. If you want to borrow an old, refurbished city bike, drop into Bajka Jak z Bajki on al. Waszyngtona.

While it's better, it's still not perfect. One of the ways Varsovians are improving the status of bikers is through the Critical Mass meetings that take place on the last Friday of every month at 18:00 (the meeting place is at Sigismund's Column on pl. Zamkowy) where, regardless of the weather, one of the biggest biking events in Europe takes place. It's goal is to attract the attention of local authorities to just how many people bike through the city on a daily basis.

1. Masa Krytyczna Critical Mass
2. Ścieżka na prawym brzegu Wisły
   Bike path on the right bank of the Vistula
3. Bajki Jak z Bajki

	Veturilo
→	www.veturilo.waw.pl

	Masa Krytyczna
→	www.masa.waw.pl

	Bajki Jak z Bajki
⚲	al. Waszyngtona 136
→	www.bajkijakzbajki.pl

	Warsaw By Bike
⚲	ul. Stawki 19
→	www.warsawbybike.pl

#ludziewarszawy
#thepeopleofwarsaw

marta zabłocka

Fotografka, rysowniczka, autorka albumów „Znamy się tylko z widzenia" i „Sierstka". Razem z kilkoma innymi dziewczynami tworzy komiksowy Dream Team.

Photographer, illustrator, author of the Znamy się tylko z widzenia and Sierstka albums. Together with a few other women, she is in the Dream Team group of comic illustrators.

V9 na Hożej 9 to miejsce, gdzie warto powęszyć w streetartowych klimatach, zanurzyć się w pracowni sitodruku, pobrudzić się farbami i emulsjami, podpatrzyć, co nowego. Bez napinania pośladków, że trzeba być nie wiadomo kim – superosoby z „fałki" wesprą swoją wiedzą i pomogą wydobyć coś dobrego.

A dla znalezienia spokoju przejazd rowerem przez ostatni most – most Marii. Tylko co to będzie, jak tak wszyscy się zjadą na niego wyciszać?

V9 at Hoża 9 is a place worth checking out for it's street art, dive into the screen printing studio and get dirty from the paints and emulsions, to watch and learn something new. There's no pressure here to be 'someone' - the cool people will share their knowledge and help you create something nice.

And for those looking to bike across the river in peace, I recommend Most Maria, the last bridge. But, what will I do when everyone finds out about it?

→ zycie-na-kreske.blogspot.com

MARTA ZABŁOCKA

I-HAAA!

UMIERAM...

zjedz w barze mlecznym – pisze maciej nowak

Lubimy śledzić, jak Warszawa włącza się w globalne nurty wielkomiejskiej kultury. Również kulinarnej. Ja też lubię boom na burgerownie, azjatyckie zupy i food trucki. Przepadam za hipsterskimi piekarniami, śniadaniowniami i prosecco z nalewaka. To prawdziwe życie jak w Madrycie, istna Francja elegancja, do czego tak bardzo aspirujemy, za czym tak bardzo tęsknimy. Ale powiedzieć trzeba szczerze, że nie tym zaimponować możemy światu, bo świat kotletami siekanymi i kwaśną wodą z bąbelkami jest najedzony i upojony. Co innego świat w Warszawie i Polsce kręci, a tym czymś są... uwaga, uwaga... bary mleczne. Na przestrzeni ostatnich kilku lat udzieliłem przynajmniej kilkunastu wypowiedzi dla zagranicznych mediów o fenomenie naszych mleczaków i za każdym razem wizyta w nich wzbudzała euforię u moich gości. Jeszcze tego lata program o tych ludowych jadłodajniach realizować będą kultowi Hairy Bikers, brodaci smakosze z BBC.

Skąd ten zachwyt? Bary mleczne oferują oldskulowe dania, które niemal zniknęły z zachodniego menu. Czasochłonne, pracochłonne, a przy tym smaczne jak cholera.

Ich początki wiązać trzeba z tzw. mleczarniami zakładanymi dla zubożałego ziemiaństwa, które osiadło w Warszawie na przełomie XIX i XX w. To był czas konstytuowania się ruchu jaroszy, czyli ówczesnych wegetarian. W mleczarniach podawano zdrowy wiejski nabiał: zsiadłe mleko, maślankę, kasze, pierogi. Po II wojnie światowej w zniszczonym doszczętnie kraju powrócono do tej idei, łącząc ją z importowaną z ZSRR polityką zdrowej i energetycznej żywności dla klasy ludowej. W ZSRR od lat 20. w tym kontekście rozwijano idee dietetyczne, oparte na modelu tzw. koszernej stołówki. Pierwszy bar mleczny powstał w 1948 r. w Krakowie i był idealnym rozwiązaniem dla ludzi, którzy pozbawieni byli przez wojnę swoich mieszkań, kuchni, naczyń. Rozwój tego typu gastronomii miał też znaczenie emancypacyjne – wyzwalał kobiety z konieczności gotowania, a pozwalał zatrudniać je przy odbudowie kraju. Jadłospis był prosty, niewyszukany w porównaniu z menu restauracyjnym, kojarzył się z klimatem domu: pierogi, naleśniki, kluski, zupy. Największy boom na bary mleczne nastąpił w latach 70., kiedy w całym kraju działało ich ponad 600. Stały się elementem codzienności PRL, a weszły w obieg popkultury jako symbol jedzenia dla proletariatu, dotowanego przez władze, będącego nielubianą i wymuszoną alternatywą dla wyrafinowanej konsumpcji w stylu zachodnim. Pamiętacie oczywiście sceny z „Misia" w reż. Stanisława Barei. Są ludzie, którzy twierdzą, że jadali w takich barach, gdzie sztućce zabezpieczano łańcuchami, a metalowe miski przytwierdzane były do stołów. I za nic nie chcą przyjąć do wiadomości, że był to wyłącznie żart Barei. Ironiczny stosunek do barów generowali przede wszystkim inteligenci, którym od samego początku zestawienie baru z mlekiem wydawało się czymś kabaretowym.

Ten kontekst sprawił, że w momencie zmiany systemu politycznego i gospodarczego roku 1989 bary mleczne zaczęły być traktowane jako symbol dawnego systemu. Kojarzone były ze światem ludzi ubogich, często beneficjentów pomocy społecznej, z którymi odradzający się kapitalizm nie chciał się liczyć. Likwidowano je systematycznie, często otwierając na ich miejscu eleganckie lokale. Taki los spotkał bar Mirów na Elektoralnej, Szwajcarski na Nowym Świecie i ten o zapomnianej już nazwie, którą zastąpił szyld luksusowej Dyspensy na Mokotowskiej. I dopiero kilka lat temu przyszło otrzeźwienie, podobnie zresztą jak w wielu innych obszarach naszego życia publicznego.

Bar Prasowy

Brak barów mlecznych sprawia, że odcina się możliwość jedzenia na mieście gorzej sytuowanym grupom społecznym. Nie chodzi tylko o symbolicznych emerytów czy bezdomnych. Przy 40-procentowym bezrobociu wśród absolwentów, przy bardzo niskich pensjach w szkolnictwie i służbie zdrowia, przy ogromnej migracji młodych ludzi z małych miast do stolicy bary mleczne są bastionami tych, którym nie udało się w kapitalistycznej Polsce. Są miejscem zatrudnienia kobiet w wieku 50+, wykluczanych zazwyczaj z rynku pracy. I są też w końcu głosem społecznego protestu przeciwko gentryfikacji centrów dużych miast. Dwa lata temu próba zamknięcia baru mlecznego Prasowy przy centralnej ulicy Marszałkowskiej wywołała działania aktywistów miejskich, strajk okupacyjny, demonstracje. Burmistrz Śródmieścia mówił publicznie, że nie życzy sobie w swojej dzielnicy jadłodajni dla ubogich, ale opór mieszkańców sprawił, że ostatecznie bar przetrwał i dziś stał się połączeniem tradycyjnego baru z centrum niezależnych ruchów miejskich.

Proces likwidacji zahamowano dosłownie w ostatniej chwili. W Warszawie pozostało obecnie 12 barów mlecznych starego typu. W godzinach południowych wiją się przed ich kasami długie kolejki. Ale – co ważne – pojawili się też przedsiębiorcy, którzy dostrzegli potencjał komercyjny w tej formule, i obecnie trwa dobra passa na otwieranie nowych barów mlecznych. Bary mleczne są dziś przedsięwzięciami komercyjnymi, ale tak jak dawniej mogą się ubiegać o zwrot podatków za kupno produktów rolnych polskiego pochodzenia. I to one tak naprawdę są wizytówką warszawskiej gastronomii. Dużo bardziej niż sushi, ramen czy falafel.

bar Sady
ul. Krasińskiego 36

bar Prasowy
ul. Marszałkowska 10/16
www.prasowy.pl

eat in a milk bar – maciej nowak recommends

We love to watch how Warsaw incorporates itself in global metropolitan changes. This also means cultural changes, of course. I can't say I'm not enjoying the boom of hamburger bars, places serving Asian soups and food trucks. I love hipster bakeries, breakfast cafés, prosecco served straight from tap. This is real life, just like in Madrid or in posh France. We have aspired to this, longed for it. But let's be honest, we're not going to conquer the world with such food, are we? The world has enough of it's own burgers and sparkling wine. But we have our own weapon, and this is, mind you, the milk bar. In the past couple of years, I've been asked by foreign journalists to explain the milk bar phenomenon. Even this summer the Hairy Bikers from the BBC will be doing a special feature about such bars in Poland

Where does this interest come from? Simple. Milk bars offer you truly old school dishes, which have practically vanished from western menus. They are time consuming, need a lot of work, but boy, are they delicious.

Their beginnings can be traced to dairies that were established by poor landowners that migrated to Warsaw at the turn of 19th and 20th century. Being a vegetarian was the new thing, and the dairies were serving curd, buttermilk and dumplings. After World War II, in a country so severly wounded, the idea of healthy food returned, backed by the communist ideology of serving nutritious food for the working class. Bars specializing in such food were established in the USSR as early as the twenties.

The first milk bar in Poland was opened in 1948 in Cracow, it was an ideal place for all those who during the war lost their homes or kitchens. There was even an emancipating aspect to the whole thing - women were liberated from their kitchens and could help rebuild the country

The menu was simple, lowbrow – dumplings, pancakes, noodles, soups. Milk bars had to wait until the seventies to take off. There were 600 of them throughout the country.

They were a part of everyday life and even of pop culture and were detested by some as a symbol of an imposed communist answer to western cuisine and dining style. Many of us remember them from comedies, especially those made by cult director Stanisław Bareja (some people actually believe that there were such places where the dishes and forks were chained to the tables so nobody would steal them, but it was nothing more than a joke). The intelegentsia found it especially amusing that milk can be served in bars.

After the fall of communism, milk bars were treated as a relic of the past, a symbol of oppression. Many of them were closed in order to make space for new fancy restaurants.

The renaissance came a couple of years ago. Some people finally understood that the lack of milk bars was preventing the not so wealthy group of citizens from having a proper meal outside their homes. Not just the homeless and retirees but also the young unemployed graduates or those with low income. Milk bars, more often than not, were and are bastions for those who didn't make it big in the new capitalist Poland.

They are the places where 50+ women can find jobs. They are also a strong voice against the city's gentrification process. Two years ago, the closure of the popular Prasowy bar ended in protests sit-ins and strikes. The head of the district even had the nerve to state that there is no place for a poor people's bar in his borrough. The bar prevailed though and, today, is not only a restaurant but an independent cultural center.

Today, there are around 12 old school milk bars in the city. And, being popular, they have sparked a trend. Private investors are opening new places, often with tax reliefs if they decide to buy local products. Milk bars are the visit cards of Warsaw's gastronomy, much more so than sushi, ramen or falafel places.

Bar Sady

maciej nowak

Kulinarny recenzent „Gazety Co Jest Grane"

Food critic of "Gazeta Co Jest Grane"

zachowaj dobre wspomnienia

Wyjeżdżając z Warszawy, oprócz wspomnień zabierz też koniecznie oryginalną pamiątkę. Może kubek Mamsam z Syrenką albo gra Archimemo z najpiękniejszymi modernistycznymi budynkami Warszawy wyprodukowana przez Centrum Architektury? A może ceramiczne miniaturki budynków autorstwa Magdaleny Estery Łapińskiej albo bloki do wycinania i sklejania („Blok Wschodni" studia Zupagrafika)?

Są też oczywiście książki. Polecamy m.in. oryginalny przewodnik „SAS" po Saskiej Kępie, projektu Magdaleny Piwowar, czy wydany przez Raster album „Warszawa nowoczesna" z przedwojenną architekturą na przepięknych fotografiach Czesława Olszewskiego.

Większość nowoczesnych pamiątek i wydawnictw o naszym mieście (m.in. serię „Archimap") znajdziesz w wielobranżowym sklepie Bęc Zmiany. Pierwsze i ostatnie swoje kroki w Warszawie skieruj więc na Mokotowską.

preserve the good memories

When leaving Warsaw, in addition to taking home good memories, be sure to take some souvenirs as well. Maybe a Mamsam mug with the Warsaw mermaid or the Archimemo game with the most beautiful modernist buildings of Warsaw, produced by the Center for Architecture? Or maybe ceramic miniatures of buildings designed by Magdalena Esteta Łapińska or the paper cutout set of residential flats (a Blok Wschodni by Zupagrafika Studio)?

There is also a bunch of books. Among others, we recommend the original SAS guidebook to Saska Kępa, designed by Magdalena Piwowar or the Raster-published *Warszawa Nowoczesna*, an album with pre-war architecture captured by Czesław Olszewski's beautiful photography.

If you're looking for modern souvenirs and publications on the topic of the city (including the Archimap series), you're bound to find them in Bęc Zmiana's store. So, for your first and last adventures in Warsaw, definitely head over to ul. Mokotowska.

Q	**Reset**
⚲	**ul. Puławska 48**
→	**www.resetpoint.pl**

Q	**sklepik Bęc Zmiany**
⚲	**ul. Mokotowska 65**
→	**www.funbec.eu/shop**

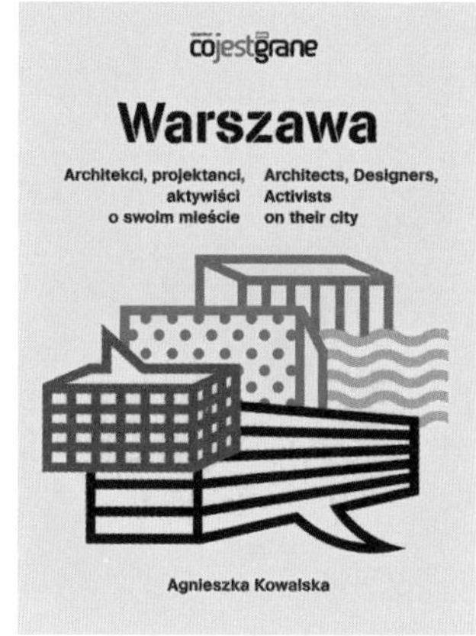

1.

2.

3.

4.

1. Porcelanowe budynki projektu Magdaleny Estery Łapińskiej Magdalena Estera Łapińska's porcelain buildings
2. Wycinanki „Blok Wschodni", proj. studio Zupagrafika East bloc cutouts, design: Zupagrafika studio
3. Proj. Ryszard Kaja, Polishposter.com
4. Kubek Mamsam

kulturalny kalendarz

cultural calendar

muzyka music

POP, ROCK, ALTERNATYWA, HIP-HOP, ELEKTRONIKA:

Orange Warsaw Festival,
www.orangewarsawfestival.pl
Free Form Festival,
www.freeformfestival.pl
WUJek,
www.facebook.com/festiwalwujek
Lado w Mieście,
www.ladoabc.com/pl
Warsaw Challenge,
www.warsawchallenge.com
Record Store Day,
www.facebook.com/S1WWA
Pozytywne Wibracje,
www.stx-jamboree.com
Sonisphere,
www.livenation.pl
Red Bull Music Academy Weekender,
www.redbull.com/pl
Niewinni Czarodzieje,
www.niewinniczarodzieje.pl

FOLK, ETNO:

Skrzyżowanie Kultur,
www.festival.warszawa.pl
Nowa Tradycja,
www.polskieradio.pl/nowatradycja
Nowa Muzyka Żydowska,
www.nowamuzykazydowska.pl
Warszawa Singera,
www.festiwalsingera.pl
aFrykasy Roku,
www.afryka.org
Transkaukazja,
www.transkaukazja.pl

KLASYKA CLASSICAL:

Festiwal Beethovenowski,
www.beethoven.org.pl
Festiwal Mozartowski,
www.operakameralna.pl
Warszawska Jesień,
www.warszawska-jesien.art.pl
Międzynarodowy Konkurs Pianistyczny im. Fryderyka Chopina,
www.konkurs.chopin.pl

sztuka, design, architektura art, design, architecture

Noc Muzeów,
www.kulturalna.warszawa.pl
Warszawa w Budowie,
www.artmuseum.pl
Przetwory,
www.przetworydesign.com
Targi Rzeczy Ładnych,
facebook.com/targirzeczyladnych
Warsaw Gallery Weekend,
www.warsawgalleryweekend.pl
Przemiany,
www.przemianyfestiwal.pl

książki books

Warszawskie Targi Książki,
www.targi-ksiazki.waw.pl
Big Book Festival,
www.bigbookfestival.pl
Imieniny Jana Kochanowskiego,
www.bn.org.pl
Warszawa Czyta,
www.warszawaczyta.org

jedzenie food

Tydzień Wegetarianizmu,
www.tydzienwege.pl
Urban Market,
www.facebook.com/urbanmarket
Warszawski Smak,
www.facebook.com/WarszawskiSmak
World Food, www.worldfood.pl

moda fashion

HUSH, www.hushwarsaw.com
Warsaw Fashion Weekend,
www.fashionweekend.pl
Mustache: Yard Sale,
www.mustache.pl

teatr theater

Warszawskie Spotkania Teatralne,
www.warszawskie.org
Polska w Imce. Niecodzienny Festiwal Teatralny,
www.teatr-imka.pl
Korczak Festival,
www.korczak-festival.pl
Międzynarodowy Festiwal „Sztuka Ulicy",
www.sztukaulicy.pl

taniec dance

Ciało / Umysł,
www.cialoumysl.pl

film

Planete+ Doc Film Festival,
www.planetedocff.pl
Warszawski Festiwal Filmowy,
www.wff.pl
Święto Niemego Kina,
www.iluzjon.fn.org.pl
Black Bear Filmfest,
www.blackbearfilmfest.com
Pięć Smaków,
www.piecsmakow.pl
Kuchnia+ Food Film Fest,
www.kuchniaplus.pl
Filmowa Stolica Lata,
www.filmowastolica.pl
Warsaw Fashion Film Festival,
www.w3f.pl
Wiosna Filmów,
www.wiosnafilmow.pl
Mañana,
www.manana.pl

BLACK BEAR FILMFEST
BÓJ SIĘ DOBRZE! 6—12.12.2013

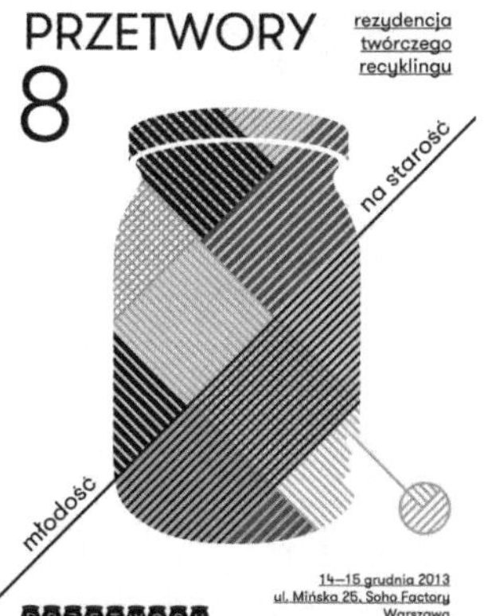

praktyczne informacje i jeszcze raz miejsca, które polecamy

practical information and, again, places recommended by us

noclegi accomodation

AldStudio, ul. Gagarina 27, www.apartamentystudio.waw.pl
Castle Inn, ul. Świętojańska 2, www.castleinn.pl
Emma Hostel, ul. Wilcza 24, www.emmahostel.pl
Fabryka Hostel, ul. 11 Listopada 22/21, www.hostelfabryka.pl
Melon Apartament, ul. Inżynerska 5, ul. Floriańska 8, www.apartamentmelon.pl
Mermaid Hostel, ul. Wilcza 29a, www.mermaidhostel.pl
Oki Doki Hostel, pl. Dąbrowskiego 3, www.okidoki.pl
Wilson Hostel, ul. Felińskiego 37, www.wilsonhostel.pl

wycieczki trips

Adventure Warsaw, www.adventurewarsaw.pl
Eastern Station Warsaw, www.easternstation.eu
Fundacja Ja Wisła, www.jawisla.pl
Warsaw By Bike, ul. Stawki 19, www.warsawbybike

transport transportation

Metro, w godz. 5-0.10, www.metro.waw.pl
Autobusy, tramwaje, www.ztm.waw.pl
Rowery miejskie, www.veturilo.waw.pl
ELE TAXI, tel. 22 811 11 11, www.eletaxi.pl

muzea, galerie museums, galleries

Apteka Sztuki, al. Wyzwolenia 3/5, wt.-sob. 13-19, niedz. 11-18, www.aptekasztuki.eu
BWA Warszawa, ul. Jakubowska 16, śr.-sob. 15-19, www.bwawarszawa.pl
Centrum Sztuki Współczesnej Zamek Ujazdowski, ul. Jazdów 2, wt.-czw., sob.-niedz. 12-19, pt. 12-21, bilety: 12 i 6 zł, www.csw.art.pl
Czar PRL, ul. Grochowska 316/320, codz. 10-16, www.adventurewarsaw.pl
Dom Spotkań z Historią, ul. Karowa 20, wt.-pt. 10-20, sob.-niedz. 11-20, www.dsh.waw.pl
Fundacja Archeologia Fotografii, ul. Andersa 13/112, pon., czw.-pt. 10-17, wt.-śr. 11-19, www.archeologiafotografii.pl
Fundacja Galerii Foksal, ul. Górskiego 1a, www.fgf.com.pl
Galeria Dawid Radziszewski, ul. Krochmalna 3, wt.-sob. 13-19, www.dawidradziszewski.com

Galeria Foksal, ul. Foksal 1/4, pon.-śr., pt. 12-18, czw. 12-19, www.galeriafoksal.pl
Królikarnia, ul. Puławska 113a, wt.-niedz. 10-18, bilety: 8 i 4 zł, w czw. wstęp wolny, www.krolikarnia.mnw.art.pl
Leto, ul. Mińska 25, Soho Factory, wt.-pt. 12-19, sob. 11-15, www.leto.pl
Lokal_30, ul. Wilcza 29a, lok. 12, śr.-pt. 12-18, sob. 11-15, www.lokal30.pl
m2, ul. Oleandrów 6, wt., pt. 14-19, czw. 14-21, sob. 12-16, www.m2.art.pl
Muzeum Fryderyka Chopina, Zamek Ostrogskich, ul. Okólnik 1, wt.-niedz. 11-20, bilety: 22 i 13 zł, we wt. wstęp wolny, www.chopin.nifc.pl
Muzeum Historii Żydów Polskich, ul. Anielewicza 6, pon., śr.-niedz. 10-18, bilety: 15 i 7 zł, www.jewishmuseum.org.pl
Muzeum Narodowe, Al. Jerozolimskie 3, wt.-śr., pt.-niedz. 10-18, czw. 10-21, bilety: 15, eksp. czasowe: 20, we wt. wstęp wolny na wystawy stałe, www.mnw.art.pl
Muzeum Pałac w Wilanowie, ul. Kostki Potockiego 10/16, pon., śr. i sob. 9.30-16, niedz. 10.30-16, bilety: 20 zł, www.wilanow-palac.pl
Muzeum Plakatu, ul. Kostki Potockiego 10/16, pon. 12-16, wt., czw.-pt. 10-16, śr., sob.-niedz. 10-18, bilety 10 i 7 zł, w pon. wstęp wolny, www.postermuseum.pl
Muzeum Powstania Warszawskiego, ul. Grzybowska 79, pon., śr., pt. 8-18, czw. 8-20, sob.-niedz. 10-18, bilety 14 i 10 zł; w niedz. wstęp wolny, www.1944.pl
Muzeum Sztuki Nowoczesnej, pawilon Emilia, Emilii Plater 51, wt.-niedz. 12-20, www.artmuseum.pl
Muzeum Techniki, Pałac Kultury i Nauki, pl. Defilad 1, wejście od strony Al. Jerozolimskich, wt.-pt. 9-17, sob.-niedz. 10-17, bilety: 14 i 8 zł, www.muzeumtechniki.warszawa.pl
Muzeum Woli, ul. Srebrna 12, wt.-niedz. 12-18, bilety: 6 i 4 zł, www.muzeumwoli.whw.pl
Neon Muzeum, ul. Mińska 25, Soho Factory, śr.-sob. 12-17, niedz. 12-16, www.neonmuzeum.org
Raster, ul. Wspólna 63, wt.-sob. 12-18, www.rastergallery.com
Starter, ul. Andersa 13, wt.-pt. 12-19, sob. 11-15, www.starter.org.pl
V9, ul. Hoża 9, wejście od podwórka, wt.-niedz. 12-22, www.v9.bzzz.net
Zachęta, pl. Małachowskiego 3, wt.-niedz. 12-20, bilety: 15 i 10 zł, w czw. wstęp wolny, www.zacheta.art.pl
Zamek Królewski, pl. Zamkowy 4, wt.-sob. 10-15, niedz. 11-15, bilety: 22, 15 zł, w niedz. wstęp wolny, www.zamek-krolewski.pl

księgarnie bookstores

Bęc Zmiana, ul. Mokotowska 65, pon.-pt. 13-20, sob. 12-16, www.sklep.beczmiana.pl
Bookoff: księgarnia fotograficzna, ul. Ogrodowa 7, pon.-pt. 11-19, sob. 12-16, www.bookoff.pl
Bookoff: księgarnia artystyczna, ul. Pańska 3, wt.-niedz.12-20, ul. Mysia 3, www.bookoff.pl
Bookoff: księgarnia kulinarna, ul. Żelazna 91, pon-pt. 11-19, sob. 12-16, www.bookoff.pl
Books for Cooks, ul. Inżynierska 1, pon.-pt. 10-19, sob.-niedz. 11-19, www.booksforcooks.pl
Czuły Barbarzyńca, ul. Dobra 31, pon.-pt. 10-21, sob. 12-22, niedz. 12-21, www.czuly.pl
Empik, ul. Marszałkowska 116/122 (Domy Centrum), pon.-sob. 9-22, niedz. 11-20, www.empik.com
Pępek Sztuki, Centrum Sztuki Współczesnej Zamek Ujazdowski, ul. Jazdów 2, wt.-niedz. 12-19, pt. 12-21, www.pepeksztuki.pl
Super Salon, ul. Chmielna 10, pon.-sob. 11-19, www.supersalon.org
Wrzenie Świata, ul. Gałczyńskiego 7, pon.-pt. 9-22, sob.-niedz. 10-22, www.wrzenie.pl
Zachęta: księgarnia artystyczna, pl. Małachowskiego 3, wt.-niedz. 12-20, www.zacheta.art.pl

moda fashion

Ania Kuczyńska, ul. Mokotowska 61, pon.-pt. 11-19, sob.-niedz. 11-16, www.aniakuczynska.com
Cloudmine, www.cloudmine.pl
Fun in Design, ul. Zgoda 3, pon.-pt. 12-20, sob.-niedz. 13-17, www.funindesign.pl
Mamapiki, ul. Marszałkowska 34/50, lok. 3, www.mamapiki.com
Młodzi Polscy Projektanci, ul. Bracka 23/52, wt. 11-19
Ordynacka Store, ul. Tamka 49 (wejście od Ordynackiej), pon.-pt. 11-19, sob. 11-16, www.ordynackastore.pl
Risk Made in Warsaw, ul. Szpitalna 6/9, pon.-sob. 10-20, niedz. 10-16, www.riskmadeinwarsaw.com
Safripsti (vintage), ul. Oleandrów 3, pon.-pt. 12-19, sob. 11-15
Showroom, www.shwrm.com
TFH, ul. Szpitalna 8, pon.-pt. 10-20, sob. 11-20
UEG, www.ueg-store.com

design design

Bęc Zmiana, ul. Mokotowska 65, pon.-pt. 13-20, sob. 12-16, www.sklep.beczmiana.pl
Chrum.com, ul. Dobra 53, pon.-pt. 10-19, sob. 12-18, www.chrum.com
Czar PRL, ul. Grochowska 316/320, www.adventurewarsaw.pl
Komplet, ul. Mickiewicza 9/2, pon.-pt. 11-19, sob. 11-17, www.projektkomplet.pl
Kuratorium, ul. Sienna 43a, pon.-pt. 11-19, sob. 11-16, www.kuratoriumgaleria.wix.com
Neon Muzeum, ul. Mińska 25, śr.-sob. 12-17, niedz. 12-16, www.neonmuzeum.org
Pies czy Suka, ul. Szpitalna 8a, codz. 11-23, www.piesczysuka.com
Product Placement, ul. Leszczyńska 12, pon.-pt. 11-19, sob. 11-18, www.polishdesignnow.com
Reset, ul. Puławska 48, wejście od ul. Dąbrowskiego, pon.-pt. 12-20, sob. 11-17, niedz. 11-15, www.resetpoint.pl
Vintage Store, ul. Dąbrowskiego 40, pon.-pt. 11-15, sob.-niedz. 12-16

kawiarnie i klubokawiarnie cafés

6/12 Café, ul. Żurawia 6/12, codz. pon.-pt. 8-23, sob. 10-24, niedz. 10-23, www.612.pl
BarStudio, Teatr Studio, Pałac Kultury i Nauki, pl. Defilad 1, pon.-czw. i niedz. 10-24, pt.-sob. 10-2.45
Blikle, ul. Nowy Świat 33, codz. 8-23, www.blikle.pl
Bułkę przez Bibułkę, ul. Puławska 24, pon.-pt. 8-22, sob. 9-22, niedz. 9-16, www.bulkeprzezbibulke.pl
Café Kulturalna, Teatr Dramatyczny, Pałac Kultury i Nauki, pl. Defilad 1, www.kulturalna.pl
Café Vincent, ul. Nowy Świat 64, ul. Chmielna 21, codz. 6.30-24
Centrum Zarządzania Światem, ul. Okrzei 26, codz. 11-3, www.centrumswiata.com
Charlotte, pl. Zbawiciela, pon.-czw. 7-24, pt. 7-1, sob. 9-1, niedz. 9-22, www.bistrocharlotte.com
Chłodna 25, pon.-czw. 9-22, pt. 9-23, sob-niedz. 10-23, www.klubchlodna25.pl
Czuły Barbarzyńca, ul. Dobra 31, pon.-pt. 10-21, sob. 12-22, niedz. 12-21, www.czuly.pl
Fawory, ul. Mickiewicza 21, pon.-czw. 8-22, pt. 8-23, sob. 9-23, niedz. 9-22
Filtry, ul. Niemcewicza 3, pon.-pt. 8-21, sob. 10-21, niedz. 10-20, www.filtrycafe.pl
Francuska 30, ul. Francuska 30, pon.-czw. 8-23, pt. 8-24, sob. 9-24, niedz. 9-22
Kafka, ul. Oboźna 3, codz. 9-22, www.kawiarnia-kafka.pl
Karma, ul. Mokotowska 17, pon.-pt. 7.30-23, sob. 8.30-23, niedz. 9.30-23, www.coffeekarma.eu
Kicia Kocia, ul. Garibaldiego 5a, pon.-śr. 17-23, czw. 17-24, pt. 17-1, sob. 15-2, niedz. 13.30-22.30
Kubek w Kubek, ul. Grażyny 16, pon.-sob. 8.30-22, niedz. 9.30-19
Leniviec, ul. Poznańska 7, pon.-czw. 7.30-24, pt. 7.30-2, sob. 9-2, niedz. 9-24, www.leniviec.pl
Lukullus, ul. Walecznych 29, codz. 9-21, www.cukiernialukullus.pl
Malinova, al. Niepodległości 130, codz. 11-21

Małe Piwo, ul. Oleandrów 4, pon.-czw. 16-23, pt.-sob. 16-24, niedz. 16-22, www.malepiwo.waw.pl
Małpi Biznes, PKP Warszawa-Powiśle, Al. Jerozolimskie 1, pon.-pt. 7-20, sob. 8-16, www.malpibiznes.pl
Melon, ul. Inżynierska 1, pon.-pt. 10-19, sob.-niedz. 11-19
Ministerstwo Kawy, ul. Marszałkowska 27/35, pon.-pt. 9-22, sob.-niedz. 10-22, www.ministerstwokawy.pl
MiTo, ul. Waryńskiego 28, pon.pt. 8-23, sob.-niedz. 9-23, www.mito.art.pl
My'o'My, ul. Szpitalna 8, pon. 11-22, wt.-czw. 10-22, pt.-sob. 10-24, niedz. 10-21, www.myomy.pl
Nie Zawsze Musi Być Chaos, ul. Marszałkowska 19, wejście od ul. Oleandrów, codz. 12-23, www.niezawszechaos.org
Państwomiasto, ul. Andersa 29, codz. 9-24, www.panstwomiasto.pl
Pawilon Kulturalny, ul. Sady Żoliborskie 4, codz. 10-21
Plakatówka, ul. Hlonda 2, codz. 9-22, www.plakatowka.pl
Polonez, ul. Poznańska 24, pon.-śr. i niedz. 10-1, czw. 10-2, pt.-sob. 10-3
Poranna, ul. Wiśniowa 46, pon.-pt. 8-18, sob.-niedz. 10-16
Próżna, ul. Próżna 12, pon.-czw. i niedz. 10-23, pt.-sob. 10-24, www.cafeprozna.pl
Relaks, ul. Puławska 48, pon.-pt. 8-21, sob. 9-19, niedz. 9-18
Resort, ul. Bielańska 1, codz. 11-2
Secret Life, ul. Słowackiego 15/19, pon.-czw. 8-21, pt. 8-22, sob. 10-22, niedz. 10-21
Staroświecki Sklep Wedla, ul. Szpitalna 8, pon.-pt. 8-22, sob. 10-22, niedz. 10-21
Towarzyska, ul. Zwycięzców 49, pon.-pt. 11-2, sob.-niedz. 10-2, www.klubokawiarnia.net
U Krawca, ul. Siennicka 3, pon.-pt. 7.30-21.30, sob.-niedz. 10-21.30, www.ukrawcacafe.pl
Warszawa Powiśle, ul Kruczkowskiego 3b, stacja PKP Powiśle, pon.-śr. 9-24, czw.-pt. 9-2, sob. 10-2, niedz. 10-24, www.warszawapowisle.pl
Wrzenie Świata, ul. Gałczyńskiego 7, pon.-pt. 9-22, sob.-niedz. 10-22, www.wrzenie.pl
Znajomi Znajomych, ul. Wilcza 58a, pon.-pt. od godz. 12, sob. od godz. 16, niedz. od godz. 14 do ostatniego gościa, www.znajomiznajomych.waw.pl

sklepy muzyczne record stores

Hey Joe, ul. Złota 8
Muzant, ul. Warecka 4/6, www.muzant.pl
Nie Zawsze Musi Być Chaos, ul. Marszałkowska 19, wejście od ul. Oleandrów, codz. 12-23, www.niezawszechaos.org
Pardon, to tu, pl. Grzybowski 12/16, www.pardontotu.pl
Side One, ul. Chmielna 21, pon.-pt. 13-19, sob. 12-16, www.sideone.pl

dla dzieci for children

Centrum Nauki „Kopernik", ul. Wybrzeże Kościuszkowskie 20, wt.-pt. 9-18, sob.-niedz. 10-19, www.kopernik.org.pl
Figa z Makiem, ul. Walecznych 64, codz. 10-19, www.figazmakiem.edu.pl
Fundacja Mama, ul. Wilcza 27b, www.fundacjamama.pl
Kalimba Kofifi, ul. Mierosławskiego 19, pon.-pt. 9.30-20, sob.-niedz. 10-20, www.kalimba.pl
Kolonia, ul. Łęczyńska 2, pon.-pt. 8.30-20, sob.-niedz. 9-20, www.kolonia-ochota.pl
Kredkafe, al. Wyzwolenia 14, codz. 10-20, www.kredkafe.pl
Księgarnia Bullerbyn, ul. Chmielna 10, codz. 10-19
MiastoKlocki w Muzeum Woli, ul. Srebrna 12, wt.-niedz. 12-18, wstęp 6 zł, www.mhw.pl
Park linowy Veni-Vici w Powsinie, ul. Maślaków 1, www.veni-vici.com.pl
Plakatówka, ul. Hlonda 2, codz. 9-22, www.plakatowka.pl
Pompon, ul. Młynarska 13, pon.-pt. 9-20, sob.-niedz. 10-20, www.pomponart.pl
Teatr Lalka, Pałac Kultury i Nauki, pl. Defilad 1, www.teatrlalka.waw.pl

kluby clubs

55, ul. Żurawia 32/34, facebook.com/55.klub
1500m2, ul. Solec 18, www.1500m2.com
BarKa, Skwer im. Tadeusza Kahla, www.facebook.com/planbarka
Basen, ul. Konopnickiej 6, www.artbasen.pl
Brzozowa, ul. Brzozowa 37
Café Kulturalna, Teatr Dramatyczny, Pałac Kultury i Nauki, pl. Defilad 1, www.kulturalna.pl
Centralny Dom Qultury, ul. Burakowska 12, www.cdq.pl
Cud nad Wisłą, bulwar Flotylli Wiślanej, www.cudnadwisla.com
Iskra, ul. Wawelska 5, www.klubiskra.pl
Luzztro, Al. Jerozolimskie 6, www.luztro.pl
Nie Zawsze Musi Być Chaos, ul. Marszałkowska 19, wejście od ul. Oleandrów, www.niezawszechaos.org
Nowa Jerozolima, Al. Jerozolimskie 57, www.facebook.com/JerozolimaNowa
Pardon, To Tu, pl. Grzybowski 12/16, www.pardontotu.pl
Plac Zabaw, Agrykola, ul. Myśliwiecka 9, www.facebook.com/wawaplaczabaw
Plan B, pl. Zbawiciela, www.planbe.pl
Progresja, Fort Wola 22, www.progresja.com
Stodoła, ul. Batorego 10, www.stodola.pl
Syreni Śpiew, ul. Szara 10a, www.syrenispiew.pl
Temat Rzeka, plaża przy moście Poniatowskiego, facebook.com/trzeka
Warszawa Powiśle, ul. Kruczkowskiego 3b, www.warszawapowisle.pl

gay-friendly

Galeria, pl. Mirowski 1, www.clubgaleria.pl
Glam, ul. Żurawia 22
Le Garage, ul. Burakowska 12
Lodi Dodi, ul. Wilcza 23, www.lodidodi.pl
Luzztro, Al. Jerozolimskie 6, www.luztro.pl
Mekka, ul. Chłodna 35/37
Meta Disco, ul. Parkingowa 5
Ramona, ul. Widok 22
Toro, ul. Marszałkowska 3/5

nad wisłą on the vistula river

BarKa, Skwer im. Tadeusza Kahla, www.facebook.com/planbarka
Biblioteka Uniwersytecka, ul. Dobra 56/66, www.buw.uw.edu.pl
Cud nad Wisłą, bulwar Flotylli Wiślanej, www.cudnadwisla.com
Centrum Nauki „Kopernik", ul. Wybrzeże Kościuszkowskie 20, wt.-pt. 9-18, sob.-niedz. 10-19, www.kopernik.org.pl
Ja Wisła, www.jawisla.pl
Plażowa, pawilon na plaży przy moście Poniatowskiego
Stadion Narodowy, rondo Waszyngtona, www.stadionnarodowy.org.pl
Temat Rzeka, plaża przy moście Poniatowskiego, www.facebook.com/trzeka

rowery bikes

Asphalt Bikes, ul. Leszczyńska 12, pon.-pt. 12-19, sob. 12-18, www.asphaltbikes.com
Bajki Jak z Bajki, al. Waszyngtona 136, pon.-pt. 11-18, sob. 11-15, www.bajkijakzbajki.pl
Dwa Osiem, ul. Zamoyskiego 26a, pon.-czw. 10-21, pt.-sob. 10-22, niedz. 11-20
Rowery Bajery, ul. Dobra 12, pon.-pt. 10-18
Rowery miejskie Veturilo, www.veturilo.waw.pl
Warsaw By Bike, ul. Stawki 19, www.warsawbybike
Wygodny Rower, ul. Smolna 10, pon.-pt. 11-20, sob. 10-17, www.wygodnyrower.pl

jedzenie eating out

Aioli, ul. Świętokrzyska 18, pon.-czw. 9-24, pt.-sob. 9-1, niedz. 9-24, www.aioli-cantine.com
Baobab, ul. Francuska 31, codz. 10-22, www.cafebaobab.pl
Beirut, ul. Poznańska 12, codz. 12-4, www.beirut.com.pl
Bibenda, ul. Nowogrodzka 10, wt.-niedz. 12-24, www.bibenda.pl

Bobby Burger, ul. Żurawia 32/34 (pon.-czw. 11-1, pt.-sob. 11-4, niedz. 12-24), ul. Woronicza 44 (codz. 12-24), ul. Emilii Plater 47 (pon.-czw. 8-23, pt. 8-2, sob. 11-2, niedz. 11-24), ul. Zwycięzców 17 (codz. 11-22), www.bobbyburger.pl
Bufet Centralny, ul. Żurawia 32/34, codz. 12-2, www.bufetcentralny.pl
Delikatesy Esencja, ul. Marszałkowska 8, pon.-sob. 9-24, niedz. 9-22, www.delies.pl
DOM, ul. Mierosławskiego 12, pon.pt. 12-16, sob.-niedz. 10-18
GringoBar, ul. Odolańska 15, codz. 12-20, www.gringobar.pl
Kaskrut, ul. Poznańska 5, niedz.-pon. 12-22, wt.-czw. 12-23, pt.-sob. 12-24, www.kaskrut.com
Kraken, ul. Poznańska 12, codz. 12-4
Krowarzywa, ul. Hoża 42, pon.-czw. i niedz. 12-23, pt.-sob. 12-24
Kuchnia Funkcjonalna, ul. Jakubowska 16, codz. 11-23
Lotos, ul. Belwederska 2, codz. 10-22, www.restauracjalotos.pl
Mąka i Woda, ul. Chmielna 13a, pon.-czw. 12-15 i 16-22, pt. 12-15 i 16-23, sob. 12-23, niedz. 12-20, www.makaiwoda.pl
Meat Love, ul. Hoża 62, pon.-śr. 10-23, czw.-sob. 10-1, niedz. 12-22, www.meatlove.pl
Między Nami, ul. Bracka 20, pon. 10-23, czw. 10-23, pt.-sob. 10-24, www.miedzynamicafe.com
MOMU, ul. Wierzbowa 11, codz. 11-1, www.momu.pl
Mozaika, ul. Puławska 53, codz. 10-23, www.restauracjamozaika.pl
Na Lato, ul. Rozbrat 44, pon. 8-23, wt.-śr. 8-1, czw. 8-2, pt. 8-5, sob. 10-5, niedz. 10-24
Petit Appétit, ul. Nowy Świat 27, codz. od godz. 7, www.petitappetit.pl
Przegryź, ul. Mokotowska 52, wt.-czw. 9-22, pt. 9-do ostatniego gościa, sob. 11-do ostatniego gościa, niedz. 11-22
Qchnia Artystyczna, Zamek Ujazdowski, ul. Jazdów 2, niedz.-śr. 12-22, czw.-sob. 12-23, www.qchnia.pl
Rue de Paris, ul. Francuska 11, pon-pt. 6.30-21, sob.-niedz. 7.30-21.30, www.ruedeparis.eu
SAM, Kameralny Kompleks Gastronomiczny, ul. Lipowa 7a, pon.-pt. 8-21.30, sob.-niedz. 9-21.30, www.sam.info.pl
Socjal, ul. Foksal 18, pon. 12-22, wt.-czw. 12-23, pt.-sob. 12-2, niedz. 12-22
Sto900, ul. Solec 18/20, pon. 11-22, wt.-czw. 10-22, pt.-sob. 10-1, niedz. 10-22, www.sto900.pl
Stółdzielnia, ul. Kazimierzowska 22, wt.-niedz. 12-22, www.stoldzielnia.pl
Superiore, ul. Piękna 28/34, pon.-pt. 7.30-22, sob.-niedz. 9-22
Tel-Aviv Café, ul. Poznańska 11, pon.-pt. 9-24.30, sob.-niedz. 10-1, www.fooddesigners.pl/tel-aviv
Tortilla Factory, ul. Wilcza 46, pon.-śr. 12-1, czw. 12-2, pt.-sob. 12-4, niedz. 12-1, www.warsawtortillafactory.pl
Warszawa Wschodnia, Soho Factory, ul. Mińska 25, czynne 24 h, www.gessler.sohofactory.pl
Zwyczajna, ul. Wspólna 54, pon.-sob. 8-22, niedz. 10-20, www.zwyczajna.pl

bary mleczne milk bars

Bambino, ul. Hoża 19, pon.-pt. 8-20, sob.-niedz. 9-17, www.bambino.pl
Mleczarnia Jerozolimska, Al. Jerozolimskie 32, ul. Nowowiejska 6, ul. Bagatela 15, ul. Emilii Plater 47, ul. Sienna 83, pon.-pt. 9-20, sob.-niedz. 11-19, www.mleczarniajerozolimska.pl
Prasowy, ul. Marszałkowska 10/16, pon.-pt. 9-20, sob.-niedz. 11-19, www.prasowy.pl
Sady, ul. Krasińskiego 36, pon.-pt. 7-19, sob.-niedz. 9-17

kina cinema

Iluzjon, ul. Narbutta 50a, www.iluzjon.fn.org.pl
Kinoteka, Pałac Kultury i Nauki, pl. Defilad 1, wejście od Al. Jerozolimskich, www.kinoteka.pl
Kultura, ul. Krakowskie Przedmieście 21/23, www.kinokultura.pl
Muranów, ul. Andersa 5, muranow.gutekfilm.pl

teatry theater

Imka, ul. Konopnickiej 6, www.teatr-imka.pl
Lalka, Pałac Kultury i Nauki, pl. Defilad 1, www.teatrlalka.waw.pl
Nowy Teatr, ul. Madalińskiego 10/16, www.nowyteatr.org
Teatr Polonia, ul. Marszałkowska 56, www.teatrpolonia.pl
Roma, ul. Nowogrodzka 49, www.teatrroma.pl
TR Warszawa, ul. Marszałkowska 8, www.trwarszawa.pl
Teatr Studio, Pałac Kultury i Nauki, pl. Defilad 1, www.teatrstudio.pl
Teatr Wielki-Opera Narodowa, pl. Teatralny 1, www.teatrwielki.pl

wegetariańskie jedzenie vegetarian food

Au Lac, ul. Chmielna 10, pon.-sob. 10-21, niedz. 11-20
BarStudio, Teatr Studio, Pałac Kultury i Nauki, pl. Defilad 1, pon.-czw. i niedz. 10-24, pt.-sob. 10-2.45
Beirut, ul. Poznańska 12, codz. 12-4, www.beirut.com.pl
Krowarzywa, ul. Hoża 42, pon.-czw. 12-23, pt.-sob. 12-24, niedz. 12-23
Kubek i Ołówek, ul. Kredytowa 8, pon.-pt. 8-21, sob.-niedz. 10-21
Loving Hut, al. Jana Pawła II 41a, lok. 8, pon.-sob. 11-21, niedz. 12-20, www.lovinghut.waw.pl
Mezze, ul. Różana 1, pon.-sob. 10-21
Mysa, ul. Wilcza 60, pon.-pt. 8.30-21, sob. 9-21, niedz. 9-20
Tel-Aviv Café, ul. Poznańska 11, pon.-pt. 9-24.30, sob.-niedz. 10-1, www.fooddesigners.pl/tel-aviv
Veg Deli, ul. Radna 14, pon.-czw. 12-21, pt.-sob. 12-22, niedz. 12-20, www.iamsoinlovegan.blog.pl
Vega, al. Jana Pawła II 36c, codz. 11-20, www.vega-warszawa.pl
Vege Miasto, al. „Solidarności" 60a, www.vegemiasto.pl
WarsandSawa, ul. Dobra 14/16, pon.-pt. 9-21, sob. 10-21, niedz. 11-21, www.warsandsawa.wordpress.com
W Gruncie Rzeczy, ul. Hoża 62, pon.-sob. 10-23, niedz. 11-21
Wilczy Głód, ul. Wilcza 29a, pon. 9.30-20, wt.-czw. 9.30-22, pt. 9.30-23, sob. 10-23, niedz. 10-21

sport

Aleja Sportów Miejskich, ul. Pełczyńskiego, Bemowo, www.skwer.eu
Biegnij Warszawo, www.biegnijwarszawo.pl
Bike Polo Warszawa, www.polishbikepolo.pl
Boot Camp, www.bootcamppolska.pl
Joga, Jogarytm, ul. Rokosowska 4, www.jogarytm.pl
Kajaki, www.kajakiwarszawskie.pl, www.nakajak.com
Maraton Warszawski, www.pzumaratonwarszawski.com
Nartami Powiśle Concept Store, ul. Solec 30, pon.-pt. 12-19, sob. 12-16
Park linowy w Powsinie, ul. Maślaków 1, www.veni-vici.com.pl
Parkour, www.parkourunited.pl
Rolki, www.polskater.pl
Stadion Narodowy, rondo Waszyngtona, www.stadionnarodowy.org.pl
Warszawa Ćwiczy, www.warszawacwiczy.pl

parki parks

Kępa Potocka, Żoliborz, między ul. Gwiaździstą, Wybrzeżem Gdyńskim i al. Armii Krajowej
Łazienki Królewskie, ul. Agrykoli 1, www.lazienki-krolewskie.pl
Moczydło, Wola, między ulicami Deotymy, Górczewską, Prymasa Tysiąclecia i Czorsztyńską
Ogród Botaniczny Uniwersytetu Warszawskiego, Al. Ujazdowskie 4, kwiecień--sierpień pon.-pt. 9-20, sob.-niedz. 10-20,

wrzesień codz. 10-18, październik pon.-pt. 10-17, sob.-niedz. 10-18, bilety: 7 i 3 zł, www.ogrod.uw.edu.pl
Ogród Botaniczny w Powsinie, ul. Prawdziwka, autobus: 139, maj-czerwiec pon.-pt. 10-18, sob.-niedz. 10-19, lipiec - październik codz. 10-18, bilety: 6 zł, www.ogrod-powsin.pl
Park Bródnowski, Targówek, między ul. Kondratowicza, Chodecką i Wyszogrodzką
Park Skaryszewski, Praga-Południe, między al. Waszyngtona, Zieleniecką i ul. Międzynarodową
Pole Mokotowskie, między ul. Żwirki i Wigury, Rokitnicką, Ondraszka i Rostafińskich, metro Pole Mokotowskie
Wilanów, w godz. 9.30-16, www.wilanow-palac.pl
Zoo, ul. Ratuszowa 1, codz. 9-18, www.zoo-waw.pl

punkty widokowe view points

30. piętro Pałacu Kultury, pl. Defilad 1, maj-sierpień pon.-czw. 9-20, pt.-sob. 9-23.30, bilety: 18 i 12 zł, www.pkin.pl
Empik Megastore Junior, ul. Marszałkowska 116/122, pon.-pt. 7-22, sob. 9-22, niedz. 11-21, www.empik.com
Instytut Awangardy, al. „Solidarności" 64/118, tel. 22 826 50 81, www.instytutawangardy.org
Ogród na dachu BUW-u, ul. Dobra 56/66, kwiecień i październik: godz. 8-18, maj-wrzesień: 8-20, www.buw.uw.edu.pl
Panorama Bar, Al. Jerozolimskie 65/79, codz. 18-2, www.panoramabar.pl

żydowska kultura jewish culture

Muzeum Historii Żydów Polskich, ul. Anielewicza 6, pon., śr.-niedz. 10-18, bilety: 15 i 7 zł, www.jewishmuseum.org.pl
Synagoga Nożyków, ul. Twarda 6, pon.-czw. 9-20, pt. do zachodu słońca, niedz. 11-19, bilety: 6 zł, www.warszawa.jewish.org.pl
Tel-Aviv Café, ul. Poznańska 11, pon.-pt. 9-24.30, sob.-niedz. 10-1, www.fooddesigners.pl/tel-aviv
Warszawa Singera, www.festiwalsingera.pl
Żydowski Instytut Historyczny, ul. Tłomackie 3/5, www.jhi.pl

nauka science

Biblioteka Narodowa, al. Niepodległości 213, www.bn.org.pl
Biblioteka Uniwersytecka, ul. Dobra 56/66, www.buw.uw.edu.pl
Centrum Nauki „Kopernik", ul. Wybrzeże Kościuszkowskie 20, wt.-pt. 9-18, sob.-niedz. 10-19, www.kopernik.org.pl
Muzeum Techniki, Pałac Kultury i Nauki, pl. Defilad 1, wejście od Al. Jerozolimskich, wt.-pt. 9-17, sob.-niedz. 10-17, bilety: 14 i 8 zł, www.muzeumtechniki.warszawa.pl

indeks
index

Q

R

S

Ś

T

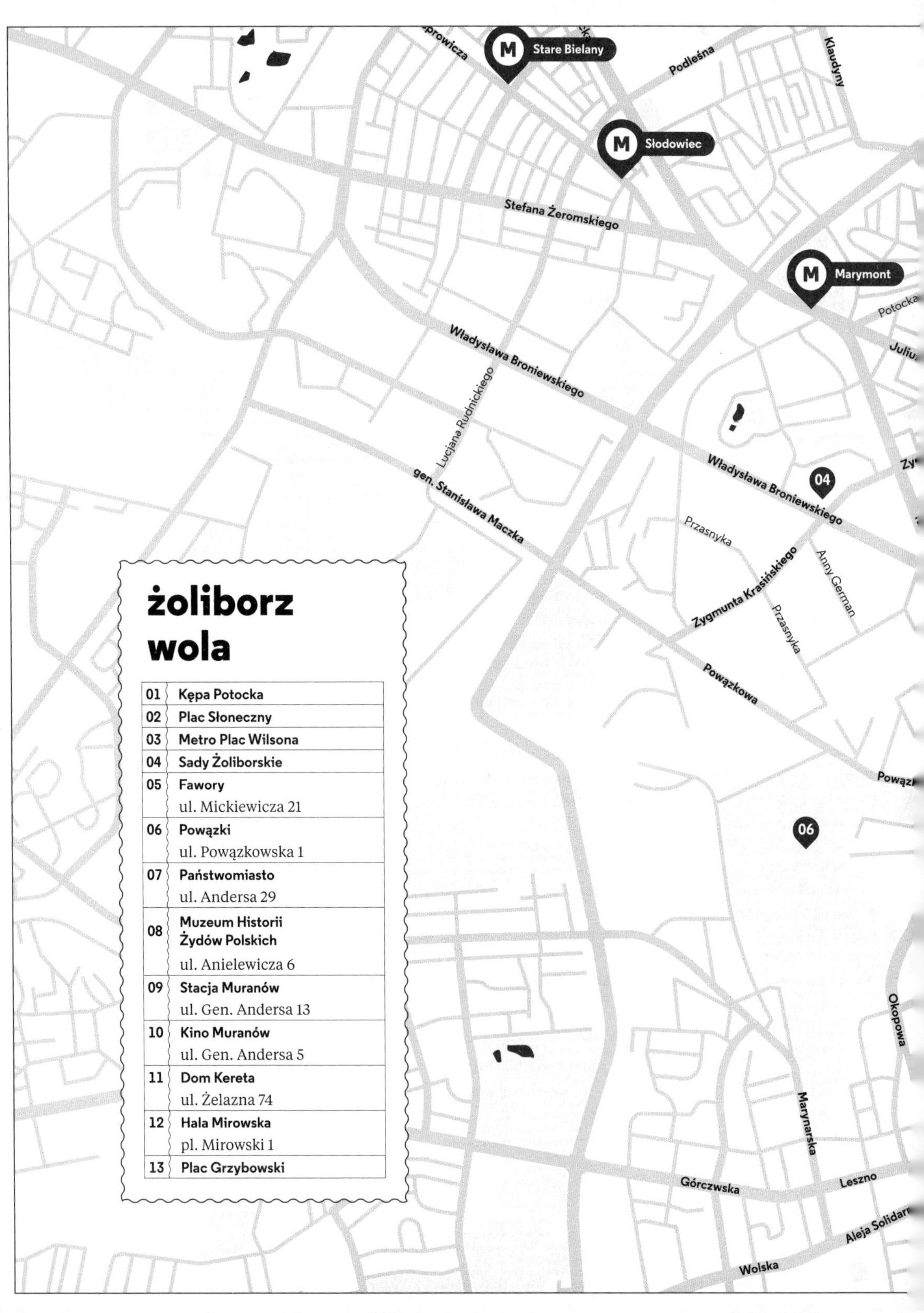

żoliborz wola

01	**Kępa Potocka**
02	**Plac Słoneczny**
03	**Metro Plac Wilsona**
04	**Sady Żoliborskie**
05	**Fawory** ul. Mickiewicza 21
06	**Powązki** ul. Powązkowska 1
07	**Państwomiasto** ul. Andersa 29
08	**Muzeum Historii Żydów Polskich** ul. Anielewicza 6
09	**Stacja Muranów** ul. Gen. Andersa 13
10	**Kino Muranów** ul. Gen. Andersa 5
11	**Dom Kereta** ul. Żelazna 74
12	**Hala Mirowska** pl. Mirowski 1
13	**Plac Grzybowski**

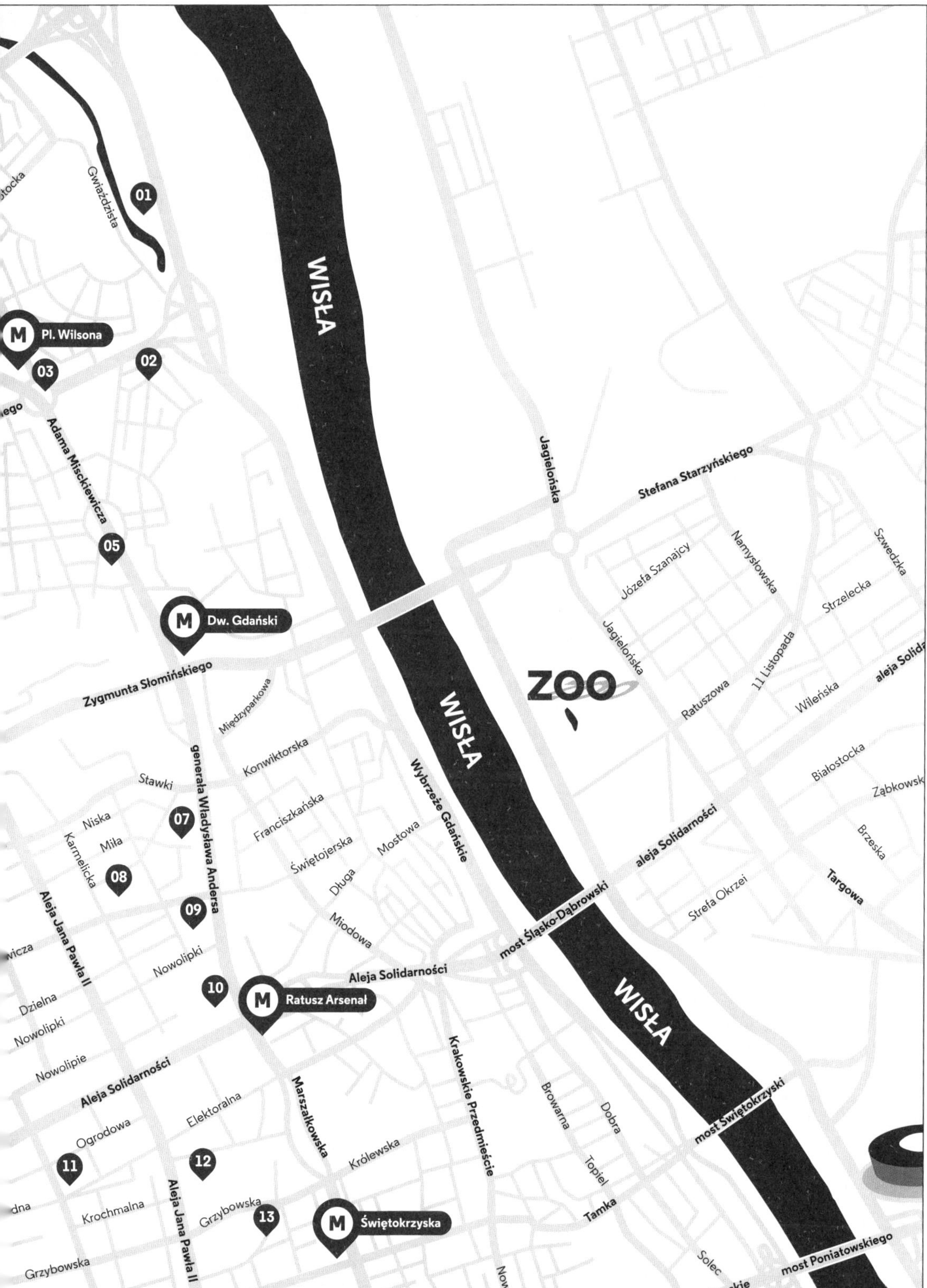

WISŁA
WISŁA
WISŁA
01
02
03
05
07
08
09
10
11
12
13
Pl. Wilsona
Dw. Gdański
Ratusz Arsenał
Świętokrzyska
ZOO
Gwiaździsta
Adama Mickiewicza
Zygmunta Słomińskiego
Międzyparkowa
generała Władysława Andersa
Konwiktorska
Stawki
Niska
Miła
Karmelicka
Franciszkańska
Świętojerska
Mostowa
Długa
Miodowa
Wybrzeże Gdańskie
Aleja Jana Pawła II
Nowolipki
Dzielna
Nowolipie
Aleja Solidarności
Elektoralna
Ogrodowa
Marszałkowska
Królewska
Krakowskie Przedmieście
Krochmalna
Grzybowska
Browarna
Dobra
Topiel
Tamka
Solec
Jagiellońska
Stefana Starzyńskiego
Józefa Szanajcy
Namysłowska
Szwedzka
Strzelecka
11 Listopada
Ratuszowa
Wileńska
Białostocka
Ząbkowska
Brzeska
Targowa
Strefa Okrzei
aleja Solidarności
most Śląsko-Dąbrowski
most Świętokrzyski
most Poniatowskiego

mokotów śródmieście

01	**BUW** ul. Dobra 56/66
02	**Centrum Nauki „Kopernik"** ul. Wybrzeże Kościuszkowskie 20
03	**Zachęta** pl. Małachowskiego 3
04	**Hostel Oki Doki** pl. Dąbrowskiego 3
05	**Muzeum Sztuki Nowoczesnej** ul. Emilii Plater 51
06	**Wrzenie Świata** ul. Gałczyńskiego 7
07	**Warszawa Powiśle** ul. Kruczkowskiego 3
08	**Pawilony na tyłach Nowego Światu** ul. Nowy Świat 22/28
09	**Super Salon** ul. Chmielna 10
10	**Side One** ul. Chmielna 21
11	**Muzeum Narodowe** Al. Jerozolimskie 3
12	**Rotunda** rondo Dmowskiego
13	**1500m2** ul. Solec 18
14	**Cud nad Wisłą** Bulwar Flotylli Wiślanej
15	**Na Lato** ul. Rozbrat 44

16	**Galeria Raster** ul. Wspólna 63
17	**Beirut** ul. Poznańska 12
18	**MDM** plac Konstytucji
19	**Plac Zbawiciela**
20	**Osiedle Jazdów**
21	**Centrum Sztuki Współczesnej Zamek Ujazdowski** ul. Jazdów 2
22	**Plac Zabaw** ul. Myśliwiecka 9
23	**Stadion Legii** ul. Łazienkowska 3
24	**Bar Prasowy** ul. Marszałkowska 10/16
25	**TR Warszawa** ul. Marszałkowska 8
26	**Skra** ul. Wawelska 5
27	**Pole Mokotowskie**
28	**Kino Iluzjon** ul. Narbutta 50a
29	**Nowy Teatr** ul. Madalińskiego 10/16
30	**Relaks** ul. Puławska 48
31	**Nie Zawsze Musi Być Chaos** ul. Marszałkowska 19

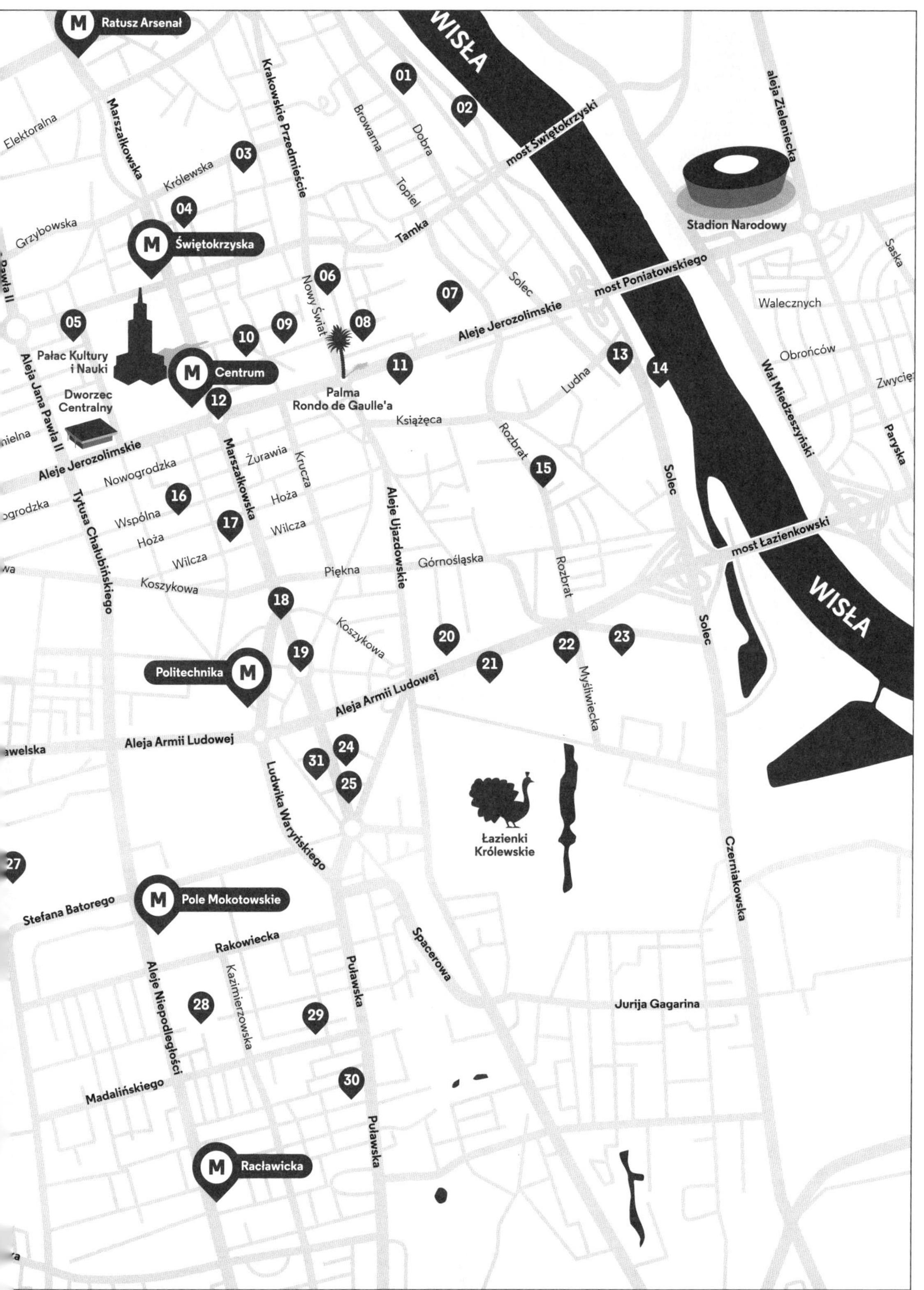

Ratusz Arsenał
WISŁA
01
02
Krakowskie Przedmieście
Browarna
Dobra
most Świętokrzyski
aleja Zieleniecka
Elektoralna
Marszałkowska
03
Królewska
Topiel
Stadion Narodowy
04
Grzybowska
Tamka
Świętokrzyska
Saska
Jana Pawła II
06
Nowy Świat
07
Solec
most Poniatowskiego
Walecznych
05
09
08
10
Aleje Jerozolimskie
Pałac Kultury i Nauki
Centrum
11
13
14
Obrońców
Aleja Jana Pawła II
Dworzec Centralny
12
Palma Rondo de Gaulle'a
Ludna
Zwycięz
Książęca
Wał Miedzeszyński
Aleje Jerozolimskie
Rozbrat
Paryska
Żurawia
Krucza
15
Nowogrodzka
Marszałkowska
Solec
16
Aleje Ujazdowskie
Tytusa Chałubińskiego
Hoża
17
Wspólna
Wilcza
most Łazienkowski
Hoża
Wilcza
Górnośląska
Piękna
Rozbrat
WISŁA
Koszykowa
18
Koszykowa
20
23
Solec
19
22
21
Politechnika
Myśliwiecka
Aleja Armii Ludowej
Aleja Armii Ludowej
24
31
25
Ludwika Waryńskiego
Łazienki Królewskie
Czerniakowska
27
Stefana Batorego
Pole Mokotowskie
Spacerowa
Rakowiecka
Puławska
Aleje Niepodległości
Kazimierzowska
28
29
Jurija Gagarina
30
Madalińskiego
Puławska
Racławicka

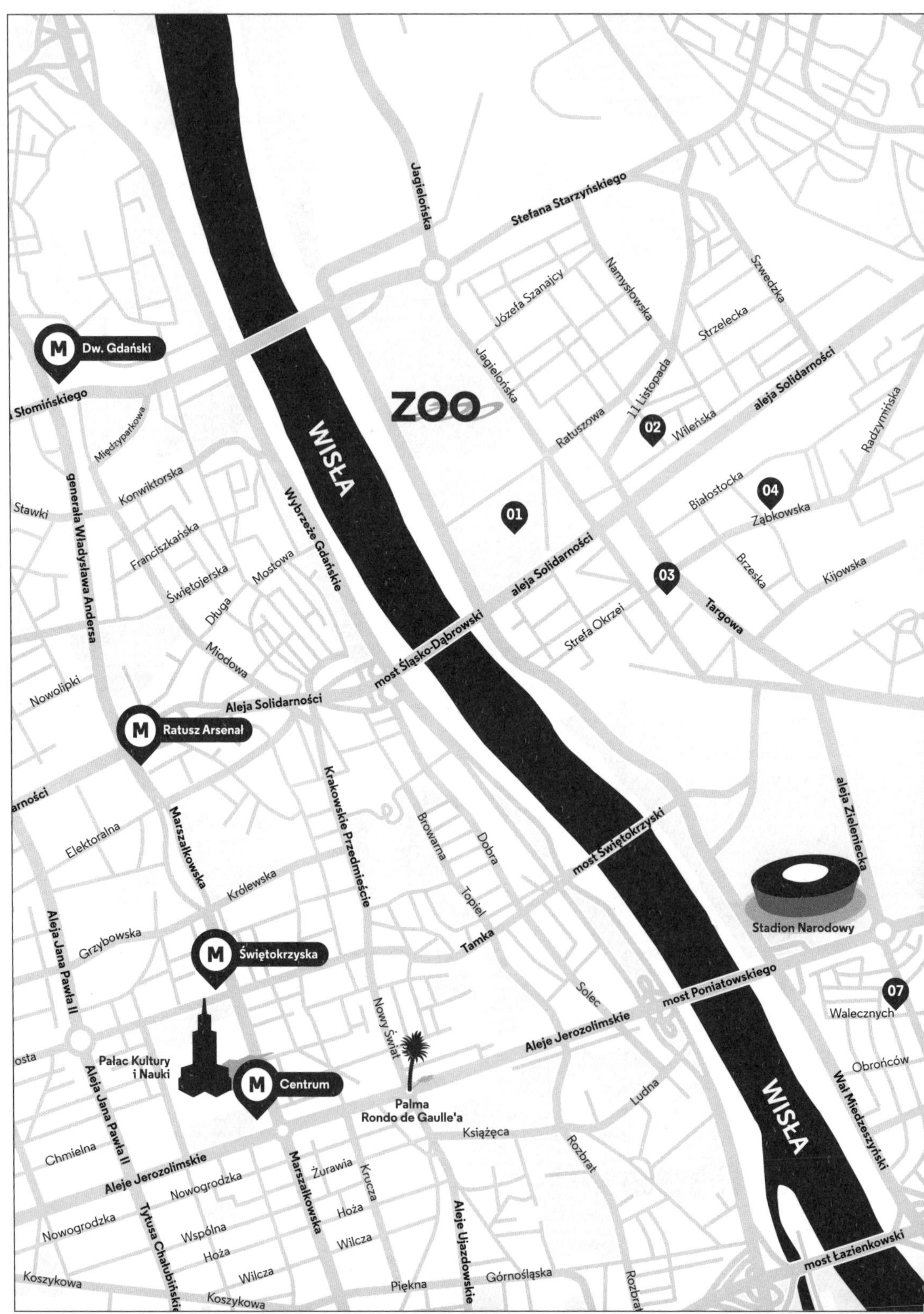

Dw. Gdański
Słomińskiego
Stefana Starzyńskiego
Jagiellońska
Józefa Szanajcy
Namysłowska
Szwedzka
Strzelecka
11 Listopada
aleja Solidarności
ZOO
WISŁA
Ratuszowa
02
Wileńska
Radzymińska
Międzyparkowa
Konwiktorska
Stawki
generała Władysława Andersa
Wybrzeże Gdańskie
Białostocka
04
Ząbkowska
01
Franciszkańska
Świętojerska
Mostowa
aleja Solidarności
03
Brzeska
Kijowska
Długa
Targowa
Strefa Okrzei
Miodowa
most Śląsko-Dąbrowski
Nowolipki
Aleja Solidarności
Ratusz Arsenał
arności
Marszałkowska
Krakowskie Przedmieście
Browarna
Dobra
aleja Zieleniecka
Elektoralna
most Świętokrzyski
Królewska
Topiel
Stadion Narodowy
Aleja Jana Pawła II
Grzybowska
Tamka
Świętokrzyska
Solec
most Poniatowskiego
07
Walecznych
Nowy Świat
Aleje Jerozolimskie
osta
Pałac Kultury i Nauki
Centrum
Obrońców
Wał Miedzeszyński
Palma Rondo de Gaulle'a
Ludna
Książęca
Chmielna
Rozbrat
WISŁA
Aleje Jerozolimskie
Nowogrodzka
Żurawia
Krucza
Tytusa Chałubińskiego
Hoża
Nowogrodzka
Wspólna
Wilcza
Aleje Ujazdowskie
most Łazienkowski
Hoża
Koszykowa
Wilcza
Górnośląska
Piękna
Koszykowa

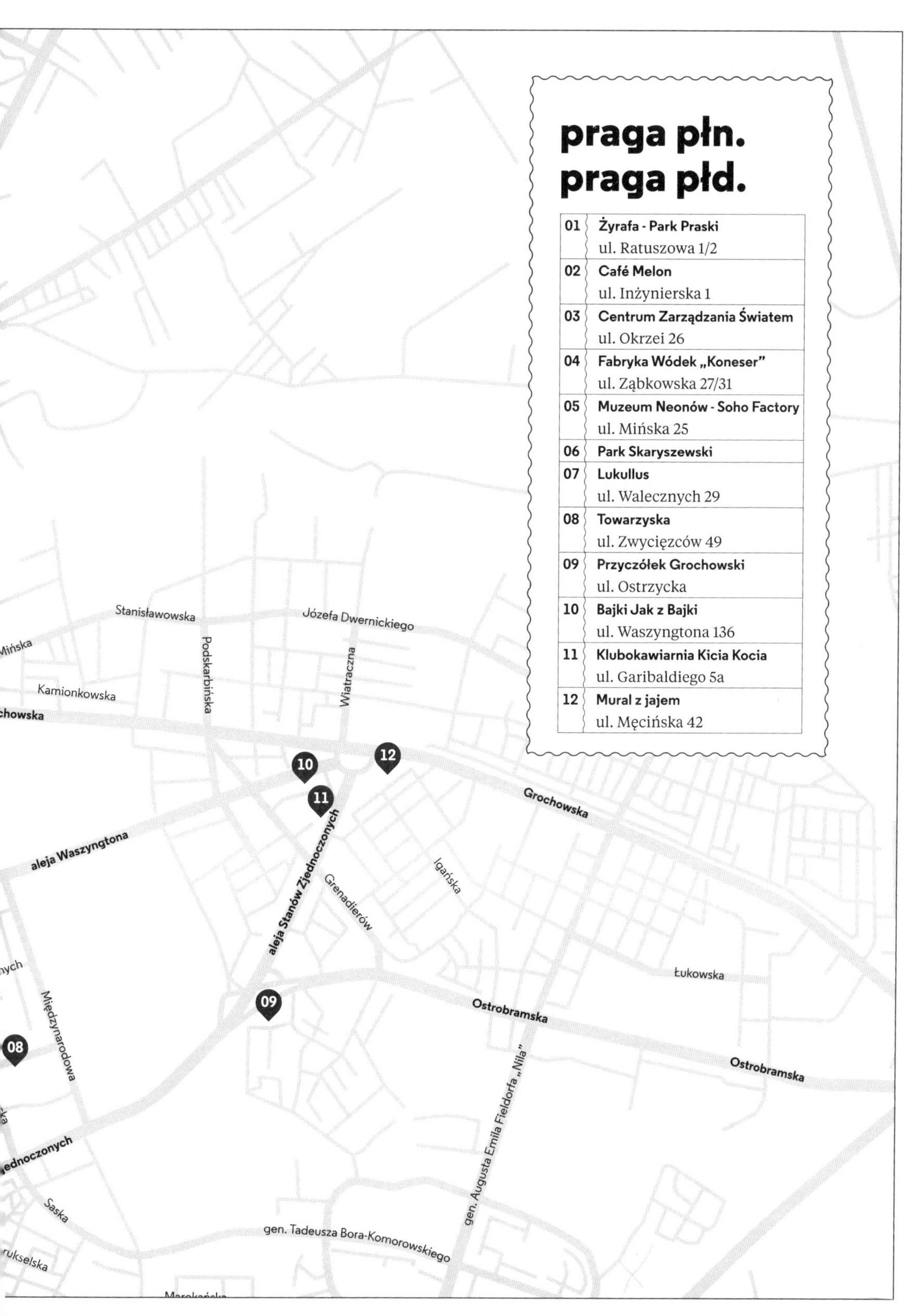
praga płn.
praga płd.
01 Żyrafa - Park Praski
ul. Ratuszowa 1/2
02 Café Melon
ul. Inżynierska 1
03 Centrum Zarządzania Światem
ul. Okrzei 26
04 Fabryka Wódek „Koneser"
ul. Ząbkowska 27/31
05 Muzeum Neonów - Soho Factory
ul. Mińska 25
06 Park Skaryszewski
07 Lukullus
ul. Walecznych 29
08 Towarzyska
ul. Zwycięzców 49
09 Przyczółek Grochowski
ul. Ostrzycka
10 Bajki Jak z Bajki
ul. Waszyngtona 136
11 Klubokawiarnia Kicia Kocia
ul. Garibaldiego 5a
12 Mural z jajem
ul. Męcińska 42
Stanisławowska
Józefa Dwernickiego
Mińska
Podskarbińska
Wiatraczna
Kamionkowska
Grochowska
10
12
11
aleja Waszyngtona
aleja Stanów Zjednoczonych
Grenadierów
Igańska
Łukowska
Międzynarodowa
09
Ostrobramska
08
Ostrobramska
gen. Augusta Emila Fieldorfa „Nila"
Saska
gen. Tadeusza Bora-Komorowskiego

ZRÓB TO W WARSZAWIE!
Do it in Warsaw!

ISBN 978-83-7552-991-3

WYDAWCA/PUBLISHER:
Agora SA, ul. Czerska 8/10, 00-732 Warszawa

OPRACOWANIE REDAKCYJNE/EDITORS:
Agnieszka Kowalska, Łukasz Kamiński, Agnieszka Jurczak

KOORDYNATOR PROJEKTU ORAZ PROMOCJA
PROJECT COORDINATOR AND PROMOTION:
Magdalena Kosińska

PROJEKT GRAFICZNY, PROJEKT OKŁADKI, SKŁAD I PRZYGOTOWANIE
DO DRUKU/GRAPHIC DESIGN, LAYOUT, COVER:
Mamastudio (www.mamastudio.pl)

KOREKTA/PROOFREADING:
Emilia Niedzielak

FOTOEDYCJA/PHOTOEDITING:
Agnieszka Kowalska

ZESPÓŁ DS. PRZESTRZENI BARWNEJ
SCANNING AND COLOUR MANAGEMENT:
Katarzyna Brzozowska-Stachacz

TŁUMACZENIE/TRANSLATION:
Magdalena Jensen

MATERIAŁY REKLAMOWE/ADVERTISEMENTS:
strony/pages: 326–328

WARSZAWA 2014

DRUKARNIA PERFEKT
ul. Połczyńska 99, 01-303 Warszawa

ZDJĘCIA I ILUSTRACJE/ PHOTOS, ILLUSTRATIONS:

1500 m2 – s. 269; Adventure Warsaw – s. 145 (3); Arobal s. 17; Art Yard Sale – s. 33, 239; Kuba Atys/Agencja Gazeta – s. 29 (2), 75, 129 (2), 176, 225, 263; Mateusz Baj/Agencja Gazeta – s. 42; Bajki Jak z Bajki – s. 287; Basen – s. 269 (2); Edgar Bąk – s. 95; Bęc Zmiana – s. 91; Big Book Festiwal – s. 229; Aga Bilska – s. 250; Bartosz Bobkowski/Agencja Gazeta – s. 6, 11, 18 (2), 20, 30, 37, 42, 51, 53, 55, 58, 65, 73, 74, 87 (2), 100, 103 (2), 104, 113, 114, 117, 119 (3), 130, 133 (3), 140, 154, 155, 159, 161, 170, 173, 176, 179, 184, 200, 205, 206, 216, 225, 233, 237, 239, 255, 263, 265, 277, 280; Bobby Burger – s. 248 (2); Stanisław Boniecki/Aioli – s. 82; Dariusz Borowicz/Agencja Gazeta – s. 2, 93; Szymon Brzóska/HUSH – s. 60; Bułkę przez Bibułkę – s. 285; Federico Caponi/Nie Zawsze Musi Być Chaos – s. 253, 257; Centrum Sztuki Współczesnej Zamek Ujazdowski – s. 124; Jakub Certowicz – s. 62 i 63 (MFRMGR), 99 (WWAA); Marcin Chomicki – s. 10; Chrum.com – s. 13, 96; Cyber Kids on Real – s. 9,127; Kuba Dąbrowski – s. 46, 47, 90; Dom Spotkań z Historią – s. 59; Wojciech Duszenko/Agencja Gazeta – s. 159; Dzik – s. 258; Fawory – s. 81 (2); Filtry Café – s. 236; Marta Frej – s. 175; Full Metal Jacket – s. 13, 152, 153; Fundacja Atelier – s. 121; Alina Gajdamowicz/Agencja Gazeta – s. 103, 185; Galeria Zachęta – s. 11; Maurycy Gomulicki – s. 13, 151; Waldemar Gorlewski/Agencja Gazeta – s. 197, 245 (2); Rafał Grabowski – Muzeum Powstania Warszawskiego – s. 67; Nicolas Grospierre – s. 293; Aneta Grzybowska/Agencja Gazeta – s. 38, 52, 54, 55, 112; Małgorzata Gurowska – s. 26, 27; Piotr Haltof/MeatLove – s. 276, 277; Cezary Hładki – s. 94; Magda Hueckel/Nowy Teatr – s. 203; HUSH – s. 60, 61; Iluzjon Café – s.176; Grażyna Jaworska/Agencja Gazeta – s.149, 292; Maria Jeglińska – s. 35; Jakub Jezierski – s. 81; Joanna Jurczak – s. 226, 227; Ryszard Kaja/polishposter.com – s. 292; Sławomir Kamiński/Agencja Gazeta – s. 25, 87, 131, 171, 220, 225; Filip Klimaszewski/Cud nad Wisłą – s. 55; Jacek Kołodziejski – s. 212, 213, 235; Komplet – s. 81; Beata Konarska – s. 240, 241; Malwina Konopacka – s. 251; Justyna Kosińska/ Nie Zawsze Musi Być Chaos – s. 257; Robert Kowalewski/Agencja Gazeta – s. 205; Agnieszka Kowalska – s. 11, 30, 49, 66, 77, 81, 87, 103, 113, 117, 137, 150, 156, 169, 173, 209, 217, 232, 235, 243, 245; Adam Kozak/Agencja Gazeta – s. 13, 97, 259; Krzysztof Kozanowski – s. 278; Kraken – s. 266; Eliza Krakówka – s. 58, 82, 142, 285; Kristoff – s. 33; Krowarzywa – s. 267; Kukbuk – s. 207; Iwona Kuraszko – s. 34; Lechosław Kwiatkowski – s. 263 Kwiatuchi – s. 271; Andy Lodzinski/Warsaw City Rockers – s. 143; Ludwik Lis – s. 68, 69; Lukullus – s. 193 (3); Jacek Łagowski – s. 70, 157, 159, 167 (2), s. 189, 191; Magdalena Estera Łapińska – s. 78, 79, 107 (Centrum Architektury); Małe Piwo (polskieminibrowary.pl) – s. 257; Jacek Marczewski/Agencja Gazeta – s. 21, 53, 75, 167, 203, 291; Franciszek Mazur/Agencja Gazeta – s. 31, 85, 108, 113, 123, 281, 284, 287; MFRMGR – s. 63, 194, 279; Krzysztof Miller/Agencja Gazeta – s. 113, 173, 281; Ministerstwo Kawy – s. 247; Patryk Mogilnicki – s. 182, 183; Michał Murawski/ishootmusic.eu – s. 18; Mustache Yard Sale – s. 61; Michał Mutor/Agencja Gazeta – s. 129; Muzeum Narodowe w Warszawie – s. 65 (3); Muzeum Neonów – s. 72, 73; Muzeum Powstania Warszawskiego – s. 71; Muzeum Warszawy – s. 292; Muzeum Woli – s. 239; Niemywska Grynasz Studio – s. 273; Oki Doki – s. 160; Ola Niepsuj – s. 138, 139; Wojtek Olszanka/Tel-Aviv Café – s. 243, 276; Nomuda – s.164, 165; Notoładnie Studio – s. 24; Agata Nowicka – s. 56, 57; Okienko – s. 257; Wojciech Olkuśnik/Agencja Gazeta – s. 13, 104; Krzysztof Pacholak – s. 36, s. 49 (3), 106, 219 (4), 223; Magdalena Pankiewicz – s. 198, 199; Państwomiasto – s. 230; Pardon To Tu – s. 254; Tomek; Pikuła/Krowarzywa – s. 249; Pies czy Suka – s. 84; Polonez – s. 276; Pompon Café – s. 239; Product Placement – s. 33; Projekt Praga – s. 41 (4); Raster – s. 235; Stefan Romanik/Agencja gazeta – s. 134; Smak – s. 207; Julia Sokolnicka – s. 39; Juliusz Sokołowski/WWAA – s. 99 (4); Solec 44 – s. 221; Bartosz Stawiarski/MSN – s. 88, 205 (2), 209 (3), 215, 231; Adam Stępień/Agencja Gazeta – s. 10, 14, 179, 180, 190, 191, 196, 209 (3), 223, 243, 247 (3); Stowarzyszenie Otwarty Jazdów – s. 36; Super Salon – s. 215; Wojciech Surdziel/Agencja Gazeta – s. 73, 141, 147, 286; Magda Starowieyska – s. 270; Syfon Studio – s. 110, 111; David Sypniewski/Wrzenie Świata – s. 261; Arkadiusz Ścichocki/Agencja Gazeta – s. 148, 223; Targ Śniadaniowy – s. 81; Maciej Świerczyński/Agencja Gazeta – s. 233; TFH Tymczasowy Butik – s. 61; UEG – s. 61; Usta – s. 207; Vintage Store – s. 93 (2); Warburger – s. 249; Warszawa Powiśle – s. 175; Bartek Warzecha – s. 45 (3), 126; Tomasz Wawer/Agencja Gazeta – s. 76; Przemek Wierzchowski/Agencja Gazeta – s. 264; Wilson Hostel – s. 181; Ernest Wińczyk/Charlotte – s. 82; Piotr Woźniakiewicz/CSW – s. 124; Marta Zabłocka – s. 288, 289; Zachęta Narodowa Galeria Sztuki – s. 163 (2), 215; Jan Zamoyski/Agencja Gazeta – s. 135; Albert Zawada/Agencja Gazeta – s. 16, 43, 51, 89, 101, 105, 109, 120, 129, 137, 147, 168, 188, 189, 193, 228, 253, 293; Maciej Zienkiewicz/Agencja Gazeta – s. 15, 115, 122. Zupagrafika – s. 195, 293.

MUZEUM WARSZAWY

www.muzeumwarszawy.pl

facebook.com/muzeum.warszawy

instagram.com/muzeumwarszawy

Na zdjęciu: Aleje Jerozolimskie, fot. E. Hartwig, lata 60. XX w., zbiory Muzeum Warszawy.

notatki notes

notatki notes

notatki notes